La dernière sorcière d'Écosse
de Valérie Langlois
est le mille dix-huitième ouvrage
publié chez
VLB ÉDITEUR.

LA DERNIÈRE SORCIÈRE D'ÉCOSSE

Remerciements

Merci d'abord à toute l'équipe de VLB éditeur: Martin Balthazar, Gervaise Delmas (ma très efficace directrice littéraire!), Myriam Comtois et tous ceux qui travaillent dans l'ombre. C'est un plaisir de réaliser ce projet avec vous.

Merci au Conseil des Arts et des Lettres du Québec d'avoir vu le potentiel de ce roman.

À Isabelle Rouffignat, ma merveilleuse amie, ma première lectrice, ma source d'encouragements et de réflexion. Merci d'ajouter tes si beaux grains de sable à mon grand château!

À Angela Philips, ma traductrice de gaélique et mentor en matière de culture écossaise, toujours disponible pour répondre à mes innombrables questions! *Thank you so very much!*

À la Dre Pascale Prasil, chirurgienne. Merci d'avoir partagé tes connaissances avec moi et d'avoir pris la peine de répondre à tous mes courriels malgré ton horaire chargé!

À mes enfants, qui acceptent de sacrifier du temps de jeu avec moi pour que je puisse écrire, et plus particulièrement à mon fils Jacob, qui s'est exclamé lorsque j'ai terminé ce nouveau roman: «Ah non! Tu ne vas pas en écrire un troisième!» Je vous aime!

À ceux qui croient plus en moi que je ne peux le faire moi-même, parfois: les fées Cindy et Mélanie, le coach Ralph, l'aventurier Billy et tous mes merveilleux amis!

J'offre une mention particulière au groupe trifluvien Bears of Legend, dont la musique m'a accompagnée tout au long de l'écriture de ce roman.

Salutations enfin à tous les lecteurs de *Culloden* que je retrouve ici avec plaisir!

Conseil des arts et des lettres
Québec

Vous pouvez interagir avec l'auteure sur sa page Facebook,
www.facebook.com/valerielangloisauteure, ou par courriel à l'adresse suivante:
val_langlois@live.ca

Valérie Langlois

LA DERNIÈRE SORCIÈRE D'ÉCOSSE

roman

vlb éditeur
Une société de Québecor Média

Direction littéraire : Gervaise Delmas
Design de la couverture : Mügluck
Œuvre en couverture : Alice Pini
Photo de l'auteure : Mathieu Rivard

Catalogage avant publication de Bibliothèque et Archives nationales du Québec
et de Bibliothèque et Archives Canada
Langlois, Valérie, 1976-
La dernière sorcière d'Écosse
ISBN 978-2-89649-546-7
I. Titre.
PS8623.A535D47 2014 C843'.6 C2013-942572-1
PS9623.A535D47 2014

VLB ÉDITEUR
Groupe Ville-Marie Littérature inc.*
Une société de Québecor Média
1010, rue de La Gauchetière Est
Montréal (Québec) H2L 2N5
Tél. : 514 523-7993, poste 4201
Téléc. : 514 282-7530
Courriel : vml@groupevml.com
Vice-président à l'édition : Martin Balthazar

DISTRIBUTEUR :
Les Messageries ADP inc.*
2315, rue de la Province
Longueuil (Québec) J4G 1G4
Tél. : 450 640-1234
Téléc. : 450 674-6237
* filiale du Groupe Sogides inc.,
filiale de Québecor Média inc.

VLB ÉDITEUR bénéficie du soutien de la Société de développement des entreprises culturelles du Québec (SODEC) pour son programme d'édition.
Gouvernement du Québec – Programme de crédit d'impôt pour l'édition de livres – Gestion SODEC.
Nous reconnaissons l'aide financière du gouvernement du Canada par l'entremise du Fonds du livre du Canada pour nos activités d'édition.
Nous remercions le Conseil des arts du Canada de l'aide accordée à notre programme de publication.

Dépôt légal : 1er trimestre 2014

www.editionsvlb.com

Repères historiques

En 1603, la Maison Stuart, au pouvoir en Écosse depuis la fin du XIVe siècle, hérita de la couronne d'Angleterre. Ce changement de dynastie à la tête du royaume anglais occasionna des tensions qui culminèrent avec le renversement, en 1688, de Jacques Stuart VII d'Écosse et II d'Angleterre.

Ce fut pour restaurer le roi déchu et ses descendants sur le trône qu'éclatèrent les rébellions jacobites[1], dont celle de 1745. À cette date, le prince Charles-Édouard Stuart, alors âgé de vingt-quatre ans, débarqua en Écosse où il réussit à rassembler une armée d'environ trois mille hommes ainsi que deux petits canons.

Bonnie Prince Charlie et ses troupes prirent rapidement Édimbourg, et le 21 septembre 1745, il ne leur fallut guère plus de dix minutes pour écraser l'armée gouvernementale anglaise lors de la bataille de Prestonpans. En décembre, ils avaient déjà atteint Derby, à quelque deux cents kilomètres de Londres. Toutefois, le Jeune Prétendant fut contraint d'abandonner sa campagne vers la capitale anglaise pour hiverner dans les Highlands.

En janvier 1746, les Anglais lancèrent l'assaut contre les jacobites à Falkirk, mais leurs canons ne leur furent pas d'une grande utilité et ils durent battre en retraite. Fort de ses précédentes victoires, le prince Charles-Édouard décida alors de

1. Le terme « jacobite » vient du nom Jacobus, soit Jacques, en latin.

diriger lui-même son armée, malgré son manque d'expérience dans l'art de la guerre.

Le 16 avril 1746, il guida ses hommes, affamés, épuisés et en loques, vers Drumossie Moor, sur le champ de Culloden. Ses troupes y subirent un échec cuisant. Encore aujourd'hui, la bataille de Culloden reste une tragédie de l'histoire écossaise. Elle marque la défaite des Stuart et le début d'une répression à grande échelle de la part de la couronne britannique, qui valut entre autres au général anglais Cumberland le surnom de « boucher ». On estime à plusieurs dizaines de milliers le nombre des victimes de l'armée anglaise.

Dans la foulée de Culloden, le Parlement britannique adopta l'Acte de proscription, qui entra en vigueur en Écosse le 1er août 1746. Le gaélique, les kilts, tartans et cornemuses furent interdits, ainsi que tout ce qui caractérisait la culture écossaise. Les armes furent également bannies. Ceux qui contrevenaient à ces lois étaient passibles de déportation dans les colonies ou même de mort.

L'Écosse était définitivement passée sous la coupe des Anglais.

Prologue

In tenebris

Dornoch, Écosse
1727

La nuit tombait lorsque la foule s'agglutina aux portes de la prison locale.

Le ciel lançait des éclairs en succession rapide et grondait son mécontentement de devoir porter le deuil. Le vent se levait, poussant des filaments de brume autour des badauds qui s'attroupaient avec des flambeaux. Des hommes en kilt criaient déjà des injures. Les femmes murmuraient en frissonnant d'horreur. Les villageois vivaient dans la peur depuis trop longtemps. C'est aujourd'hui qu'on allait en finir.

Le bruit de chaînes raclant le sol se fit entendre et les gens se turent peu à peu en retenant leur souffle. Lorsque les lourdes portes pivotèrent en grinçant et que deux silhouettes apparurent sur le seuil, un silence de mort s'installa.

Durant une longue minute, les gens observèrent avec hargne la vieille femme voûtée qu'on allait exécuter. Janet Horne leur rendit leur regard et ricana sournoisement. Près d'elle se tenait le capitaine David Ross, shérif adjoint du comté de Sutherland. Dans cette affaire, il avait été à la fois juge, jury et il deviendrait bourreau.

– Où est la fille ? cria une femme.

Le capitaine Ross pinça les lèvres et adressa un regard mauvais à la trop curieuse dame. La fille de l'accusée avait réussi à prendre la fuite après avoir feint d'enfanter dans d'horribles douleurs. Elle avait profité de l'arrivée du prêtre et de l'absence du gardien, parti quérir l'accoucheuse, pour fuir sa condamnation en laissant lâchement sa mère derrière elle. Mais Élisabeth Catriona Horne ne payait rien pour attendre. Il la retrouverait.

Dénoncées anonymement, Janet Horne et sa fille avaient été reconnues coupables de sorcellerie. La vieille dame en particulier avait usé de ses pouvoirs pour transformer sa propre fille en poney afin de rendre visite à Satan les nuits de pleine lune. La preuve en était qu'elle n'avait jamais réussi à rendre complètement sa forme humaine à Élisabeth, qui avait gardé une main en forme de sabot.

Le peuple craignait Janet Horne depuis des années. Ancienne femme de chambre d'une riche dame de la société, elle avait beaucoup voyagé et avait accumulé des pouvoirs effrayants. Toutes les nuits, on pouvait l'entendre lancer des sortilèges et des malédictions.

La sentence contre les deux femmes avait été sans équivoque : condamnées à mourir brûlées sur le bûcher.

Sous le ciel tourmenté, la vieille fut menée sur la place publique. Ses yeux roulaient de façon étrange et elle murmurait sans cesse des paroles insaisissables. Quelques curieux s'éloignèrent, croyant qu'elle marmonnait sa vengeance sur les habitants de Dornoch. On la dévêtit dans le froid du soir et on mit le feu à ses vêtements. Les gens se moquèrent. Deux hommes s'amenèrent avec un seau de goudron de pin, et les badauds se turent de nouveau.

À l'aide de pinceaux, on enduisit la pauvre femme du liquide bouillant. Elle hurla de douleur, et son corps se couvrit de cloques d'eau. Lorsque la sorcière fut couverte de goudron, des femmes s'approchèrent et lui lancèrent des plumes de poulet qui collèrent à la substance noirâtre pour compléter l'humiliation. Puis la condamnée fut soulevée de terre et on l'installa dans un baril porté par quatre hommes afin de l'exhiber à travers tout le village. Plus jamais l'on n'accepterait que des sorcières s'établissent à Dornoch.

La vieille souffrait horriblement. Elle ne pouvait plus ouvrir qu'une seule paupière. Le froid de la nuit était vif, mais sa peau continuait de fondre lentement. La foule la chahutait en secouant le tonneau. On la hua. On lui lança des légumes avariés. Elle ne broncha pas. Sur les lieux du bûcher, un feu brûlait déjà, prêt à enflammer le tas de bois. Lorsqu'on la sortit de son baril, la femme s'approcha du feu en tendant les mains pour se réchauffer. Elle fixa une dame dans la foule et dit clairement:

– Quelle jolie flamme!

Le shérif adjoint fixa le baril au sommet du monceau de bois. On allait brûler la sorcière à l'intérieur. Il n'y avait pas d'estache à Dornoch, car on n'y avait jamais brûlé quiconque. Il redescendit maladroitement et s'adressa à la vieillarde:

– Janet Horne, vous avez été arrêtée et condamnée pour sorcellerie. Vous allez maintenant être purifiée et mourir par les flammes.

Le rire dément de la femme interrompit Ross, qui attendit qu'elle se taise avant de poursuivre.

– Voulez-vous dire une prière pour le salut de votre âme avant de périr sur le bûcher?

Janet Horne entama le *Notre père*, bafouillant des absurdités et oubliant des passages complets. La foule se mit à murmurer. Voilà qu'elle venait de prouver hors de tout doute qu'elle était bel et bien une adepte de Satan! Sans attendre la fin de la prière, la femme fut conduite dans le baril où elle se tint aussi droite que la figure de proue d'un navire.

À la lueur des flambeaux, les hommes s'approchèrent, embrasant le bûcher sur lequel on avait jeté de l'huile et de la poix. Les flammes s'élevèrent rapidement devant les yeux fascinés des badauds. La sorcière éclata de rire et se mit à scander une litanie qui glaça le sang de tous les spectateurs :

– Je vois. Je sais. Vingt ans vont passer. La chair de ma chair sera damnée. Des vies elle va décimer. Dans la gueule de la pierre qui pleure, elle devra chercher. Elle y sera foudroyée. Son cœur lui sera arraché. De tous, elle devra se méfier. Un des grands elle pourra faire tomber !

Les paroles de Janet Horne se transformèrent en un hurlement à faire frémir un mort, qui se prolongea encore et encore. Les villageois échangèrent des regards effrayés.

Puis le silence retomba.

Note de l'auteure : Janet Horne est un nom générique utilisé pour désigner les sorcières au même titre que Jane Doe pour les personnes inconnues. Cette sorcière-ci, la dernière à avoir été exécutée sur le bûcher pour sorcellerie au Royaume-Uni, est recensée dans tous les ouvrages comme Jenny ou Janet Horne, décédée en 1727 à Dornoch. Le nom de sa fille demeure inconnu.

Chapitre I

Dolores

Glenmuick, Aberdeenshire
Avril 1748

Étrange comme le sommeil peut se montrer un ennemi redoutable avec son lot de souvenirs et de cauchemars. Étrange, également, comme ce même sommeil peut engourdir l'esprit, l'abritant dans un cachot d'indifférence et d'oubli. Lorsque le corps ou la raison souffrent démesurément, ils cherchent la protection de cette obscurité absolue, qu'ils ne trouvent, malheureusement, que trop rarement.

Je ne voulais pas sortir de cette torpeur. Au-delà du néant ne m'attendaient que douleur et désillusion. Je ne souhaitais que sombrer à nouveau dans ma léthargie et ne plus jamais crever la surface de la réalité.

Malgré moi, mon esprit regagnait un état de conscience relatif. Des images éparses s'imposaient derrière mes yeux, trop confuses pour qu'elles aient un sens. Des voix. Des voix flottaient au milieu du brouillard, semblant tirer sur le fil d'Ariane qui me ramenait graduellement au présent.

Une main effleura mon bras. Je me crispai violemment. Comment décrire la terreur qui me saisit en sentant un homme près de moi ?

Non ! Laissez-moi. Laissez-moi !

Devenir invisible, qu'on m'ignore, qu'on me laisse mourir. Ne plus souffrir. On m'avait écartelé l'esprit, volé mes illusions et pris tout ce qui illuminait mon existence.

L'une des voix gagna du terrain, persistante. Je tournai la tête, déterminée à fuir ce timbre masculin qui me faisait flotter au seuil de la douleur. Le frimas ayant pris possession de mon cerveau semblait s'effilocher, s'écartant en lambeaux chimériques.

Laissez-moi…

J'inspirai profondément. Tout mon corps semblait meurtri, ma poitrine, comprimée comme une éponge tordue à sec.

Je m'appelle Isla, et en ce jour d'avril 1748, je fus mise au bûcher…

Une bête noire tout droit sortie de l'enfer fendit le nuage de fumée, l'écume à la bouche, son pelage luisant de transpiration. L'animal se cabra, agité. Partout autour ne s'offraient au regard que ruines et désolation. Quelques murs calcinés menaçaient de s'écrouler au moindre souffle de vent. Un chariot renversé gisait sur son flanc, sa roue tournant dans le vide, comme activée par la main d'un esprit vengeur. Une odeur putride régnait dans l'air.

Et le silence…

Le cavalier arborait des cheveux noirs en bataille et une longue balafre qui dénaturait un visage autrement viril. Brodick MacIntosh était immense, avec de larges épaules et des bras solides.

Bientôt, Brimstone, son acolyte, le rejoignit. Ils gagnaient leurs vies comme messagers, portant des missives à travers l'Écosse. Ils sillonnaient les sentiers en évitant de croiser les patrouilles tyranniques des Anglais, dans la mesure du possible. En ce matin d'avril, ils avaient aperçu, au loin, la colonne de fumée s'élevant au pied du Lochnagar[1]. Ils n'avaient pas hésité à venir offrir leur aide aux gens de cette toute petite communauté nommée Glenmuick.

Étrangement, il n'y avait personne.

Un tourbillon de vent se leva, séparant l'écran de fumée et révélant à la vue des deux cavaliers toute l'horreur du spectacle. Les deux hommes restèrent figés, leurs cerveaux n'osant enregistrer ce qu'ils venaient de voir, alors que le rideau retombait sur cette scène inachevée.

– Seigneur Dieu, murmura Brim.

– *Iffrin*[2] *!* jura Brodick, si bas qu'il s'entendit à peine.

Lentement, il mit pied à terre. Dans le même mouvement, il glissa la main dans sa botte de cuir pour en retirer son poignard. Stoïque, il se mit à marcher vers l'endroit où la tragédie s'était déroulée, ravalant la bile qu'il sentait frémir à la surface de son estomac.

Il ne perçut d'abord que la plainte des cordes.

Elles protestaient contre le poids qui leur était imposé et geignaient à chaque balancement. Puis vint l'odeur. Celle de la mort, certes, mais aussi de la peur, et, plus humaine, celle d'intestins répandus. Il se mordit l'intérieur de la joue, s'obligeant à avancer.

Bientôt, des silhouettes éthérées apparurent dans son champ de vision, semblant émerger devant lui en se frôlant les unes les autres. Deux corbeaux croassèrent, rendant l'illusion du cauchemar encore plus palpable. Il osa enfin lever les yeux. Sur trois rangées, plus d'une trentaine de corps se balançaient, pendus. Des hommes, des femmes, des enfants !

---

1. L'un des nombreux maillons de la chaîne de montagnes des Grampians. Au nord, son sommet se creuse pour former une espèce d'amphithéâtre naturel causé par l'érosion.
2. Juron gaélique signifiant « Enfer ! »

Parmi eux, un bambin d'à peine un an aux boucles dorées et aux menottes rebondies. Sa peau était cendrée, ses joues encore barbouillées du chemin qu'avaient tracé ses larmes.

Brim surgit silencieusement derrière Brodick. Osant à peine lever la voix, il marmonna :

– Leur cou ne s'est même pas brisé. Regarde les nœuds. On a délibérément placé les cordes de façon à ce qu'ils meurent lentement de suffocation.

Serrant les dents, Brodick se hissa sur la pointe des pieds. En tendant les bras au-dessus de sa tête, il arrivait à atteindre le bas des cordes pour les sectionner avec son poignard. Un à un, les deux hommes décrochèrent les cadavres, cherchant à chaque fois une étincelle de vie, sans succès.

Lorsqu'il décrocha le corps du bébé, Brodick le garda un long moment dans ses bras. Il caressa les boucles du poupon, refoulant la rage qui menaçait de déborder. Tandis qu'il effleurait du bout des doigts le front de l'enfant, des images cauchemardesques affluèrent à sa mémoire. Après avoir participé à la bataille de Culloden, deux ans plus tôt, il avait assisté au meurtre de trois jeunes enfants, dont un nouveau-né qui avait eu la tête fracassée sur un rocher par le colonel anglais Jackson Powell. Les pleurs de ces jeunes victimes avaient longtemps hanté Brodick, qui n'avait rien pu faire pour les sauver.

Doucement, comme s'il tenait le plus fragile des vitraux, il déposa l'enfant, lui ferma les yeux et se signa.

Un grondement monta dans la poitrine de l'impressionnant guerrier et il serra les poings jusqu'à s'en faire blanchir les phalanges. La fureur qu'il ressentit à ce moment-là n'avait d'égal que le sentiment d'impuissance qui lui broyait les entrailles.

– Nous ne pourrons pas tous les enterrer, constata Brim.

Brodick regarda autour de lui.

– Ce hangar tient encore debout. Transportons-y les corps, puis nous y mettrons le feu.

Lorsqu'ils eurent disposé les cadavres côte à côte, ils s'éloignèrent un peu pour fuir l'odeur pestilentielle. Brodick improvisa une torche qu'il alluma dans les braises d'une maison incendiée. Le bois du hangar s'enflamma presque instantanément et ils reculèrent, observant le spectacle avec circonspection. Bien que confrontés à la violence de façon presque quotidienne, auraient-ils un jour le cœur assez endurci pour voir des enfants mis à mort? Une question revenait sans cesse dans l'esprit de MacIntosh: les assassins avaient-ils pendu les enfants sous le regard horrifié de leurs parents, ou au contraire, les enfants avaient-ils vu leurs pères et leurs mères convulser à cause du manque d'oxygène sans comprendre ce qui se passait?

La fumée finit par se dissiper, poussée par le vent, et le soleil parut. Peu à peu, le monde reprit des couleurs. Le vert du gazon et le bleu du ciel semblèrent incongrus à Brodick dans de telles circonstances, et il laissa errer son regard sur les ruines environnantes. Il fronça les sourcils lorsqu'une forme capta son attention. Il pencha la tête, tentant de comprendre ce qu'il voyait.

– Qu'est-ce que…

Quand il saisit de quoi il s'agissait, MacIntosh jura avec emphase et se mit à courir. Plus il approchait, plus la forme en question prenait figure humaine. Une silhouette féminine, pâle et immobile, vêtue d'une robe céruléenne, était ligotée à un pieu. Tout autour avaient été éparpillés divers débris, formant ainsi un bûcher improvisé. La victime était jeune, et une importante ecchymose enflait sa joue et un côté de ses lèvres. Ses mains étaient liées derrière elle, autour du pieu, par des cordes semblables à celles qu'on avait utilisées pour pendre les villageois. Elle était également attachée à la hauteur des chevilles, de la taille et des épaules.

MacIntosh se fraya un chemin à travers les débris pour évaluer la situation. La jeune femme n'émit pas un son lorsque son regard vague, d'une étrange couleur aigue-marine, tenta de se fixer sur lui. Elle resta parfaitement impassible, comme une vénus de marbre livide.

Jusqu'à ce qu'il la touche…

Elle se rétracta violemment, effrayée. MacIntosh éprouva de la sympathie pour cette femme qui, semblait-il, avait été rudement tabassée. Il pouvait ressentir sa peur de façon tangible. Il devrait l'amadouer avant de pouvoir défaire ses entraves. Il entreprit donc de lui parler doucement, durant de longues minutes, avant de l'approcher suffisamment pour rompre les liens qui la retenaient captive. Une fois libérée, elle s'effondra dans ses bras.

Ce n'est qu'après l'avoir déposée avec précaution sur le sol inégal qu'il remarqua un symbole fraîchement brûlé sur la peau de son avant-bras.

Comme je l'avais pressenti, le réveil fut brutal.

D'abord, il y eut la douleur physique. Elle m'enveloppa, presque délicatement au début, comme les bras d'une mère, m'assurant que j'étais toujours vivante. Graduellement, sa présence se fit violente. Dévorante. Elle me coupa le souffle en me signifiant que mes os étaient sans doute réduits en poudre. Que mes muscles ne m'obéiraient probablement plus jamais.

Puis vint le mal ultime.

J'aurais voulu avoir complètement perdu la mémoire. Mes pensées étaient certes floues, sans images précises, toutefois une impression de catastrophe en émanait, m'indiquant que la paix de mon esprit était désormais chose du passé. Mon âme avait été perforée, et par cette déchirure s'échappait mon innocence.

À contrecœur, je finis par cligner des paupières pour reprendre contact avec mon environnement.

– Voilà, c'est ça. Doucement, dit la voix qui m'accompagnait depuis un moment.

Quelque chose de dur toucha mes lèvres et un filet d'eau se fraya un chemin jusqu'à ma gorge. Avide, je voulus étancher ma soif, mais on me retira cette oasis et j'eus envie de pleurer comme un nouveau-né à qui l'on enlève le sein.

– Buvez lentement.

La soif me sablait tellement la langue qu'il ne me vint pas à l'idée de poser un regard sur la personne qui s'adressait à moi. Je n'en avais rien à faire qu'elle soit amie ou ennemie. Tout ce qui comptait était de me désaltérer.

Lorsque, enfin, je recouvrai pleinement mes esprits, je levai les yeux vers l'homme accroupi près de moi. Son immense silhouette se découpait en contre-jour et je ne pus que distinguer sa chevelure désordonnée, trop longue, trop sombre.

– Comment vous sentez-vous ? demanda-t-il.

Comme une épave échouée sur un corail, pensai-je. *Brûlée, ballottée au gré des événements et irrémédiablement seule.*

Sans répondre, je tentai de m'asseoir, mais tous mes membres étaient gourds. L'étranger eut l'obligeance de poser une main au creux de mon dos pour me soutenir. Ce mouvement le fit bouger, me permettant de percevoir ses traits, ainsi que l'effrayante marque qui barrait son visage.

Après un moment, je réussis à souffler :

– Les autres… Où sont les autres ?

Il baissa un instant les yeux avant d'affronter de nouveau mon regard.

– Je suis désolé.

– Non ! protestai-je en luttant contre la boule d'angoisse qui me serrait tout à coup la poitrine.

Refusant d'y croire, je tentai de rappeler à mon souvenir ce qui avait bien pu se passer. Une idée horrible me fit dresser l'échine.

– Les enfants! Dites-moi qu'il n'est rien arrivé aux enfants!

Je me mis à trembler devant l'absence de réponse de mon interlocuteur. Brusquement, un raz-de-marée déborda sur mes joues. Je me détournai de l'homme, incapable de respirer. Un spasme secoua ma poitrine, qui ne demandait qu'à émettre le sanglot que j'y gardais captif. Mes lèvres s'écartèrent, mais seule une supplique muette s'en échappa.

On tira sur mon bras et je me retrouvai écrasée contre le torse de l'homme. Lorsque les sanglots passèrent enfin la barrière de ma gorge, une grande main couvrit l'arrière de ma tête, réconfortante, et il me berça doucement contre son épaule en caressant mes cheveux.

Je m'épanchai spontanément dans les bras de cet individu sans songer une seconde que c'était peut-être lui, le responsable de ce carnage.

Après un très long moment, mes pleurs finirent par se tarir, me laissant épuisée. L'étreinte de l'homme aurait dû provoquer en moi de la méfiance ou de la honte, mais j'y puisai un incommensurable réconfort. J'eus conscience de sa chaleur et de son odeur. Sa poitrine était aussi solide qu'un chêne. Les doigts crispés sur sa chemise, je relevai enfin la tête.

Un crissement de bottes me fit sursauter et je remarquai pour la première fois un deuxième homme qui errait à proximité, le regard rivé au sol. Il avait de courts cheveux blonds en bataille et un visage ciselé aux angles sévères. Bien que moins imposant que mon protecteur, son corps était musclé, et ses yeux bleus étaient froids. En cet individu coulait assurément le sang des Vikings. Du bout de sa botte, il poussa un peu de crottin de cheval.

Se rendant compte que je l'observais, il vint vers moi à grands pas.

– Que s'est-il passé ici, pour l'amour du ciel?

Sa voix était austère. Il arrivait sur moi d'un pas décidé et je rentrai la tête dans les épaules, un peu effrayée par son animosité.

– Qui a fait ça? insista-t-il.

– Brim! gronda le premier homme avec une trace de menace dans la voix.

– Nous devons savoir s'il y a des Anglais dans la région, *a Brodick*!

L'individu aux cheveux noirs lui lança un regard courroucé. Puis il s'adressa à moi:

– Êtes-vous capable de nous dire ce qui vous est arrivé?

Je secouai la tête, mais cela causa des élancements dans mon crâne et je cessai mon mouvement abruptement.

– Je l'ignore, murmurai-je.

– C'est normal, m'apaisa-t-il. Votre esprit n'a pas pu assimiler l'horreur que vous venez de subir.

Je le dévisageai, muette. Il insista:

– Ça vous reviendra. Croyez-moi.

Le moins agréable des deux hommes s'accroupit près de moi et me dévisagea lui aussi. Puis, s'emparant de ma main droite, il désigna une brûlure en forme de pentagramme qui déparait désormais mon avant-bras.

– Vous devrez expliquer ce que signifie ceci, sorcière.

Ignorant le regard horrifié de la jeune femme lorsque ses yeux se posèrent sur la marque, Brodick pinça les lèvres, semblant réfléchir, puis il se redressa.

– Bien, décréta-t-il, il faut quitter cet endroit, et à l'évidence, vous ne pouvez pas marcher. Donnez-nous quelques minutes pour récupérer les chevaux.

Il fit signe à Brimstone de lui emboîter le pas et s'éloigna prestement. Lorsqu'ils furent hors de portée de voix, ce dernier interrogea MacIntosh.

– Quelle mouche te pique ? Récupérer les chevaux ? Tu n'as qu'à siffler et ils arrivent au galop.

Brodick effleura sa cicatrice du doigt, comme chaque fois qu'il réfléchissait intensément. Il eut une expression agacée.

– Ça ne colle pas.

– Qu'est-ce qui ne colle pas ?

Le Highlander engloba le village et la jeune femme d'un même mouvement de la main.

– Tout ça. Ça n'a aucun sens !

– Explique-toi.

– Pourquoi avoir massacré un village entier ? Pourquoi, après un tel carnage, avoir laissé une seule personne vivante ? En particulier s'ils la croyaient sorcière ? Ils auraient dû la tuer la première.

– Écoute, *a dubh*[3], la route est encore longue et je suis affamé. Remettons cette fille au shérif le plus proche et prenons la clé des champs.

– Pas tant que je ne serai pas certain qu'elle est hors de danger. Les responsables n'ont visiblement pas achevé leur tâche et rôdent peut-être encore dans les parages.

Ultérieurement, MacIntosh se demanderait pourquoi son instinct ne l'avait pas alerté du danger que représentait cette jeune femme.

---

3. « Ô noir » en gaélique. Dans la culture écossaise, on fait souvent référence aux gens d'après la couleur de leur chevelure.

Chapitre II

Ecce Agnus Dei

– Sortez, monsieur, je m'occupe d'elle, dit sèchement la femme de l'aubergiste en désignant la porte de la chambre du menton.

Brodick MacIntosh s'exécuta à contrecœur.

La salle à manger de l'auberge était bondée lorsque, quelques instants plus tôt, il y était apparu, portant dans ses bras une femme brutalisée dans une robe tachée de sang. Toutes les conversations s'étaient tues et le regard soupçonneux des clients était passé de l'un à l'autre. Devant la taille impressionnante du nouveau venu, toutefois, personne n'avait osé proférer d'accusations.

La femme de l'aubergiste, une dame corpulente aux traits porcins, s'était précipitée vers eux et avait lancé des ordres à une jeune serveuse. Brodick avait alors été guidé vers une chambre du premier étage où il avait porté son fardeau. Lorsqu'il l'avait déposée sur le lit, la jeune femme semblait se trouver dans un état apathique et son regard demeurait éteint. Elle n'avait plus prononcé une seule parole depuis leur départ de Glenmuick.

Tandis que la maîtresse de la maison et l'une de ses employées s'occupaient de soigner les plaies de la femme, Brodick fit les cent pas dans le corridor. Il voulait la questionner, obtenir des réponses du seul témoin des événements tragiques de la journée. Il devrait faire preuve de tact et de patience, il ne souhaitait surtout pas la troubler. Les minutes s'égrenèrent, ponctuées par les plaintes de douleur qui lui parvenaient depuis l'autre côté de la cloison.

Quelque temps plus tard, lorsqu'on vint le chercher, Brodick pénétra dans la chambre, silencieux comme un félin. La silhouette prostrée de la femme était dissimulée par les draps et il percevait sa respiration régulière. Il approcha une chaise, qui protesta sous son poids.

La jeune femme bougea un peu et grimaça dans son sommeil. Lorsqu'elle tourna la tête, seule la partie intacte de sa figure se retrouva dans la lumière. Son visage avait un ovale parfait, ses sourcils étaient arqués et ses lèvres, charnues. Elle dégageait une telle vulnérabilité, à cet instant, que Brodick réprima l'envie de caresser son front dans un geste rassurant.

La jeune femme émit un long soupir et battit des paupières. Brodick l'étudiait toujours lorsque son regard un peu perdu se posa enfin sur lui. Il secoua lentement la tête.

– Qui donc a bien pu vous traiter de la sorte ?

L'espace d'une seconde, les yeux de la jeune femme se rétrécirent et sa lèvre trembla. Puis son expression se transforma en un masque de confusion et elle inspira profondément.

– Je vous l'ai déjà dit. Je n'en sais rien.

Sa voix était éraillée. À force d'avoir crié ou d'avoir pleuré ? Brodick se secoua intérieurement, furieux de se laisser attendrir par une personne dont il ignorait même le prénom.

– J'ai grossièrement omis de me présenter. Brodick MacIntosh, de Glen Murray.

– Isla.

– Isla ? Vos parents étaient-ils des insulaires ?

À la mention de ses parents, le regard de la jeune femme devint fuyant et elle tiqua.

– Non, je viens des Trossachs[1]. Rien de plus banal.

Et rien de plus vague, songea Brodick en pianotant distraitement sur sa cuisse.

– Y a-t-il quelqu'un que nous puissions aviser ? Un membre de votre famille, peut-être ?

– Non, personne.

– Un endroit où nous pourrions vous déposer, alors ?

– Cela n'est pas nécessaire. Votre sollicitude est louable, mais je ne fais confiance à personne.

Brodick eut un rire sec.

– Je comprends. Mais si vous changez d'idée…

La jeune femme garda le silence le temps de quelques battements de cœur.

– Dites-moi, murmura-t-elle enfin, les villageois… avez-vous dit une prière pour le repos de leurs âmes ?

– Une prière ? *Och, aye*[2] ! Malheureusement, je ne suis pas très doué pour les lamentations funéraires.

Isla adressa un regard irrité à l'homme. Celui-ci fit mine de ne pas le remarquer et enchaîna plutôt :

– Si ce sont les Anglais qui vous ont fait ça, je…

– Je ne crois pas que c'étaient des Anglais, dit-elle pensivement.

– Vous admettez donc avoir vu les assassins ? De qu…

– Je n'admets rien de tel ! J'affirme simplement ne pas avoir le souvenir de tuniques rouges ! Je ne sais pas qui a fait ça, et surtout pour quelle raison ! Ne croyez-vous pas que, si je le pouvais, je m'empresserais de dénoncer quiconque a commis une telle atrocité ?

Elle s'efforça de retrouver une respiration normale puis, après quelques secondes, elle dit :

---

1. Le terme Trossachs désigne une vaste région de vallées boisées, de collines et de lochs tranquilles à l'est du Ben Lomond.
2. « Oh, oui ! » en argot écossais.

– S'il vous plaît, remettez du bois dans l'âtre et laissez-moi dormir.

Une fois de plus congédié, MacIntosh s'exécuta, sourcils froncés. Lorsqu'il rejoignit Brimstone dans la salle commune, il avala d'un trait le *dram*[3] que celui-ci lui avait commandé et le claqua brusquement sur la table en secouant la tête.

– Qu'est-ce qui te prend? l'interrogea Brim en le scrutant attentivement.

MacIntosh fit signe au propriétaire de lui servir un autre verre, puis il eut un rire sarcastique.

– Elle ment.

Dès que cette espèce de géant fut sorti, je cachai mon visage dans mes mains et fermai les yeux, sentant de nouveau monter dans ma poitrine cet horrible sentiment de culpabilité.

J'avais cru – non, espéré – que la prophétie ne se verrait jamais accomplie. Une prophétie dont je n'avais jamais osé parler à personne, dont la menace planait sur moi depuis ma plus tendre enfance. J'avais grandi en apprenant à la craindre, à l'attendre, à m'en méfier, appréhendant le moment où elle se concrétiserait. Lorsque mon enfance s'en était allée, j'avais naïvement pensé en être libérée. Visiblement, j'avais eu tort. Tous les gens que j'aimais étaient morts par ma faute.

Des larmes brûlantes roulèrent sur mes joues et je m'y abandonnai durant un moment avant de me ressaisir. Je ne pouvais plus compter que sur moi-même et je devrais trouver la force d'aller de l'avant tout en sachant que j'allais sans doute y laisser ma vie.

Je relevai la manche de ma chemise et examinai le douloureux pentagramme qui occupait désormais mon avant-bras.

---

3. Une mesure de whisky.

Comment était-ce possible ? Qui d'autre que moi pouvait savoir ? J'eus beau chercher nombre d'explications plausibles, je dus toutes les écarter. Je ne comprenais tout simplement pas.

Je laissai retomber mon bras et soupirai profondément. Qu'allais-je faire de mon escorte improvisée ? De l'individu au regard félin qui m'avait secourue, inconscient qu'en effectuant un tel geste, il risquait de bouleverser son propre destin ? Il était hors de question de lui dire la vérité.

Il ne me croirait jamais !

Ce soir-là, malgré mon esprit toujours brumeux, je me battis longtemps contre le sommeil. Je m'interrogeai longuement sur le destin et sur la signification exacte de ce mot trop souvent utilisé pour justifier des barbaries humaines. Est-ce que ma propre destinée était liée à mon sang ? Étais-je née d'une lignée condamnée pour être maudite à mon tour ?

On disait que j'étais guérisseuse. Que j'avais des doigts de fée. À l'âge de treize ans, j'avais commencé à m'intéresser à l'activité de notre voisine, la soignante du village. Elle m'avait prise sous son aile et m'avait appris les secrets du métier. Avec le temps, son corps devenait de plus en plus fatigué, et une nuit, elle s'en était allée, me laissant le soin des villageois. Dès mes seize ans, j'avais repris le flambeau avec passion.

La nuit était bien avancée lorsque, enfin, je sombrai malgré moi dans les abîmes de l'oubli. Je ne rêvais pratiquement jamais. Lorsque cela m'arrivait, je ne faisais que revivre les événements des derniers jours avec, ici et là, un minuscule détail que mon esprit y ajoutait. Cela ne me préoccupait plus une fois le matin venu. Cette nuit-là, tandis que mon corps tentait de récupérer des forces, mon esprit, lui, s'agita davantage. Faisant écho sur les parois de mon crâne, des hennissements de chevaux et des cris d'horreur vinrent hanter mon repos.

Puis une image terrifiante s'imposa. Je me retrouvai soudain dans un univers froid, rempli d'échos et d'ombres mouvantes. Je me tenais seule, debout sur un rocher d'onyx au milieu d'une mer noire et déchaînée. Mes cheveux étaient balayés par un vent glacial qui me pénétrait jusqu'aux os. Le ciel était empli de distorsions tourbillonnant comme des feuilles mortes autour de moi.

À l'horizon, l'image d'une tour carrée ondoyait. Des centaines de voix murmuraient « Culross[4] », à tel point que je crus devenir folle. Mais dans cette sphère où la réalité et la gravité semblaient altérées, j'ignorais comment lever les bras pour couvrir mes oreilles et les faire taire.

– *Rejoins l'abbaye de Culross.*

Une voix plus forte s'était imposée, juste derrière mon épaule, et malgré ma terreur, je ne pus me retourner pour regarder *ce* qui se trouvait tout près de moi. De toute façon, je n'étais pas certaine de vouloir le découvrir.

– *Va*, murmura la voix.

Lorsque je sentis des doigts glacés se poser sur mon épaule, je me réveillai en sursaut en émettant un gémissement. J'étais terrifiée. Comment un rêve pouvait-il paraître si réel ? Mon cœur battait à tout rompre et je tentai de retenir mon souffle trop rapide, à l'affût du moindre son. J'étais si crispée que ma nuque en était raide et douloureuse.

La lumière et le crépitement rassurant du bois dans l'âtre me calmèrent juste assez pour m'empêcher de mourir de frayeur lorsque mon œil capta un mouvement à mon extrême droite. MacIntosh était là, assis sur une vieille chaise, aussi à l'aise qu'un roi sur son trône. Ses longues jambes étendues devant lui, croisées aux chevilles, sa tête appuyée contre le pouce et l'index de sa main droite, il m'observait.

---

4. Prononcé « Kiouross ».

Que faisait-il donc là au cœur de la nuit ? Je lui avais pourtant donné congé... Ou avais-je déliré ? Peu importe, de quel droit m'épiait-il dans mon sommeil ?

Je soutins son regard sans broncher et un étrange courant sembla passer entre nous. Nous eûmes une entière conversation avec nos yeux.

– *Vous êtes étrange. Je ne vous fais guère confiance,* dit-il.

– *Le sentiment est mutuel.*

– *Ne vous ai-je pas secourue ?*

– *Je ne suis pas l'agneau que vous croyez avoir sauvé de l'autel. Et vous n'êtes pas mon berger.*

– *Ah non ?* me défia-t-il en levant un sourcil insolent.

Je fixai plus attentivement l'individu qui se tenait à mon chevet. Que savais-je de lui hormis son nom ? M'avait-il seulement révélé sa véritable identité ? Une insidieuse méfiance pénétra mon cœur. Comment cet homme avait-il pu se trouver sur les lieux du massacre si peu de temps après les attaquants ? Après tout, Glenmuick, cette minuscule agglomération au pied du Lochnagar, était en retrait des routes et peu de voyageurs s'y arrêtaient. Cet inconnu pouvait-il être l'un des assassins, et surtout, pouvait-il être diabolique au point de faire durer mon tourment ? Et s'il n'était qu'un bon samaritain, comment ne pas paraître ingrate ? Après tout, *j'étais* littéralement l'agneau qu'il avait sauvé de l'autel du sacrifice. Sans lui et son acolyte, que serais-je devenue ?

Le silence s'étira jusqu'à ce qu'il s'avance sur son siège, les avant-bras posés sur ses cuisses.

– L'abbaye de Culross, Isla ? Qu'y a-t-il donc là-bas qui vous trouble à ce point ?

À ma plus grande honte, je bafouillai. Avais-je parlé dans mon sommeil ? Moi qui ne savais, en général, que dire la vérité, depuis que j'avais posé les yeux sur cet homme, je ne faisais que mentir.

– L'abbaye de Culross ? fis-je en affectant mon air le plus innocent.

Il sourit, indolent.

– Est-ce là où vous voulez aller ?

– Pourquoi irais-je dans un endroit que je ne connais pas ?

– À vous de me le dire.

Son insistance à sous-entendre que je cachais quelque chose commençait sérieusement à m'agacer. Peut-être parce qu'il avait raison. Peut-être parce que je détestais les manigances. Sans doute les deux. Je gardai un silence obstiné.

– Pourquoi Culross ? insista-t-il encore.

Je soupirai. Partout où j'irais, je sèmerais la mort. À commencer par la sienne. Je devais me débarrasser rapidement de lui et de son inamical collègue, qui brillait par son absence. Mais comment ? Je réfléchis promptement et décidai que le mieux à faire était de prétendre vouloir me rendre à une destination à proximité. N'importe laquelle. Moins je leur imposais ma compagnie, moins les risques étaient grands.

– Je ne veux pas aller à Culross, mais à Aberdeen, lançai-je avec toute l'assurance dont j'étais capable en ce moment. Pouvez-vous me laisser là-bas ?

– Qu'y a-t-il à Aberdeen ?

Cet homme était décidément irritant avec ses questions. Je me mordis l'intérieur de la joue pour ne pas le lui dire et affectai un sourire amical.

– Une connaissance de ma mère.

Je perçus le léger froncement de sourcils de MacIntosh. Malgré ma voix calme, il avait certainement capté l'infime hésitation dans mon attitude.

– Vous mentez mal, Isla.

Il se leva lentement, fit quelques pas vers moi et posa sa main sur la mienne en la pressant.

– Vous savez, tôt ou tard, tous les secrets finissent par se savoir.

Au cœur de la nuit, Brimstone Ross grimpa quatre à quatre l'escalier de pierre sans prêter attention aux lions de marbre qui montaient la garde à sa base. Il avait chevauché à bride abattue durant des heures pour parvenir à l'évêché d'Aberdeen. L'évêque était reconnu pour son efficacité ; il saurait quoi faire.

Brim assena son poing sur la porte de bois massif de façon insistante. Le débit ininterrompu de ses martèlements attira un majordome à la chevelure blanche et un peu hirsute, vêtu d'un peignoir et de pantoufles. Il avait des yeux bienveillants et son dos se courbait sous le poids des années.

– Seigneur Dieu, mon garçon, qu'est-ce que ce capharnaüm au milieu de la nuit ?

– Réveillez l'évêque, ordonna Brim en pénétrant dans le hall sans attendre la moindre invitation.

– Je vous demande pardon ?

Brim fusilla l'aîné du regard. Il était épuisé et fort mécontent de se trouver là plutôt qu'à Édimbourg, où Brodick et lui étaient attendus pour une livraison.

– Êtes-vous sourd ? J'ai dit : réveillez l'évêque.

– Mais, monsieur, on ne réveille Son Éminence sous aucun prétexte ! Il n'est sûrement rien de si urgent qui ne puisse attendre les matines.

Brimstone planta son regard dans celui du majordome, qui fronça les sourcils devant son obstination. Son ton se fit implacable.

– Je vous assure que c'est de la plus haute importance.

Le vieil homme croisa les bras.

– Je regrette. Revenez au petit matin. Monseigneur sera alors disponible pour vous recevoir.

Brim haussa le ton.

– Dois-je le tirer moi-même du lit ?

Le vieux lui montra la porte.

– Sortez, je vous prie.

– Pas avant d'avoir parlé à l'évêque.

Il avança sur l'homme, qui ouvrit la bouche pour réitérer son refus.

– Adhamh, qu'est-ce que tout ce raffut ?

La voix tonitruante de l'évêque se répercuta sur les murs. Celui-ci se tenait au sommet de l'escalier, en peignoir, les cheveux ébouriffés de sommeil.

– C'est également ce que je me demandais, monseigneur.

L'évêque dévala l'escalier en portant son attention sur Brim.

– Mon fils, qu'est-ce qui vous agite ainsi ?

– Monseigneur, fit Brim en s'inclinant. Je viens de passer par Glenmuick.

– Et ?…

– Le village a été détruit.

– Que dites-vous ?

– Les bâtiments ont tous été brûlés.

– Les habitants ?

Brimstone prit un air sombre de circonstance.

– Tous pendus.

Dans le silence de la nuit, assis dans la chambre d'une auberge des Highlands, Brodick MacItonsh soupira.

Après que la jeune femme qu'il veillait se fut rendormie, il l'avait longuement observée. Il y avait chez elle certains paradoxes qui l'intriguaient, qui le forçaient à tenter de la deviner. Une partie d'elle pouvait-elle vraiment être aussi laide que les blessures qui déparaient un côté de son visage, alors que l'autre face, celle qu'il percevait lorsqu'elle dormait, dégageait une telle pureté, une telle naïveté et une telle fragilité? Malgré lui, il s'en trouvait troublé.

Le sommeil le gagnait, et comme tous les soirs, il se battait contre son attraction. Combien de temps pourrait-il fonctionner avec si peu de repos chaque nuit? Il l'ignorait, mais tant qu'il le pourrait, il continuerait de s'éviter le plus d'heures de cauchemars possible.

Bientôt, sa tête dodelina, et lorsque son menton toucha sa poitrine, les images familières explosèrent derrière ses paupières. Des souvenirs de l'horrible journée où il avait assisté au massacre de centaines de ses compatriotes sur le champ de bataille de Culloden. Comme si cela n'avait pas été suffisant, les traits de trois jeunes enfants en larmes se dessinèrent avec une netteté troublante dans son esprit, et il revécut encore une fois leur fin atroce.

Les sons, les odeurs et les sensations vinrent se mêler aux images, et Brodick redressa la tête en un sursaut violent. Le souffle court, il regarda autour de lui, s'assurant que tout était paisible et qu'aucune menace ne planait dans son environnement. Il fallut plusieurs minutes avant que le rythme de son cœur ne ralentisse.

Brodick passa une main dans ses cheveux et posa son regard sur la forme assoupie dans le lit. La jeune femme gisait là, à la lueur du feu, sourcils froncés, et ses lèvres formaient des mots silencieux et incompréhensibles. Son sommeil allait-il être aussi troublé que le sien, désormais? Allait-elle rêver toutes les nuits de ce massacre qu'elle affirmait ne pas se rappeler?

Brodick secoua la tête et toucha sa cicatrice par réflexe. Il devait se rendre à l'évidence, le fait de décrocher le corps de ce jeune bébé, à Glenmuick, avait réveillé en lui une rage viscérale. Son cœur était tiraillé entre la même culpabilité et la même haine qu'il avait ressenties ce jour-là, à Culloden. À l'époque, il n'avait pas pu empêcher la mort des trois bambins, et aujourd'hui, il était arrivé trop tard pour pouvoir faire une différence.

Son regard dériva encore une fois vers la jeune survivante, et un sentiment étrange explosa dans sa poitrine. Pouvait-il la sauver, elle ? Son instinct lui criait qu'elle était en danger et qu'il devait la protéger. Ce n'était pas seulement son honneur de Highlander, mais aussi une irrésistible pulsion qui le poussait à rester auprès d'elle tant qu'il ne la saurait pas en sécurité.

Pourrait-il, en la côtoyant, en apprendre davantage sur la tragédie qui avait eu lieu à Glenmuick ? Pourrait-il faire en sorte d'éviter d'autres calamités ? Arriverait-il à trouver les coupables et à les faire châtier pour venger les morts ?

À moins qu'il ne les condamne de sa propre main…

Chapitre III

Homo homini lupus est

Quelques jours s'écoulèrent avant que je ne réussisse à marcher droit. Je devais avoir une ou deux côtes cassées, tous mes muscles étaient endoloris, mais les ecchymoses sur mon visage passaient lentement du noir au violet. L'enflure à mon œil avait beaucoup diminué grâce aux compresses froides et j'arrivais enfin à ouvrir la paupière.

La femme de l'aubergiste avait fait des miracles avec ma robe. Les traces de sang avaient disparu, les déchirures avaient été soigneusement raccommodées et elle sentait l'amidon frais.

Brodick MacIntosh s'était fait discret depuis notre dernière conversation. Il disparaissait tout le jour, mais une fois la nuit tombée, alors que le même cauchemar récurrent me hantait encore et encore, il était toujours là pour poser sa main sur mon front et me parler doucement jusqu'à ce que je me rendorme.

À mon grand soulagement, Brimstone ne s'était jamais manifesté, lui. Je l'avais peut-être imaginé, après tout, cet homme aux yeux de glace.

Ce matin-là, la femme de l'aubergiste m'avait annoncé que « monsieur » m'attendait aux écuries et que l'heure du départ pour Aberdeen était venue. L'étalon noir était sellé et prêt à prendre la route lorsque je me présentai dans la vieille bâtisse à l'arrière de l'auberge. À mon entrée, MacIntosh se retourna et me détailla de la tête aux pieds. Il m'adressa un demi-sourire.

– Le temps est vif, ce matin, dit-il en voyant mes bras croisés sur ma poitrine. Je dois avoir quelque chose là-dedans pour vous couvrir.

Il entreprit de fouiller dans les sacoches fixées à sa selle et en retira une couverture de laine mitée. Au même instant, je perçus l'éclat du métal dans la besace de cuir et m'avançai, le fixant furieusement.

– Qu'est-ce que c'est que cela ?

Il haussa les épaules, indifférent, et retint sa bête qui s'ébrouait, surprise par mon éclat de voix.

– Répondez-moi, MacIntosh ! Combien d'armes y a-t-il là-dedans ?

Il me saisit par le bras en regardant autour de lui et parla très bas :

– Cela ne vous concerne aucunement.

– Cela me regarde dans la mesure où la possession d'armes est proscrite dans toute l'Écosse ! J'ai à parcourir plus de seize lieues en votre compagnie, et si nous sommes arrêtés par les Britanniques, ils fouilleront vos sacoches et vous mettront aux fers. Croyez-vous qu'ils feront une distinction entre vous et moi ? Qu'ils croiront que je n'ai rien à voir dans vos manigances ?

À la mention des Anglais, toute la posture de MacIntosh se transforma. Il lâcha mon bras, se redressa, ses épaules se crispèrent et sa mâchoire se verrouilla. Je reculai, effrayée par l'éclat sauvage dans son regard.

– Ne faites *jamais* l'erreur de croire que des *sassenachs*[1] pourraient m'arrêter !

---

1. Prononcé « sassounak ». Ce terme gaélique péjoratif signifiant « étranger » est surtout utilisé pour désigner les Anglais.

Je me ressaisis et fis un pas vers lui, ayant l'impression de me retrouver nez à nez avec Taranis, le dieu picte du tonnerre. Il me toisait de toute sa hauteur, les yeux luisants, les narines dilatées, une veine saillant sur son front.

D'une voix contenue, je dis :

– Pour qui vous prenez-vous ? Après avoir vu ce qui est arrivé dans mon village, n'avez-vous pas pris conscience de votre propre vulnérabilité ? Vous n'êtes pas immortel ! Comment croyez-vous donc pouvoir échapper à tout un contingent de soldats armés ?

Un sourire frondeur effleura ses lèvres.

– Comme je l'ai fait jusqu'à maintenant.

Sur ces mots, il déposa la couverture dans mes bras et se détourna. Il saisit la bride de son cheval et l'entraîna à l'extérieur sans me porter plus d'attention. Je sentis mon sang bouillir et le suivis prestement.

– D'abord, d'où viennent toutes ces armes ?

– Des contingents qui n'ont pas réussi à m'arrêter.

– *Abair amadan*[2] *!* Je n'ai jamais rencontré un homme qui ait autant envie d'en finir avec la vie ! Partez sans moi !

À mon tour, je jetai la couverture contre sa poitrine et tournai les talons. C'était pour le mieux, après tout. Sans effort, j'avais réussi à me débarrasser de la compagnie de l'intrus. Beaucoup plus rapidement que je ne l'avais prévu. Alors, pourquoi sentis-je tout à coup le poids de la solitude s'abattre sur mes épaules ? Tout en grimpant les marches menant à la porte de l'auberge, je déglutis, angoissée par la perspective d'avoir à me débrouiller par moi-même pour la suite des choses.

Une main m'attrapa par le bras et me fit faire demi-tour, m'arrachant une exclamation de surprise. J'ouvris la bouche pour protester, mais m'interrompis en croisant le regard de

---

2. « Quel idiot ! » en gaélique.

MacIntosh. Toute colère avait quitté ses traits et seul un pli soucieux barrait à présent son front.

– J'ai tendance à m'emporter lorsqu'il s'agit des Anglais, dit-il en guise d'excuse.

– Pourquoi cette haine ?

– *Aye*… Pourquoi cette haine ?

Du doigt, je désignai la balafre qui barrait la joue du géant.

– Ce sont eux qui vous ont fait ça ?

Brodick porta la main à son visage.

– Je ne la vois plus que dans le regard des autres, dit-il pour toute réponse.

Le silence s'installa et nos regards se sondèrent.

– Vous pouvez me faire confiance, Isla. Je vous mènerai à bon port.

Je levai les sourcils en me grattant le front.

– Je me méfie des hommes qui se croient invulnérables.

Il acquiesça du chef, et j'eus envie de me raviser. Mais pouvais-je me permettre de faire confiance à qui que ce soit ? Et s'il devait arriver malheur à cet homme par ma faute, pourrais-je supporter d'avoir une mort de plus sur la conscience ? Je me mordis la lèvre et redressai les épaules.

– Je vous remercie, mais je n'ai plus besoin de votre aide. Partez, Brodick.

Il me dévisagea un instant puis, abdiquant, dévala rapidement l'escalier et s'éloigna sans un mot.

J'étais désormais seule, comme un mouton à la merci des loups.

Stoïquement assis dans un coin de la salle commune d'une auberge isolée, Süleyman[3] le Turc broyait du noir. À travers

3. Prononcé « Souleymane ».

les carreaux crasseux, il apercevait la femme à qui il espérait soutirer de cruciales informations. Tant que le colosse qui lui servait de garde du corps était dans les environs, il préférait éviter les confrontations. Il n'aimerait pas avoir à le tuer simplement pour l'écarter de son chemin.

Süleyman détestait sa vie de mercenaire et méprisait les hommes qui le payaient pour effectuer leurs basses besognes. Mais après avoir vécu dans la misère, la famine, les ordures, il avait appris à traquer et à se battre. C'était la seule chose qu'il sache faire et il accumulait les primes afin d'emplir ses coffres. Non pas qu'il vive comme un sultan. Au contraire, il préférait de loin la vie ardue et périlleuse des soldats, se déplaçant constamment et dormant sur des sols inhospitaliers.

Il avait longuement hésité avant d'entreprendre cette aventure en terre étrangère. Entre autres à cause de la durée du voyage. Des semaines perdues en mer sur un bateau quittant sa Turquie natale pour longer la Méditerranée avant de remonter l'Atlantique vers la Grande-Bretagne.

Lorsqu'il vit enfin s'éloigner la grande brute qui l'avait empêché de recueillir les renseignements si précieux qu'il désirait obtenir de la femme, l'ombre d'un sourire se dessina sur les lèvres pleines de Süleyman.

Il la ferait parler, coûte que coûte.

– Brodick, attendez! J'accepte!

Je me mordis la lèvre, ayant déjà envie de ravaler mes paroles. J'allais certainement regretter mon geste. Il me fit face, l'air surpris. Je descendis les quelques marches, raide comme la justice, mettant mon amour-propre de côté. Il haussa un sourcil inquisiteur.

– Que me vaut ce revirement de situation?

Sa voix était tranquille, pondérée.

– Ne vous arrive-t-il jamais de revenir sur une décision ?

– *Aye*, bien sûr, mais jamais aussi subitement.

Je sentis le rose me monter aux joues et fixai le bout de mes chaussures. Devant mon mutisme, il reprit :

– Isla, vous venez de me dire en des termes on ne peut plus clairs que vous pouviez vous débrouiller sans moi. Alors ?

Quel être irritant ! Ne voyait-il pas à quel point il était difficile pour moi de demander son aide ? Je pris une profonde inspiration et me lançai :

– Je dois cesser de me leurrer. J'ignore comment j'arriverai à trouver une monture dans un tel patelin en n'ayant rien à offrir comme monnaie d'échange.

Piteuse, je continuai de fixer mes pieds. Je me gardai bien de lui avouer que je n'avais aucun toit où trouver refuge. Le silence s'étira, prolongeant cet instant désagréable, et tout à coup le rire grave de MacIntosh vibra dans sa gorge. Il posa un doigt sous mon menton pour me forcer à le regarder, mais je me braquai.

– Si vous cherchez à m'humilier, c'est réussi !

– Inutile de ruer dans les brancards, Isla. Cela ne mènera à rien.

Je me passai la main dans les cheveux et soupirai de guerre lasse.

– Vous avez raison. S'arracher les yeux n'est pas la solution.

– Bien. Vous voulez aller à Aberdeen ? Soyez prête dans cinq minutes.

Je grimaçai.

– Quoi ? fit-il, agacé.

– J'ai menti. Je ne veux pas aller à Aberdeen.

– Où, alors ? gronda-t-il.

– À l'abbaye de Culross.

Il y avait quelque chose d'angoissant à voir ce géant me fusiller ainsi du regard.

– Que diable iriez-vous faire à Culross ? L'endroit est abandonné depuis des lustres !

Une soudaine lassitude s'abattit sur moi. J'étais constamment sur le qui-vive avec lui, choisissant soigneusement chacune de mes paroles afin d'éviter qu'il ne se doute de qui j'étais vraiment.

Je fermai les paupières et tentai encore une fois de faire revenir les échos de mon passé. « Dans la gueule de la pierre qui pleure, elle sera foudroyée... » Que pouvait donc signifier tout ce charabia ? Non-sens ! Non-sens.

– Je sais qu'il sera très difficile de vous en convaincre, mais j'ai l'intime conviction que le rêve qui me hante toutes les nuits n'en est pas vraiment un. La voix qui me nargue dans mon sommeil... elle me dit d'aller chercher...

– Chercher quoi ?

Je secouai la tête en pinçant les lèvres.

– Isla ! Chercher quoi ?

– La pierre qui pleure, murmurai-je en baissant la tête.

– La... Qu'est-ce que c'est que cette histoire ?

– Une autre question qui restera sans réponse, à moins que vous acceptiez de m'escorter jusque là-bas.

MacIntosh expira lentement par le nez.

– Pourquoi accepterais-je ? Quelles sont les probabilités de trouver une pierre qui pleure dans une abbaye en ruine ?

J'osai poser ma main sur son bras.

– Je vous en supplie. Vous êtes la seule personne qui puisse m'aider. Je ne vous le demanderais pas si je pouvais faire autrement.

La pièce semblait inspirée directement d'un manoir, avec son style anglais aux boiseries foncées, aux bibliothèques chargées, au bureau d'acajou poli. L'antre de l'évêque James Harriot était un lieu silencieux, chargé de déférence et d'adoration. Les murs semblaient scander des prières, alors que les images de saints s'alignaient sur les quelques espaces libres, leurs mains ouvertes, témoins privilégiés des confessions recueillies au fil des âges.

Brimstone avait ignoré le fauteuil confortable recouvert de tapisserie qu'on lui avait offert et se tenait debout, immobile, devant une grande fenêtre, fixant un point invisible. Les bras croisés sur le torse, les pieds écartés, il dégageait une tension palpable.

La voix de l'évêque porta à travers la pièce, calme et assurée :

– Brimstone, mon fils, ce qui s'est passé dans ce village est une horrible tragédie, bien sûr, mais votre soif de vengeance est sans fondement et ne sert qu'à entretenir votre fureur. N'en faites pas une affaire personnelle. Dieu ne...

– Ne me dites pas que les voies de Dieu sont impénétrables, l'interrompit Brim, furieux. Cette phrase, je ne l'ai que trop entendue !

– Non, je disais simplement qu'à travers toute tragédie, la race humaine s'amende.

– Pardon ?

L'évêque contourna son bureau et s'approcha, les mains jointes derrière le dos.

– Je suis le premier outré par les événements, croyez-moi. Je n'arrive pas à concevoir que quelqu'un ait pu pendre tous les habitants d'un village de sang-froid ! Mais l'humanité doit progresser, se créer des vilains et des héros, tirer des leçons de telles abominations. Tout comme vous, je me trouve bouleversé par les circonstances, mais je veux vous faire comprendre que la vengeance n'apporte rien à personne. Je peux facilement concevoir à quel point il a dû être pénible pour vous de décrocher tous ces morts, mais votre soif de représailles ne fait qu'alimenter vos propres blessures.

Brim revit dans son esprit les corps étendus côte à côte, puis l'image de la seule survivante s'imposa. Spontanément, ses mâchoires se crispèrent, et il serra les poings.

– Suggérez-vous que ce massacre reste impuni ?

– La justice de Dieu ne s'accomplit pas sur terre. Laissez-Lui le soin du jugement dernier. Néanmoins, vous avez fait votre devoir en venant prévenir l'Église. Acceptez un repas chaud et du bon vin.

Brimstone dévisagea l'ecclésiastique.

– N'avez-vous pas le pardon trop facile ?

L'évêque afficha une mine résignée.

– Nul pardon n'est aisé, mon garçon.

Le jeune homme eut un sourire sardonique.

– Et si je vous disais qu'il y a une survivante ?

Le regard d'Harriot se fit curieux. Brimstone laissa quelques secondes s'écouler avant d'annoncer :

– Une sorcière.

Plus de trente-cinq lieues séparaient la petite auberge de l'Aberdeenshire de Culross. La route était longue et ardue. Nous dûmes traverser le comté de Perth en empruntant les cols entre les montagnes des Cairngorms, en contournant des lochs et en longeant des rivières. Les pentes étaient escarpées et le terrain, accidenté. Heureusement, Brodick semblait bien connaître l'itinéraire et guidait son cheval avec l'aisance de l'Écossais maîtrisant les difficultés des routes des Highlands. Haras, son étalon, réagissait au moindre changement de posture de son cavalier.

Je savais que Brodick n'avait accepté de me conduire à Culross que parce qu'il devait se rendre non loin de là pour rejoindre Brimstone à Édimbourg. Je soupçonnais que c'était là-bas qu'il devait aller livrer les armes qu'il dissimulait dans ses sacoches. Je me sentais sur le qui-vive, mais n'avais pas envie de relancer un débat que je savais perdu d'avance.

Montée derrière lui, enveloppée dans ma couverture, je laissais mon regard errer sur les environs. À mesure que nous progressions vers le sud, les monts et les collines commençaient à s'aplanir, et les buissons d'ajonc[4] osaient montrer quelques boutons de fleurs jaunes. Les teintes mornes de brun et de gris de l'hiver laissaient place aux nuances de vert, que ce soit dans les arbres ou sur la lande. La nature reprenait ses droits sur la sécheresse et les oiseaux recommençaient à gazouiller. De temps à autre, du petit gibier fuyait à travers champ.

J'éprouvais un soulagement morbide au fur et à mesure que je m'éloignais de Glenmuick et de son carnage. Mon rôle dans le massacre de ses habitants pesait lourd sur mes épaules et sur mon cœur. J'avais besoin de recul pour savoir comment agir dorénavant et comment j'allais rebâtir ma vie. La moitié du temps, j'avais envie d'exploser tant la culpabilité m'accablait. Je revoyais dans ma tête les gens que j'avais côtoyés toute ma vie, j'entendais le rire des enfants, et l'écho de leurs voix me ramenait à des temps plus paisibles, avant que la mort ne frappe à notre porte.

À cause de mes blessures, je ressentais un perpétuel inconfort que la chevauchée ne faisait qu'amplifier, mais ce n'était rien par rapport à la douleur intérieure qui me rongeait. J'étais de plus en plus convaincue que la tragédie avait un lien avec mes parentes et que, si je n'avais pas ignoré les avertissements, rien de tout cela ne serait arrivé.

Plus j'essayais de me rappeler ce qui s'était passé, plus les événements m'échappaient. J'avais beau me concentrer

---

4. Buisson arborant de longues épines et des fleurs jaune vif à l'odeur particulière de noix de coco. On en trouve abondamment en Écosse.

sur les cris et le bruit de galop qui hantaient régulièrement mon esprit, les images restaient fuyantes, et cela m'irritait profondément.

– Vous torturer de la sorte ne ramènera personne.

La voix calme de MacIntosh me sortit de mes pensées.

– N'avez-vous jamais envie de hurler d'impuissance? murmurai-je. De rage?

Il garda le silence un moment puis tira sur la bride de son cheval. Il mit pied à terre et me tendit les bras.

– Descendez, ordonna-t-il.

Il m'aida à glisser de la monture, prenant soin de ne pas faire pression sur mes côtes. Lorsque je touchai le sol, il recula d'un pas.

– Est-ce ce que vous avez envie de faire? Hurler?

Je n'étais pas certaine de comprendre où il voulait en venir, mais j'acquiesçai de la tête.

– Alors, faites-le, lança-t-il.

– Quoi, ici?

Il ouvrit grand les bras et regarda autour de lui.

– Il n'y a personne pour vous en empêcher. Aucune convention, aucune étiquette. Si vous avez envie de crier, c'est l'endroit idéal!

– Vous avez déjà fait ça?

– Non. Et alors?

Malgré moi, je sentis un sourire se dessiner au coin de mes lèvres. L'idée était loufoque, mais ô combien tentante! Je tournai le dos à Brodick pour faire face à l'horizon et inspirai profondément. Je laissai ma tête s'emplir du souvenir de mes amis, de mes voisins, de ma chère Sorcha, qui avait été la complice la plus fidèle que j'aie jamais eue. Faisant abstraction de l'homme qui se tenait derrière moi, je permis à la peine et à la rage de s'insinuer dans chaque particule de mon être.

Je me mis à hurler comme une *banshee*[5], vidant mes poumons de tout air avant de les remplir de nouveau et de recommencer encore et encore. Ma voix s'éraillait en même temps que la déchirure dans mon âme se faisait plus vive. Je sentis bientôt la chaleur de mes larmes s'épandre sur mes joues. Le besoin de décharger mon angoisse prenait le dessus, et je continuai à m'égosiller jusqu'à en perdre la voix. Ce fut bénéfique de pouvoir crier contre le soleil qui continuait de se lever, contre le vent qui continuait de souffler, contre le monde qui ne s'était pas arrêté pour porter le deuil des gens de Glenmuick.

Lorsque j'arrêtai, les oiseaux s'étaient tus. Je me sentis soudain très seule. Je n'avais plus personne au monde. Personne… À cet instant précis, je pris la résolution d'affronter la douleur, de pardonner et de continuer à avancer comme je l'avais toujours fait. Je ne voulais pas me laisser écraser par la tristesse. Je me devais d'accepter d'avoir été élue pour une mission particulière, et si je n'avais plus que moi pour constater la valeur de mes efforts, ainsi soit-il.

J'essuyai mes larmes avec mes manches et me retournai vers Brodick. Il n'avait pas bougé et m'étudiait avec intensité. Son expression était neutre, mais son regard était chargé de sympathie. Je lui offris mon plus grand sourire en reniflant.

– Vous aviez raison ! Je me sens beaucoup mieux.

Il acquiesça de la tête et siffla Haras qu'il attrapa par la bride.

– Marchons.

Je lui emboîtai le pas. À chacune de ses enjambées, je devais en faire le double pour ne pas me laisser distancer.

– Nous sommes presque au bourg royal de Braemar, fit-il. Nous ne pouvons pas le contourner puisque c'est la

---

5. La *banshee* est un être légendaire issu du folklore écossais. Ses hurlements annoncent une mort prochaine.

jonction de trois rivières et que le pont s'y trouve, mais nous obliquerons ensuite et passerons la nuit en montagne.

Le sang quitta subitement mon visage.

– Pourquoi ? N'y a-t-il pas d'auberge à Braemar ?

– Trop d'Anglais. Le château vient d'être cédé aux militaires pour tenir lieu de garnison. Il est en pleine reconstruction. Je ne désire pas m'y attarder.

– Ils n'arrêtent certainement pas chaque civil qui entre dans le village ! Sans doute pourrions-nous y passer inaperçus ?

– Je préfère être prudent. En temps normal, j'accepterais bien quelques armes supplémentaires, mais avec vous, je ne prendrai aucun risque.

Oh…

– N'y a-t-il pas d'autres agglomérations dans le coin ?

– Non.

Je détestais son ton arrogant.

– Non ? C'est tout ce que vous avez à dire ?

Il s'arrêta brusquement pour me faire face.

– Isla, cessez vos enfantillages. N'avez-vous jamais dormi à la belle étoile ?

Je me redressai, piquée. Si seulement il savait…

Je décidai de me taire, mais un nuage d'appréhension se mit à flotter au-dessus de ma tête. Je suivis Brodick sans plus m'obstiner, mais je cherchai frénétiquement dans mon esprit un moyen de l'obliger à trouver un abri pour la nuit. Feindre un malaise ? Non, il ne serait pas dupe. Lui dire la vérité ? C'était hors de question, il allait passer outre et me faire dormir dans la nature quand même. Ma grande curiosité finit par reprendre le dessus.

– Avez-vous peur que les Anglais vous reconnaissent ? C'est pour ça que vous ne voulez pas rester à Braemar ?

Il continua à marcher en silence.

– C'est ça, n'est-ce pas ? Ils vous connaissent ? Ils vous recherchent ?

– On peut dire ça, oui.
– À cause du trafic d'armes ?
– Entre autres.
– Entre autres ? Qu'est-ce que ça veut dire ?

Brodick s'arrêta de nouveau, comme s'il ne pouvait pas parler en marchant.

– Écoutez, je suis un jacobite qui a combattu à Culloden. Ça, c'est la première raison. Vu ma taille et ma cicatrice, je suis facilement identifiable. La deuxième raison, c'est que, depuis l'an dernier, un certain colonel Blunt de l'armée anglaise à Glasgow rêve de me mettre la main au collet. La troisième raison, oui, c'est le trafic d'armes. J'ai détroussé assez de régiments avec Brim pour que les Anglais n'oublient pas l'humiliation.

J'étais abasourdie. Par le flot d'informations qu'il venait de délivrer, mais aussi parce que c'était sans doute la plus longue tirade qu'il m'ait été donné d'entendre venant de lui. Brodick leva le bras et me ferma gentiment la bouche en mettant deux doigts sous mon menton.

– Je ne veux mettre en péril ni votre vie, ni ma cargaison. Vous comprenez ?

Bien sûr que je comprenais, mais je n'étais pas certaine d'être heureuse de me voir comparée à de la marchandise. Était-ce ainsi qu'il me voyait ? Un produit à livrer ? Un fardeau dont il devait se débarrasser ? En effet, c'est ce que j'étais, car sans moi, il serait déjà à Édimbourg avec son acolyte à récolter la moisson de ses activités criminelles.

Je comprenais aussi qu'avec tous ces facteurs aggravants, je ne risquais pas de dormir au village cette nuit. Je courus derrière lui.

– Pourquoi faites-vous de la contrebande puisque cela vous met en danger ? C'est une question d'argent ?

Il ne broncha pas.

– De vengeance, alors ?

Un sourire narquois étira ses lèvres. Il n'allait pas répondre. Connaissant son aversion pour les Anglais, je décidai de ne pas insister. Et puis, pourquoi me mettrait-il dans la confidence ? N'avait-il pas toutes les raisons de douter de moi ? D'autant qu'il m'en avait déjà dit assez pour le faire condamner si je choisissais de le trahir. Je me demandai soudain si je ferais le choix de le dénoncer ou de mourir si un Anglais me tenait à la pointe de son épée. Poser la question, n'était-ce pas déjà y répondre ?

Le silence se prolongea, et bientôt, Braemar fut en vue, blotti au fond de son enclave au milieu des montagnes. En contrebas, je pouvais apercevoir la rivière Dee qui traversait paresseusement la vallée. Plus loin, au nord-est du village, à travers les arbres, on pouvait distinguer les tourelles du château, là où fourmillaient les Britanniques.

Tout en marchant, j'observai Brodick MacIntosh à la dérobée. À première vue, il semblait être d'un calme olympien, mais je perçus la tension autour de ses yeux et une certaine décoloration de sa cicatrice lorsqu'il contractait les mâchoires. Je n'aimais guère le voir ainsi à l'affût. Cela me rendait nerveuse. J'étais consciente du danger que je courais sans sa protection, mais aussi des risques que je prenais à être surprise avec lui. Lequel était le moindre mal ?

Avant d'entrer dans Braemar, il détacha ses cheveux et laissa retomber une mèche sur son visage, du côté de la balafre. Puis il enfonça un chapeau difforme sur sa tête.

S'il espérait éviter les Anglais, il dut rapidement déchanter. Alors que nous avions traversé le pont et pratiquement réussi à quitter le village sans nous faire remarquer, deux soldats sortirent d'une taverne en discutant et nous toisèrent. L'un d'eux était très grand avec un visage carré et des traits aristocratiques. Il était d'une beauté classique, et l'uniforme rouge lui donnait un air de seigneur. L'autre était plus petit, plus jeune, avec une épaisse chevelure brune qui lui retombait sur les yeux. Il était mal rasé et sa tunique était déboutonnée. Son regard se fit effronté lorsqu'il se mit à me lorgner.

Brodick toucha son chapeau et inclina la tête en marmonnant : « Messieurs. » Pour ma part, je baissai les yeux, et nous passâmes notre chemin. Soudain, la voix du jeune soldat retentit :

– C'est une bien belle bête que vous avez là !

Bien sûr, l'Anglais ne parlait pas du cheval. Le feu me brûla les joues et je serrai les dents. Brodick posa sa main dans le creux de mon dos et me poussa légèrement devant lui. Je compris que c'était un signe de protection, d'appartenance, et je continuai d'avancer.

– Hé, le Scot[6], je t'ai adressé la parole !

– Et je t'ai ignoré, il me semble, *sassenach*.

– Brodick, murmurai-je en blêmissant, non…

– Qu'as-tu dit ? fit le jeune Britannique en s'approchant.

– *Rach gu iffrin*[7] !

J'eus un hoquet d'horreur.

– Viens-tu de me parler dans ta langue de sauvage ?

Brodick daigna enfin adresser un regard à son interlocuteur et j'y vis briller une haine incommensurable. Pour cette simple phrase en gaélique, il risquait maintenant de se voir sanctionné d'une amende, emprisonné, déporté, voire tué.

En voyant le sourire victorieux de l'Anglais, j'envisageai le pire…

Süleyman et ses hommes les suivaient à distance.

Les Turcs avaient eu du mal à éviter les patrouilles anglaises. Elles étaient nombreuses dans cette région et toujours

6. Vient du mot anglais « *Scotsman* », soit Écossais.

7. « Allez en enfer ! » en gaélique.

très méfiantes devant leur teint basané. Elles se montraient décidément trop curieuses. À un certain moment, ils avaient dû décimer un bataillon qui voulait leur faire subir un interrogatoire alors que la femme s'éloignait avec son colosse.

Lorsque, à l'auberge, il avait cru qu'elle s'était enfin débarrassée du géant et que l'heure était venue de l'interroger, elle avait subitement rappelé le Highlander et ne l'avait plus quitté depuis. Il avait dû se contenter de l'observer de loin.

Malgré les ecchymoses, elle était jolie avec ses cheveux châtains et ses grands yeux clairs. Elle semblait être une femme forte et raisonnable. En dépit du massacre de son village, elle ne laissait rien paraître de la détresse qu'elle devait ressentir. N'avait-elle donc peur de rien? Si, bien sûr, sinon à quoi bon s'allier à un guerrier en si peu de temps?

Il devrait faire preuve de patience. Attendre le moment propice pour la faire parler. S'il la brusquait, elle fermerait son esprit comme une huître et il ne pourrait rien tirer d'elle. En aucun cas il ne pouvait laisser une telle chose se produire.

Il convint avec ses mercenaires d'attendre la nuit avant de traverser Braemar à leur tour. Les Anglais devaient être sur les dents. Mieux valait profiter de l'obscurité pour tenter de passer inaperçus. Ils s'installèrent donc à une certaine distance du village pour attendre le coucher du soleil.

Adossé à un arbre, enveloppé dans sa cape, Süleyman rongea son frein. Il se remémora les paroles lancées par une ignoble vieille femme quelques jours auparavant: « Elle doit trouver le médaillon. »

– Du calme, ordonna le soldat le plus âgé en posant la main sur l'épaule de son collègue.

Celui-ci était déjà prêt à dégainer son épée sous le regard imperturbable de l'Écossais. Je n'arrivais pas à croire que

MacIntosh puisse se montrer aussi téméraire alors que les sacoches accrochées à sa selle étaient remplies d'armes de contrebande.

– Monsieur, suivez-nous, reprit le Britannique aux airs de seigneur.

Ce n'était pas une invitation, mais un ordre. La voix de Brodick me parvint, calme et plate.

– Isla, montez sur le cheval.

Je le dévisageai, incertaine d'avoir bien saisi ses paroles, mais déjà les deux Anglais exhibaient leurs armes, les pointant sur le Highlander.

– C'est très impoli de vouloir ainsi nous fausser compagnie, dit le plus jeune des deux soldats.

Avant même que j'aie le temps de le réaliser, Brodick envoya son pied dans les côtes du plus jeune et, du même mouvement, agrippa son bras et le désarma. Il lui assena un coup de poing sur le nez et j'entendis celui-ci se fracasser sous l'impact. Aveuglé par le sang et la douleur, son adversaire cessa de se débattre et Brodick enroula son bras autour de sa gorge, le forçant à passer devant lui. Il utilisa le jeune homme comme bouclier humain.

– Isla, sur le cheval, bon Dieu! gronda-t-il à mon intention.

L'autre Anglais pointait toujours son épée sur lui et faisait preuve d'un sang-froid au moins égal à celui de MacIntosh. Quelques villageois commençaient à s'attrouper, attirés par le tumulte. Brodick lança:

– Un pas, *sassenach*, un seul et il meurt.

– Vous avez choisi le mauvais endroit pour jouer au rebelle, répliqua l'autre.

D'un mouvement vif, Brodick empoigna le dos de la tunique de son otage et le poussa brusquement en avant, l'empalant sur la lame de son compatriote. Le jeune homme hurla de douleur. En quelques secondes, MacIntosh fut en selle derrière moi et éperonna Haras. Je perçus les cris derrière nous et sus que l'alerte venait d'être donnée.

Le cheval galopait à toute allure. Accrochée au pommeau de la selle, je maudis Brodick intérieurement. Même si ces Anglais ne l'avaient pas reconnu, il avait réussi à se les mettre à dos. Pourquoi n'avait-il pas su se taire ?

Il fit obliquer son cheval, délaissant la route pour la bruyère et les boisés. Il se pencha brusquement en avant, son torse plaqué à mon dos, me pressant sur l'encolure de la bête et m'évitant ainsi de prendre des branches en pleine figure. Lorsqu'il se redressa, il émit un hurlement strident, mi-cri de guerre mi-exclamation de victoire. Manifestement, il était heureux. Heureux de provoquer des hostilités et de prouver qu'il était le plus fort.

Mes côtes déjà sensibles me faisaient grincer des dents, et Brodick s'en aperçut. Il me cala contre son torse, un bras passé autour de moi pour me soutenir un peu.

La nuit tombait et le bataillon de Braemar était désormais à nos trousses. Nous n'allions ni nous arrêter, ni dormir, et si nous étions pris, je n'osais songer à ce qui nous arriverait. Je frissonnai et MacIntosh resserra son étreinte. Il dégageait autant de chaleur qu'un brasero. J'étais enveloppée par lui, lovée dans un cocon de fer sur un cheval lancé à bride abattue dans les paysages austères des Highlands.

Brodick tira brusquement sur la bride de Haras et je m'éveillai en sursaut. Blottie contre son corps, j'avais fini par m'assoupir quand il avait permis à sa bête de ralentir la cadence. La nuit était aussi noire que de l'encre. Au loin, une lueur brillait et il dirigea sa monture vers ce qui semblait être une petite chaumière flanquée d'une baraque qui devait servir à la fois d'écurie et d'atelier. Mon cœur se gonfla de reconnaissance lorsque je compris que MacIntosh comptait faire appel à l'hospitalité highlander.

Il mit pied à terre et alla frapper à la porte. Depuis l'intérieur de la maison, les cris d'un jeune enfant parvenaient à mes oreilles. Un triangle de lumière s'élargit progressivement sur la terre battue lorsque la porte s'ouvrit sur un homme jeune et costaud, à la barbe épaisse et aux mains énormes. Il était vêtu d'un pantalon tenu par des bretelles passées sur une vieille chemise.

L'homme s'entretint un moment avec Brodick, puis celui-ci me fit signe de descendre ; nous allions passer la nuit ici. J'entrai dans la chaumière tandis que Brodick se dirigeait vers l'écurie avec Haras. À l'intérieur régnait une douce chaleur. Un âtre flamboyait, accueillant. Près du feu, une femme en robe de nuit berçait un enfant de moins d'un an enveloppé dans une couverture. Secoué de hoquets, le bébé s'arrêta de pleurer en me voyant entrer. Deux petites filles dormaient dans un lit non loin du foyer.

La chaumière était composée d'une seule grande pièce, mais des rideaux tendus à l'arrière offraient un petit coin d'intimité aux occupants. Une table de bois et six chaises occupaient le centre de la pièce, et de menus articles de cuisson étaient suspendus çà et là.

Lorsqu'elle me vit, la femme se leva et coucha le nourrisson dans son berceau. Elle mit immédiatement une grande marmite d'eau à chauffer et sortit des couvertures d'une grande armoire de bois. Elle était grande et très mince, avec des cheveux ternes et de grands yeux bleus. Son nez était un peu trop long et son front un peu trop haut pour dire qu'elle fût jolie.

D'un ton accueillant, elle m'invita à prendre place à la table et me servit un ragoût de lièvre tout en bavardant. Rien ne m'avait jamais paru aussi délicieux. Bientôt, Brodick s'installa à mes côtés et entama la conversation avec Liam Cameron, le chef de famille.

Le bébé ne cessait de geindre, et la femme finit par aller le chercher et le mettre au sein. Entre le timbre grave des voix masculines à mes côtés et la berceuse que la femme fredonnait au nourrisson, je ne tardai pas à glisser dans une douce torpeur.

Soudain, je fus happée par un vent glacial et me retrouvai encore une fois debout sur mon rocher d'onyx, dans cette mer noire et tourmentée. Les voix étaient autour de moi, partout et nulle part à la fois. Elles m'appelaient :

– *Isla !*

La peur me saisit. Je ne voulais pas être ici, mais j'ignorais comment revenir à la réalité ! À moins que cette dimension ne *soit* la réalité ? Je ne savais plus. J'ignorais même qui j'étais dans ce monde de distorsions. Je n'étais qu'un tronc balayé par les rafales, un corps paralysé par la terreur.

– *Isla ! Isla !*

À l'horizon, une image apparut en ondoyant. L'abbaye de Culross avait fait place à une chaumière toute simple, isolée au bout d'une prairie. Illuminant la nuit, un incendie violent la ravageait, et à travers les voix, je perçus des hurlements provenant de l'intérieur.

Je vis bientôt des taches écarlates ici et là, bougeant devant le brasier. Je clignai des yeux pour ajuster ma vue et réalisai qu'il s'agissait des tuniques rouges de soldats britanniques. Quelques-uns étaient à dos de cheval avec des torches. Liam Cameron, à genoux entre trois d'entre eux, hurlait son désespoir.

Non ! Pas encore des morts !

– *Isla !* ISLA !

Je me réveillai en haletant. J'étais pliée en deux, les poings serrés sur mon ventre, et Brodick me tenait par les épaules, l'air inquiet. Nos hôtes me fixaient avec méfiance. Je me précipitai dehors et vomis le contenu de mon estomac dans les fleurs sauvages qui bordaient la maison. À la seconde où je sentis la présence de MacIntosh derrière moi, je l'agrippai par le bras et le tirai loin de la chaumière.

– Il faut s'en aller! Vite, Brodick, il faut partir maintenant!

– Quoi? Que...

Je me fis véhémente.

– Les Anglais seront bientôt là! Ils vont mettre le feu à la maison et brûler vive la famille de ce pauvre homme devant ses yeux! Nous devons fuir loin d'ici si nous voulons qu'ils aient une infime chance de s'en sortir!

Il me dévisagea comme si j'avais perdu l'esprit.

– Faites-moi confiance! Sellez votre cheval! Il faut partir! m'entêtai-je.

Entre le bûcher et les Anglais, allais-je réussir à éviter de mourir par le feu? Brodick soupira, mais s'exécuta. Il ne fallut que quelques minutes pour que nous soyons de nouveau en cavale, sans même avoir offert nos adieux aux Cameron.

Chapitre IV

Audaces fortuna juvat

Pénétrer dans Culross équivalait à effectuer un brutal retour dans le temps. Avec ses ruelles étroites pavées de façon inégale, ses bâtisses de pierre dotées de toits de tuiles rougeâtres et ses murets recouverts de vignes et de lierres, le village se dressait sur une colline qui s'évasait doucement jusqu'à l'estuaire de la rivière Forth. L'endroit semblait tomber à l'abandon et être laissé à la merci des intempéries.

Plusieurs décennies auparavant, les mines de sel et de charbon avaient été détruites. Le port avait cessé ses activités et les habitants avaient quitté la région un par un. Les ruelles étaient désertes. La végétation reprenait son juste droit.

Marchant devant Haras, Brodick et moi empruntâmes la petite route qui grimpait à flanc de colline. De chaque côté, des maisons aux couleurs étonnantes comme je n'en avais jamais vu. Parfois ocres, roses, parfois blanches avec des cheminées carrées à leurs extrémités.

– Depuis que les habitants sont partis, de nombreuses histoires de fantômes circulent sur l'endroit, particulièrement à propos de l'abbaye, fit Brodick, mi-figue, mi-raisin.

– Des fantômes ?

– On raconte qu'un labyrinthe de tunnels parcourt les caves de l'abbaye. Dans l'un d'entre eux, un vieil homme trônerait dans son fauteuil d'or et attendrait depuis fort longtemps que quelqu'un vienne le relayer. Il lui remettrait alors un trésor inestimable.

– Balivernes !

Brodick ricana. Depuis notre fuite en pleine nuit de chez les Cameron, il n'avait pas abordé le sujet de mes visions étranges. Je m'en trouvais soulagée, car je n'avais pas l'intention d'en reparler.

Après une longue montée, les habitations s'espacèrent pour laisser la place à des murets qui longeaient la ruelle cahoteuse.

Enfin, nous parvînmes à l'abbaye.

Ou du moins, ce qu'il en restait.

Devant nous s'étalait un ancien cimetière dont les monuments s'écroulaient. À droite, la chapelle tenait encore debout, flanquée d'une haute tour carrée ornée de créneaux et de tourelles. Celle que j'avais vue dans mon rêve. Tout près ne restaient que les fondements de murs depuis longtemps disparus.

Je suivis MacIntosh jusqu'à une grande porte de bois massif en forme d'arche qui semblait suspendue par des toiles d'araignée. Il grimaça de dégoût.

– Vous êtes bien certaine de vouloir entrer là-dedans pour trouver votre soi-disant pierre qui sanglote ?

Je lui lançai un regard amusé.

– Bien sûr ! Pas vous ?

Il m'adressa un sourire bon enfant et je lui souris en retour. Je trouvai une vieille branche probablement tombée lors de grands vents et enlevai de mon mieux les tissages arachnéens. Brodick poussa la porte, qui résista. Avec un grand coup d'épaule, il réussit à la faire bouger dans un grincement sinistre. Nous fîmes quelques pas à l'intérieur de la chapelle. Il y faisait froid, sombre et une forte odeur de moisissure nous saisit à la gorge. Visiblement, personne n'avait mis les pieds ici depuis longtemps.

La poussière valsait dans les rayons du soleil qui perçaient la crasse des vitraux et l'écho du silence semblait emplir l'espace. Des arches de pierres massives soutenaient un plafond agrémenté de bois foncé. Certaines draperies ayant sans doute jadis attiré le regard pendaient à présent misérablement sur les murs. D'épaisses toiles d'araignées ornaient les colonnes et les bancs sculptés. Au milieu du chœur trônait un autel massif.

– Qu'est-ce que…

Les paroles de Brodick furent étouffées par le grincement de la lourde porte qui pivotait, refermée par la silhouette voûtée d'une vieille femme. Le panneau claqua, faisant écho dans la chapelle, puis nous perçûmes le bruit d'un verrou que l'on actionnait tandis qu'une barre s'abattait en travers de la porte de bois.

MacIntosh se précipita aussitôt vers l'entrée de la chapelle. Il eut beau invoquer tous les saints en essayant de la forcer, rien n'y fit.

– Cette porte ne pourrait-elle pas être aussi moisie que le reste de cet endroit ? s'énerva-t-il.

Je ne l'écoutai que d'une oreille, assaillie que j'étais par un flot de questions. Qu'est-ce que cela pouvait bien signifier ? Pour quelle raison quiconque voudrait-il nous enfermer dans cet endroit cryptique ? Qui donc était cette mystérieuse vieille femme ?

Brodick se tourna vers moi et m'observa gravement.

– Impossible de faire bouger cette satanée porte ! dit-il. Savez-vous qui a bien pu faire cela ?

– Je n'en ai pas la moindre idée, admis-je, penaude. Je suis désolée, Brodick, tout ceci est ma faute.

Il m'adressa un regard las.

– *Och*, il ne sert à rien de vous blâmer, Isla. Ne vous en faites pas, nous trouverons bien le moyen de sortir.

Il se mit à arpenter l'allée centrale, évaluant la hauteur des vitraux en claquant la langue. Je pris place sur l'un des bancs, faisant fi des débris qui le jonchaient. Au bout d'un moment, il revint vers moi et dit doucement :

– Si vous m'expliquiez pourquoi vous vouliez vraiment venir jusqu'ici…

Je me redressai.

– Je… Je dois me rendre à l'évidence, je crois que j'ai perdu une partie de ma mémoire lors de l'attaque du village. Je n'arrive pas à comprendre pourquoi ce sentiment d'urgence me pousse vers ce lieu.

C'était la pure vérité. Brodick prit place près de moi.

– Isla, je ne suis pas contre vous. Si vous voulez que je vous aide, vous devez me faire confiance. Savez-vous comment trouver cette foutue pierre ?

Je fermai les yeux, tentant de me souvenir. Fronçant les sourcils sous l'effort, je fouillai ma mémoire et murmurai :

– Je ne vois qu'un passage… un tunnel.

– Comme dans la légende ? dit Brodick d'un ton dubitatif.

– Brodick, si l'entrée de ce tunnel est ici, c'est peut-être également notre issue !

MacIntosh eut un rire moqueur.

– Est-ce que l'on doit aussi chercher l'homme dans le fauteuil d'or ?

– Vous pouvez railler tant que vous voulez. L'entrée du tunnel est ici, quelque part, j'en suis convaincue ! Sans doute la pierre qui pleure indique-t-elle son emplacement !

– Et vous croyez en cette légende de trésor caché ?

– Je n'en sais rien.

– Pas moi.

MacIntosh étira ses longues jambes et croisa les bras sur sa poitrine. Je me fis silencieuse, morose. Je sentais mes convictions s'effriter lentement. De plus, la proximité de Brodick mettait mes nerfs en boule. Sa présence semblait saturer l'espace qu'il occupait.

– D'une façon ou d'une autre, nous ne pouvons pas rester ici indéfiniment. Alors, que fait-on ? demandai-je.

– Soit nous cherchons une sortie, soit nous cherchons un tunnel, ce qui selon moi revient au même.

Je ne pus m'empêcher de sourire devant cette logique.

– Eh bien, mettons-nous à l'ouvrage ! dis-je en retroussant les manches de ma robe.

Durant les heures suivantes, nous parcourûmes les moindres recoins de la chapelle, dépoussiérant les plus noires cavités. Brodick frappa sur les murs de son poing dans l'espoir d'entendre un son creux, il examina les pierres les plus susceptibles de céder, vérifiant leur solidité. Quant à moi, je soulevai toutes les statues saintes, scrutai le sol et explorai toutes les boiseries. Les bancs furent déplacés et replacés, de même que les vieilles draperies, les chandeliers et l'imposante croix de bois surplombant l'autel.

En vain.

En nage, nous revînmes à nos places initiales sur le banc.

– Il faut se rendre à l'évidence, il n'y a aucun tunnel ici, dit MacIntosh.

Je gardai le silence, cherchant toujours une réponse à l'énigme. Ayant cédé à tous mes caprices, Brodick n'avait manifestement qu'une envie : fuir le plus loin possible de cet endroit. Je broyais du noir, car renoncer revenait à prouver à cet homme que je n'avais pas toute ma tête, et cela, je ne pouvais m'y résoudre. MacIntosh dut toucher mon bras pour me sortir de mes pensées.

– Écoutez-moi. Je vais fracasser le grand vitrail. Ensuite, nous essaierons de déplacer l'autel dessous pour pouvoir atteindre le…

– C'est un sacrilège de faire une telle chose !

– Mmmph, j'ai toujours été un peu impie quand il s'agit de sauver ma peau.

Le regard posé sur l'imposant bloc de pierre, je m'exclamai soudain :

– L'autel !

Brodick leva les yeux au ciel lorsque je me mis à tourner autour de la table sacrée. J'en effleurai la surface, laissant la trace de mes doigts dans la poussière. Je remarquai subitement les minces filets d'eau qui suintaient à sa base et m'arrêtai, fascinée.

– La pierre qui pleure…

Brodick dressa l'oreille.

– Brodick… la pierre qui pleure ! Aidez-moi !

Même en joignant ses efforts aux miens et en bandant ses muscles de Minotaure, le géant ne réussit pas à faire bouger l'autel d'un iota. Décidé, il sauta sur un petit guéridon ayant jadis porté des lampions et attrapa la croix suspendue au mur. Elle était aussi haute que lui et faite en bois massif.

– Si nous ne pouvons pas le pousser, nous allons faire levier et le renverser.

Petit à petit, il réussit à glisser l'extrémité de la croix de quelques centimètres sous l'autel. Il y mit temps et patience. Puis il m'invita à venir mettre tout mon poids à l'autre bout du levier.

– À mon signal. Prête ? Allez-y !

Peu à peu, la table se souleva avec un bruit désagréable de gravier frottant de l'ardoise. Soudain, la planche transversale de la croix où je m'appuyais se rompit et je mordis la poussière, m'écorchant le flanc sur le segment aiguisé. Je m'affalai au sol avec une exclamation de douleur et Brodick fut bientôt à mes côtés pour m'aider à me relever. Je me tins les côtes en respirant lentement. Des accrocs apparaissaient maintenant sur ma robe ainsi que quelques traces de sang. Mais cela ne m'arrêta guère.

– Allez, soufflai-je, on recommence.

Brodick m'adressa un regard résigné. Avec une profonde inspiration, il reprit les étapes du début, insérant le pied de la croix sous l'autel. Progressivement, celui-ci se souleva, puis il bascula et se fracassa en un assourdissant vacarme qui résonna longtemps sur les murs de pierre.

Je m'approchai en toussant pour constater qu'il n'y avait rien sous l'autel et que, maintenant que celui-ci était démoli, nous devrions faire preuve d'imagination si nous voulions sortir d'ici par le vitrail.

La voix de Brodick brisa le silence si soudainement que je sursautai.

– Isla, venez voir. Regardez l'eau, elle s'écoule par ici et s'infiltre dans le sol. Il y a forcément un espace qui lui permet de se répandre quelque part.

Il m'adressa un clin d'œil malicieux. Il retira ensuite son *sgian dubh*[1] de sa botte et gratta méticuleusement le pourtour de la pierre.

– Cette dalle semble boucher une ouverture dans le sol, mais le temps l'a cimentée sur place. Il faudra donc un peu de patience pour la déloger.

Tandis que MacIntosh s'appliquait à enlever la couche de poussière et de déchets ayant scellé la dalle au sol, je l'observai attentivement. Cet homme m'avait non seulement donné le bénéfice du doute quand j'avais moi-même cru divaguer, mais il avait également su m'écouter, même s'il me contredisait sans cesse avec ses arguments irréfutables. À cause de moi, il se retrouvait dans le pétrin, et au lieu de tenter de sauver sa peau, il venait de perdre des heures à essayer de m'aider à me prouver à moi-même que j'avais raison. Il m'offrait la possibilité de me justifier. Pour une raison qui

1. Le *sgian dubh* (prononcé « skin dou ») est le petit couteau généralement porté par les Écossais dans leur chaussette ou leur botte.

m'échappait, il semblait plus croire en moi que je ne pouvais le faire.

La dalle circulaire avait la taille approximative d'une grosse roue de chariot, et lorsque MacIntosh réussit enfin à la soulever, les veines de son front saillant sous l'effort, je sentis mon cœur s'accélérer.

Dans le sol, un trou béant s'offrait à mon regard, menant Dieu sait où.

Chapitre V

Cave ne cadas

Isla se jeta spontanément au cou de MacIntosh, le déstabilisant. Par réflexe, il referma ses bras autour d'elle et recouvra son équilibre.

La jeune femme riait en répétant: « Merci, merci, merci ! » Brodick sourit en retour, puis la souleva de terre. Les longues boucles d'Isla étaient soyeuses sous ses doigts, légèrement parfumées. Il ferma les yeux, s'empêchant de s'attarder aux courbes fermes qu'il percevait contre son torse. Il y avait bien longtemps qu'il n'avait pas touché une femme et le contact de la joue d'Isla contre la sienne provoqua une réaction involontaire de son corps. Il reposa la jeune femme et occupa son esprit en inspectant l'abrupt escalier qui s'enfonçait dans les profondeurs de la terre.

– Nous n'irons sans doute pas loin sans lumière d'appoint, fit-il remarquer.

Songeur, il se gratta le front un instant, avant de décréter:

– Je vais passer devant, l'état des madriers ne m'inspire pas confiance. Vous me suivrez de près.

Avec circonspection, il posa sa botte sur la première marche et hésita avant d'y mettre son poids. La planche grinça, se courba un peu, mais ne céda pas. Ainsi fit-il prudemment son chemin le long des dix premières marches. Il fit alors une pause et signifia à Isla de le rejoindre. Celle-ci rassembla ses jupes et entama la périlleuse descente.

– Lentement, Isla, le bois est pourri et peut céder à tout moment.

Peu à peu, ils s'engouffrèrent dans les profondeurs obscures de l'abbaye. Lorsque enfin ils touchèrent le sol en terre battue, ils soupirèrent de soulagement, n'osant envisager la remontée. La lumière provenant de la chapelle, là-haut, leur permit de jauger sommairement le lieu où ils se trouvaient.

L'endroit ressemblait à un donjon, construit de pierres avec de hautes arches en guise de plafond. Une fausse fenêtre garnie de barreaux de fer s'ouvrait sur un tunnel qui se perdait dans la pénombre. Des débris dont on n'osait imaginer la nature parsemaient le sol et des rats d'une taille respectable s'y rassasiaient, leurs petits yeux rouges luisant dans la faible clarté. À leur vue, Isla fit un petit pas de côté vers Brodick. Autour de la pièce, des torches éteintes depuis plusieurs décennies reposaient dans leurs supports. Le froid était mordant sous l'abbaye.

Subitement, un grand tumulte se fit entendre au-dessus d'eux. Des pas résonnèrent dans la chapelle. Des ordres fusèrent dans une langue étrangère. Isla retint son souffle tandis que Brodick lui faisait signe de se taire, son arme au poing.

La silhouette d'un homme se découpa dans l'ouverture, en haut de l'escalier, et une voix teintée d'un fort accent parvint jusqu'à eux.

– Trouvez le médaillon et rapportez-le-moi. N'essayez surtout pas de jouer aux plus malins.

Deux torches leur furent lancées. L'une d'elles s'éteignit en frappant le sol. Puis l'énorme dalle fut remise en place, enfermant les deux jeunes gens dans un caveau improvisé.

Sans bouger d'un poil, MacIntosh abaissa son regard sur moi. Son expression était sombre, sa bouche, une mince ligne crispée. Il me dévisagea un long moment sans rien dire. Mes jambes étaient flageolantes et je me sentis bien petite devant son air mécontent.

– Un médaillon ? Qu'est-ce que c'est que cette histoire ? J'espère que vous avez une explication, Isla, parce que je commence à en avoir marre de vos inepties !

Si seulement j'avais pu lui apporter une réponse !

– J'ignore de quoi il s'agit, Brodick, mais c'est un indice de plus ! Nous savons maintenant quoi chercher !

– Une issue, Isla, nous cherchons une issue ! s'énerva-t-il. Et puis, qui est cet homme, bon sang ?

– N'élevez pas la voix contre moi ! grondai-je, prête à sortir mes griffes. J'ignore qui il est et pourquoi il veut ce médaillon. Mais son accent ne m'est pas étranger. Je me souviens l'avoir entendu à l'auberge le jour où nous sommes partis.

– Il nous aurait suivis jusqu'ici et aurait attendu que nous trouvions l'entrée du souterrain pour se manifester ? Il en sait donc plus que vous sur notre présence ici.

– Inutile de perdre notre temps en tergiversations, dis-je sèchement. Ce tunnel mène forcément quelque part. Trouvons où.

Brodick grommela :

– C'est bien la première bonne idée que vous formuliez.

– Allez au diable !

Après avoir inspecté les barreaux de la fenêtre, Brodick les fit bouger facilement. Le mortier s'était effrité avec le temps et quelques bons coups avec le manche de son coutelas suffirent à les déloger. Il sauta sur le rebord et s'y percha, aussi à l'aise qu'un pigeon sur une corniche, puis il passa la tête de l'autre côté. Il grimaça en chassant une toile d'araignée de son front.

– Passez-moi la torche, il fait noir comme dans un four ici.

Je ramassai le flambeau qui brûlait au sol et décidai de l'approcher de celui qui s'était éteint afin de l'enflammer de nouveau, mais mon geste fut interrompu par la voix impérieuse de MacIntosh :

– Non ! Gardons-la pour plus tard, qui sait si nous n'en aurons pas besoin.

Me rendant à sa logique, je lui passai le bâton ardent et il m'aida à enjamber le muret. Lorsque je l'eus rejoint de l'autre côté, nous nous mîmes à avancer prudemment. Je me sentais nerveuse, ayant bien conscience qu'en dehors du cercle de lumière créé par son flambeau, une noirceur digne de mes pires cauchemars pouvait nous avaler. Depuis ma plus tendre enfance, j'étais terrifiée par l'obscurité. Mes angoisses de petite fille avaient grandi avec moi pour devenir une sourde terreur qui étendait ses tentacules dans tout mon corps lorsque je me retrouvais dans le noir. Cette peur était irrationnelle, et les gens que je côtoyais avaient appris à accepter ma lubie d'entretenir le feu de façon compulsive avant d'aller dormir et de placer ma couche sur le mur le plus près des lueurs du foyer. Rien au monde ne m'effrayait plus que l'absence de lumière.

Brodick se servait de la torche pour écarter les toiles d'araignée et pour éclairer devant lui. Le passage était étroit, et plus nous avancions, plus je me sentais prise de panique. Devant, les larges épaules de l'homme bloquaient tout l'espace et m'empêchaient de voir plus loin. Derrière... l'obscurité absolue. Mais je ne me laisserais pas gagner par mes peurs. J'étais forte. Brodick MacIntosh était robuste et débrouillard, rien ne pouvait nous arriver... Ou peut-être que si ? J'inspirai profondément et décidai d'engager la conversation pour combler le silence.

– Donc, vous avez combattu à Culloden ?

Brodick se raidit perceptiblement, mais répondit sur le ton de la conversation :

– *Aye*. Comme beaucoup d'autres Écossais.

– Mon oncle aussi était sur le champ de bataille. C'est là qu'il est mort.

– Trop d'hommes ont péri, ce jour-là.

Il y eut un moment de silence.

– C'est là que vous avez hérité de cette balafre ?

– *Aye*.

– Et c'est ça qui vous met en colère contre les Britanniques ?

– Ce que je peux ressentir pour les tuniques rouges a des racines bien plus profondes qu'un simple coup de baïonnette.

Le passage devenait de plus en plus étroit, et il nous fut impossible de poursuivre la discussion dans ces conditions. En plus de devoir pencher la tête, Brodick fut bientôt obligé d'avancer de biais, car ses épaules étaient trop larges pour l'espace. Je l'entendis jurer tout bas contre la taille des moines qui avaient construit le tunnel. Lorsqu'il se heurta le front contre l'une des poutres soutenant la galerie, il grogna de douleur et me lança un regard noir pour faire taire le rire nerveux qui m'avait échappé.

Plus loin, nous débouchâmes sur une salle presque circulaire, assez haute pour que Brodick puisse se redresser. Le long des parois rocheuses, des sacs s'empilaient, le ventre arrondi par leur contenu. Des pelles, des pioches et divers outils s'alignaient un peu plus loin. Quelques bancs de bois rustiques attendaient depuis longtemps que quelqu'un s'y repose. Dans l'un des murs, à gauche, un autre tunnel ouvrait sa gueule vers l'inconnu.

– Un entrepôt ? murmurai-je. Mais pourquoi le cacher aussi loin ?

Je fis lentement le tour de la pièce, examinant les bancs usés et le sol de pierre tandis que Brodick utilisait son *sgian dubh* pour éventrer l'une des poches. Une poudre blanche ainsi que des cristaux de tailles diverses s'en échappèrent, s'amassant par terre comme dans un sablier.

– Du sel ! constata Brodick en mettant quelques grains sur sa langue.

Puis il haussa les sourcils.

– Est-il possible que ces tunnels mènent à l'ancienne mine ?

– Tout est possible, je suppose.

Je désignai les autres sacs.

– Ouvrez-les ! Le médaillon pourrait y être. C'est peut-être notre seule clé pour sortir d'ici !

Brodick répandit le contenu de toutes les poches qui ne révélèrent rien d'autre qu'une mer de flocons immaculés. Bredouille, il me fit face, et je perçus alors un éclat carmin sur son front.

– Vous saignez, constatai-je en m'approchant pour examiner la plaie.

Il balaya ma remarque d'un geste indifférent, mais j'avais déjà posé ma torche et entrepris de déchirer l'ourlet de mon jupon pour éponger le sang. Il s'était cogné la tête plus fort que je ne l'avais cru et je regrettai d'avoir ri à ses dépens.

Levant les yeux, je surpris son œillade sur le galbe de mon mollet exposé et m'empressai de replacer mes jupes. Il resta immobile le temps que je fasse une pression sur la blessure, puis il me fit signe de ramasser mon flambeau et nous nous tournâmes d'un même geste vers la bouche du second tunnel. Après quelques pas à l'intérieur, nous découvrîmes un escalier abrupt aux marches inégales qui descendait profondément dans les entrailles de la Terre. Nous nous engageâmes dans cette nouvelle allée sans savoir où elle nous conduirait.

Une fois de plus, je me sentis écrasée par le poids et l'ampleur des rochers au-dessus de ma tête. Le silence était si total qu'il vibrait dans mes oreilles, leur laissant croire qu'elles étaient sourdes. Soudain, la peur de voir ces vieux tunnels s'effondrer me saisit aux tripes. Des sueurs froides mouillèrent ma nuque et mon front et je sentis le sang quitter mon visage. Mes mains se mirent à trembler et mon cœur à palpiter. Je continuai toutefois d'avancer, mais après quelques minutes, j'eus l'impression que les murs se rapprochaient lentement, diminuant de la sorte ma ration d'oxygène. L'espace était trop petit, je devais absolument sortir au grand air ! Mes poumons se contractant violemment sous le manque d'oxygène, je dus m'arrêter un moment. Avec horreur, je vis le dos de MacIntosh s'éloigner, et avec lui la seule source de lumière. Je forçai une goulée d'air à travers ma gorge et émis un son sifflant lorsque je parvins à la faire descendre dans ma poitrine.

Alerté par le son, Brodick fut aussitôt près de moi. Il posa sa torche par terre et en fit autant avec celle que je tenais toujours dans ma main.

– Isla, qu'avez-vous ?

Lentement, il m'aida à m'asseoir. L'air passait de plus en plus difficilement et j'étais convaincue que, bientôt, le gouffre dans lequel nous nous enfoncions serait vidé de tout oxygène. Brodick prit mes mains dans les siennes et les caressa avec ses pouces.

– Regardez-moi dans les yeux. Respirez avec moi.

Il inspira profondément et je m'étouffai en tentant de faire de même.

– Encore une fois.

Des larmes roulèrent sur mes joues.

– Ce n'est rien, Isla. Regardez-moi ! Vous devez vous concentrer sur votre respiration.

Graduellement, je finis par accorder mon souffle avec le sien et les murs s'espacèrent pour me laisser respirer de nouveau. Ma poitrine était toujours comprimée, mais au moins l'air arrivait jusqu'à mes poumons.

– Que se passe-t-il ? demanda-t-il.
– J'ai… Je n'aime pas… beaucoup les endroits clos.
– Manifestement.
– Moquez-vous si vous voulez, mais… je suis terrifiée par l'obscurité.
Brodick m'offrit un froncement de sourcils.
– Je n'ai pas envie de me moquer.
Il pressa ma main avec bienveillance.
– Qu'est-ce qui vous effraie tant ?
– Je ne sais pas. J'ai l'impression que ces rochers vont me faire suffoquer. Et ce silence absolu… c'est insoutenable !
– Vous sembliez pourtant n'avoir peur de rien. Vous étiez prête à affronter vents et marées pour venir ici.
Je me mordis la lèvre, hésitante. Puis je me mis à parler :
– Lorsque j'étais enfant, j'ai été enfermée dans une malle. On a jeté de nombreuses épaisseurs de couvertures sur moi. J'étouffais dans cette pénombre lorsque j'ai entendu la clé tourner dans la serrure. On venait de me faire prisonnière. J'y suis restée plusieurs heures, avec à peine assez d'oxygène pour subsister.
Il me dévisagea, incrédule.
– C'est ignoble de faire ça à une petite fille. Qui a bien pu vous faire subir une telle chose ?
Je répondis d'une voix blanche :
– Ma mère.
Brodick approcha la torche de mon visage en pleurs. Mes joues étaient mouillées et ma lèvre inférieure tremblait.
– Votre mère ? répéta-t-il.
– Elle disait que j'étais une anomalie de la nature, soufflai-je dans un sanglot.
La flamme de la torche se réverbéra dans les iris de MacIntosh, y jetant des reflets de sollicitude.
– Je n'ai jamais dormi un seul instant sans une quelconque lueur, depuis…, repris-je après un moment. C'est pour

cette raison que je voulais absolument rester à Braemar. Je sais bien que c'est ridicule, mais je n'ai aucun contrôle sur ma peur!

Il m'observa longuement avant de répondre.

– Connaître le passé de quelqu'un nous permet de comprendre son présent, Isla. Il n'y a rien de ridicule là-dedans. Et puis, j'ai une confession à faire… J'ai peur de m'endormir.

Je relevai subitement la tête.

– Quoi?

– Tout le monde a ses appréhensions. Depuis Culloden, pas une nuit ne se passe sans cauchemars. Mais ça reste entre nous, d'accord? fit-il avec un clin d'œil.

Il leva la main et caressa ma joue du bout des doigts.

– Chaque individu traîne son fardeau, murmura-t-il. Il appartient à chacun de le tenir ou de le déposer. Et quand on choisit de le porter, on n'est pas obligé de le faire tout seul.

J'inclinai la tête dans la paume qui effleurait mon visage. L'odeur de cet homme était enivrante, un mélange de bruyère et de pin, un parfum âcre et troublant. Même si ma conscience me criait de fuir ce contact, la douceur de son toucher avait l'effet du soleil sur ma peau. Je me traitai de sotte d'avoir envie de prolonger cette marque d'attention venant de lui.

Soudain, il se pencha vers moi et je retins mon souffle. Mon cœur fit un bond devant cette proximité inopinée et je sentis un désir confus monter en moi. J'avais envie qu'il me touche, je voulais connaître la sensation de sa bouche sur la mienne. J'avais envie que ce soit lui qui me fasse découvrir la chaleur d'un premier baiser. Mais il se contenta de poser ses lèvres sur mon front.

Déçue et me sentant un peu idiote d'avoir anticipé un baiser de la part d'un homme tel que lui, je fermai les yeux pour me ressaisir. C'est alors que je perçus une rumeur sourde.

– Vous entendez ça, Brodick?

De très loin, une clameur incessante parvenait à mes oreilles, comme des milliers de voix prêchant à l'unisson.

– Des vagues? Ici?

Levant les yeux, je réalisai que l'obscurité était teintée d'une aura bleutée. Si nous n'étions pas si creux sous terre, j'aurais juré sentir l'air salin de la mer.

– Isla, passez devant, ordonna Brodick en levant la torche, dont la lumière vacilla.

Tandis qu'il récupérait l'autre flambeau, je ramassai mes jupes et m'exécutai. Nous avançâmes encore longtemps, remarquant l'afflux de lumière au fur et à mesure que nos pas résonnaient sur les parois de plus en plus hautes de la roche. La mine n'était sans doute plus très loin.

Enfin, à quelque distance, je vis un grand portail se découper dans la pierre. Soulagée, j'accélérai le pas, ignorant l'appel de Brodick derrière moi.

– Isla, attendez! Ne vous pr… Attention!

Süleyman le Turc s'impatienta. Des heures. Des heures avaient passé et toujours aucun signe de leur retour. Il renvoya l'homme venu lui apporter la nouvelle et frappa deux coups secs à la porte de la chaumière où flottait une puanteur étouffante. Il faisait très sombre dans la pièce. Des simples[1] étaient suspendus au plafond, des objets tels que des pilons, des hachoirs et des alambics de fortune occupaient une grande partie de la table de la salle à manger. Quelques vieux bouquins poussiéreux étaient dispersés ici et là.

Une femme vêtue de guenilles vertes était penchée au-dessus de l'un d'eux. Ses cheveux étaient d'une couleur sans

1. Nom donné au Moyen-Âge aux plantes médicinales.

éclat, de même que ses yeux. La peau de ses mains était fripée comme un vieux parchemin et ses ongles étaient jaunis. La seule beauté de cette femme était sans doute son visage, flétri mais joli.

– *Failte*[2] *!* dit-elle sans même lever les yeux.

– *Merhaba*[3].

– Vous avez oublié quelque chose tout à l'heure ?

Un rictus apparut au coin des lèvres de Süleyman.

– Et vous, *cadi*[4], auriez-vous oublié de me dire quelque chose ?

– Dans ce cas, c'est que vous avez omis de poser la bonne question.

– Ne faites pas l'erreur de me prendre pour un idiot.

– Vous avez le sang-froid de vous adresser à moi sur ce ton, jeune homme ! D'autres ont payé pour bien moins.

Süleyman se pencha vers elle en s'appuyant sur la table, menaçant.

– Y a-t-il une autre sortie à ces tunnels, *cadi* ?

La femme jeta dans un bol ce qui ressemblait à une racine et se mit à la broyer avec un pilon. Elle mit longtemps à répondre, mais finit par abdiquer sous le regard dangereux de l'étranger.

– On dit qu'il y a longtemps, un sonneur de cornemuse aveugle a tenté de le découvrir et s'est aventuré dans les souterrains avec son chien. On a suivi le son de sa cornemuse à plus d'une demi-lieue, puis la musique s'est brusquement arrêtée. Le chien est revenu, terrifié, mais son maître n'a jamais été revu.

– Et ce damné cabot avait trouvé une issue autre que celle de la chapelle ?

---

2. « Bienvenue » en gaélique. Prononcé « faalshae ».
3. « Bonjour » en turc.
4. « Sorcière » en turc.

– Il semble que oui, mais nul ne sait comment.

Süleyman jura dans sa langue exotique et se précipita dehors. Il sauta sur sa monture et s'éloigna au galop.

– *A Dhia*[5] *!* Mais qu'est-ce que c'est ?

Dans ma hâte, j'avais trébuché sur ce que je pris d'abord pour un morceau de bois. Il s'agissait en fait d'un amas de guenilles surmonté d'un visage parcheminé et d'un crâne aux cheveux filamenteux. Le cadavre, affalé contre la paroi rocheuse, s'était momifié et conservait des traits humains étonnants. Les orbites vides, la pâleur fantomatique et quelques dents noircies complétaient le tableau grotesque de ce qui avait jadis été un homme.

Brodick se précipita vers moi et jeta le flambeau éteint au sol pour m'aider à me relever, mais je me libérai prestement et me penchai sur les restes, les yeux écarquillés.

– C'est extraordinaire, murmurai-je.

– Extraordinaire ?

– Rendez-vous compte ! C'est un homme de sel !

– Un homme de quoi ?

– Un homme de sel ! répétai-je. J'en ai entendu parler, mais je n'aurais jamais cru avoir un jour le privilège d'en voir un. Les conditions environnantes ont maintenu le mort dans un état de préservation étonnant. Seules les mines de sel permettent une telle conservation !

Bouche bée devant mon enthousiasme morbide, Brodick se gratta le front sans rien dire.

– Vous croyez que c'était l'un des moines de l'abbaye ? demandai-je.

– Pas d'après ses vêtements ni sa barbe.

---

5. « Ô Dieu ! » en gaélique.

Un duvet sombre couvrait encore les joues de l'homme et s'étalait sur sa poitrine. C'est alors que j'aperçus le bijou. Il pendait autour du cou momifié, caché sous la pilosité. Le souffle court, j'entrepris de le dégager.

– Le médaillon…, murmurai-je tout en examinant l'objet.

Faisant fi de ma découverte, Brodick préféra me demander :

– Comment se fait-il que vous ayez peur du noir, mais pas des morts ?

– J'ai l'habitude. Ne vous l'ai-je pas dit ? J'étais la guérisseuse de mon village.

Il eut un rire sec et secoua la tête.

– Vous aviez effectivement omis de mentionner ce détail. Cela ne plaide pas en votre faveur.

Je sentis le feu brûler mes joues et me relevai vivement, médaillon à la main.

– Je ne suis pas une sorcière, si c'est ce que vous tentez d'insinuer ! J'ai appris à soigner les gens auprès d'une femme de mon village. Je n'ai jamais touché à la magie !

J'étais outrée. Parce qu'il s'approchait un peu trop de la vérité ? Je restai immobile, le souffle un peu trop rapide, mon regard rivé au sien. D'un geste sec du menton, il désigna mon poing fermé.

– Vous me montrez ce foutu médaillon ? Je suis impatient de découvrir ce qui peut le rendre si important !

Il tendit la main et je le déposai dans sa paume avec précaution. Il plissa les yeux en reconnaissant la forme gravée dans l'or : un pentagramme. Identique à celui imprimé dans ma chair. Et à l'intérieur, en belle calligraphie :

B. DANS LES PROFONDEURS DE MARY KING'S CLOSE.

– Mary King's Close ? soupira-t-il en me rendant l'objet. C'est à Édimbourg. Encore des énigmes. Qu'est-ce que ça signifie ?

– Je ne sais pas, Brodick, et franchement, je n'ai pas la force de m'y attarder en ce moment. Trouvons donc cette damnée sortie avant de finir comme lui, grinçai-je en désignant la dépouille et en m'éloignant rapidement.

Mais Brodick n'allait pas lâcher prise aussi facilement.

– Pas si vite ! dit-il en m'attrapant par le bras. Un bûcher, un pentagramme, un don de guérisseuse. En plus de ces rêves ou de ces visions que vous semblez avoir. Autant de coïncidences qui m'amènent à vous poser la question : qui êtes-vous vraiment, Isla ?

Je me dégageai sèchement, furieuse.

– Je le répète, je ne suis pas une sorcière ! Mais regardez donc mon bras ! Les gens vont me condamner ! Je ne veux pas mourir brûlée, Brodick !

Il eut un geste apaisant.

– On ne brûle plus les sorcières, voyons.

Je fixai mes doigts crispés sur le médaillon. Je détestais le fait qu'il puisse penser, ne serait-ce qu'un instant, que j'étais une incarnation du mal. Prise d'une grande lassitude, je levai sur lui des yeux implorants.

– Brodick, je veux sortir d'ici.

Ma voix était éteinte.

Le géant me dévisagea un instant et je pus voir son regard s'adoucir.

– Bien, dit-il après s'être raclé la gorge. Partons.

L'ambiance était pesante dans le cabinet de l'évêque Harriot.

– Devons-nous, oui ou non, envisager des actions concernant cette présumée sorcière? dit un homme portant une soutane noire sur un ventre rebondi.

L'évêque intervint :

– Rien ne nous indique qu'elle en soit véritablement une, bien que tous les doutes soient permis. Reste que si tel est le cas, comment pouvons-nous intervenir ?

Un autre membre du clergé se redressa, un homme maigre au nez proéminent.

– Il faut retrouver cette personne et tirer l'affaire au clair. S'il s'avérait fondé que cette fille est une sorcière, il faudrait alors prendre les mesures requises.

– Allons donc ! s'exclama l'évêque. Le clergé n'a brûlé personne depuis Dornoch en 1727 ! L'Acte de sorcellerie de 1735 a modifié la loi de manière que nous ne puissions plus agir de la sorte. Nous sommes plus évolués que cela ! Ce n'est pas demain que nous allons recommencer !

– Rappelez-vous que la fille de Janet Horne a échappé au bûcher et qu'elle était grosse, à l'époque, répliqua l'autre. Ne serait-il pas possible que cette fille soit sa progéniture ? Cela lui donnerait quoi, vingt et un ans ? Qu'en dites-vous, Brimstone ? Est-ce à peu près l'âge que la rescapée de Glenmuick pouvait avoir ?

L'interpellé hocha simplement la tête tandis que, de son côté, le prêtre au ventre rebondi s'exclamait :

– C'est une théorie qui tient la route !

Brimstone prit la parole :

– Qu'elle soit ou non la petite-fille de Janet Horne, il reste qu'elle a été marquée par quelqu'un. Il est de votre devoir d'enquêter pour savoir qui a tué tous ces gens, lié cette fille au bûcher et brûlé le pentagramme sur son bras. S'il s'agit d'un groupe religieux qui a eu vent de son identité, il est intervenu à votre place et vous ne pouvez tolérer une telle chose. D'une manière ou d'une autre, une sorcière n'a pas sa place parmi nous.

L'évêque scruta Brim, songeur. Le jeune homme semblait déterminé à rendre justice au peuple écossais en débarrassant la planète d'une jeune personne possiblement innocente.

D'où pouvait donc venir cette hostilité non déguisée dans son regard ?

– Il est entendu que les choses n'en resteront pas là, Brimstone, intervint un homme qui était resté silencieux jusque-là. Que quelqu'un ait osé se faire justice en éliminant la population d'un village ne peut rester impuni par la loi. Mais vous semblez en faire une affaire personnelle et cela m'inquiète.

Brim dévisagea l'homme avec dédain.

– Si vous aviez dû décrocher tous ces cadavres, peut-être en feriez-vous une affaire personnelle. Je souhaite m'impliquer personnellement pour faire la lumière sur les circonstances de cette tragédie.

L'homme se pencha au-dessus de la table. Il démontrait un calme absolu devant l'attitude bravache de son cadet.

– Avec quelle armée mènerez-vous cette mission, mon garçon ?

Brim eut un rire sarcastique.

– Comme si la vôtre valait quelque chose. Le Black Watch[6] est sous le joug de la couronne anglaise et rien ne me convaincra de lui faire confiance.

---

6. Le Black Watch tire son origine des compagnies d'infanterie levées en 1725 afin de maintenir la paix dans les Highlands écossais. À la suite de la deuxième révolte jacobite de 1745, ses membres eurent à exercer une répression plus dure et à faire respecter les décrets draconiens pris par le Parlement anglais à l'encontre des clans écossais afin d'empêcher toute nouvelle rébellion. L'origine de leur surnom reste incertaine. Si le choix du terme « watch » s'explique aisément à la lumière de la mission de maintien de l'ordre de cette organisation, deux hypothèses existent concernant le mot « black ». Selon la première, il renvoyait au tartan de leur tenue, de couleur sombre. D'après la seconde, les habitants des Highlands considéraient les soldats du Black Watch (également originaires d'Écosse) comme des traîtres au cœur noir, puisqu'ils appliquaient les décisions anglaises au lieu de soutenir les leurs. (Source : Wikipédia)

Mac Guthrie s'adossa de nouveau contre son fauteuil et croisa les bras.

– Vous avez le droit de le penser, mais cela ne change rien au fait que vous n'avez ni les effectifs, ni l'autorité pour investiguer sur cette affaire. Laissez ce dossier entre mes mains et retournez livrer vos missives.

L'évêque se racla bruyamment la gorge en tournant nerveusement son anneau épiscopal autour de son doigt.

– Messieurs, ne perdons pas de vue les vrais enjeux. Il y a ici deux mystères à élucider : qui sont les responsables du carnage et est-ce que la survivante est, oui ou non, une ensorceleuse. Il est impératif que nous unissions nos forces et nos connaissances afin de comprendre la volonté du Seigneur dans cette affaire sordide !

– Très bien, dit Guthrie en se levant. L'enquête ne devrait être une question que de quelques jours, monseigneur. Quant à vous, Brimstone, vous devriez apprendre à laisser vos émotions de côté si vous voulez un jour être crédible.

Brim toisa son interlocuteur avec mépris, mais ne répondit pas. Il n'avait pas l'intention d'alimenter les propos de Guthrie en réagissant. Il se tourna plutôt vers l'évêque et dit :

– Je vous amènerai la fille. Je dois rejoindre MacIntosh à Édimbourg. Avec un peu de chance, elle sera toujours avec lui et je n'aurai aucune difficulté à la soustraire à sa garde. Dans le cas contraire, il me dira bien où il l'a laissée. N'ayez crainte, je vous garantis qu'elle parlera.

Une éternité plus tard, nous étions toujours dans les profondeurs de la terre. Nous avions à peine eu le temps d'embraser le deuxième flambeau avant que l'autre ne s'éteigne définitivement. L'air était plus facilement respirable et l'espace se transformait peu à peu en une sorte de caverne dont la voûte s'élevait au-dessus de nous pour laisser entrer le faisceau lunaire à travers une crevasse.

L'épuisement nous gagnait. Nous étions dans ce fichu trou depuis des heures et la voie était de moins en moins praticable. Le sol était inégal, les blocs de roc s'étant effrités par endroits. Il fallait grimper, escalader, bondir, dévaler. J'avais maladroitement noué mes jupes, mais je n'avais pas eu beaucoup de jeu pour éviter d'être indécente. Nous continuions d'avancer en espérant trouver une issue à chaque détour, sans succès.

– Arrêtez, Brodick. Je suis vannée. Je ne peux plus continuer, fis-je en me massant les reins.

Il me jeta un regard et abdiqua en évaluant notre environnement. Nous nous trouvions sur un promontoire relativement plat. Plusieurs pieds plus bas, l'eau salée du fjord venait éroder les rochers. Je jugeai que cet endroit était aussi bon que n'importe quel autre pour m'asseoir un instant, ce que je fis avec un soupir satisfait.

– Je ne bouge plus le petit orteil avant le lever du soleil, dis-je en levant la tête vers la crevasse, tentant d'évaluer l'heure.

Comment savoir si j'avais à peine le temps de me détendre pour repartir aussitôt ou si j'avais quelques heures devant moi pour rassembler mes idées ? Tandis que Mac-Intosh s'affalait à mes côtés, s'appuyant nonchalamment contre la paroi, je retirai le médaillon de la poche de ma robe et le fis tourner lentement entre mes doigts.

– Vous feriez mieux de penser à vous reposer, dit mon compagnon au bout d'un moment en voyant ma mine songeuse.

– *Aye*, vous avez raison. Qui sait ce que nous aurons à affronter demain ? Ou qui ?

Il ricana.

– Je me vois vexé que vous doutiez de ma faculté à vous défendre.

– Mmmmph ! À mains nues ou avec votre torche ? ironisai-je.

Mon ton moqueur s'éteignit lorsque je constatai que notre dernière source de lumière allait bientôt mourir et que j'allais me retrouver dans le noir. Ma respiration s'altéra. Sans un mot, Brodick m'attira à lui, calant ma tête au creux de son épaule. Je me raidis.

– Dormez, ordonna-t-il. Je ne laisserai rien vous arriver.

Après un instant de quiétude, je m'agitai.

– Brodick, murmurai-je, je dois vous avouer quelque chose.

Il ajusta son menton sur le sommet de mon crâne et émit un grognement.

– Une malédiction plane au-dessus de ma tête.

– Une malédiction ?

– *Aye*.

Il renâcla.

– Balivernes !

Je me tus un instant, ayant besoin de rassembler mes idées. Je n'étais pas bien sûre d'avoir envie de lui expliquer, mais puisqu'il était désormais impliqué dans cette aventure, il devait savoir. Je fis un effort démesuré pour me souvenir des mots exacts, et soudain, tout me revint. Je me mis à déclamer la prophétie que ma mère me récitait chaque soir avant d'aller au lit lorsque j'étais toute petite :

– « Je vois. Je sais. Vingt ans vont passer. La chair de ma chair sera damnée. Des vies elle va décimer. Dans la gueule de la pierre qui pleure, elle devra chercher. Elle y sera foudroyée. Son cœur lui sera arraché. De tous, elle devra se méfier. Un des grands elle pourra faire tomber ! »

– De la bien jolie poésie.

Je me redressai.

– Cessez de vous moquer. Vous ignorez à quelle puissance vous avez affaire.

– Je ne me moque pas. Je ne crois pas à ce genre de superstition, voilà tout.

– J'étais certaine que vous n'alliez pas me croire. J'aurais dû continuer à me taire, je…

Brodick posa un doigt sur mes lèvres.

– Vous pouvez tout me dire, Isla. Je serai digne de votre confiance.

Mais moi, étais-je digne de la sienne ?

Ma mémoire fit défiler des images éparses devant mes yeux : les cheveux bouclés de ma mère, sa main tordue manipulant des grimoires, son air perpétuellement torturé. Dans mon souvenir de petite fille, elle était particulièrement belle dans la lumière des bougies, le soir, lorsque de mon petit lit je la regardais murmurer en utilisant des ouvrages reliés de cuir où s'alignaient…

… des pentagrammes !

Les mêmes que celui sur mon bras ou sur le pendentif. Que m'avait-elle donc dit à leur sujet ? Que les anciennes civilisations vouaient un culte à la terre nourricière. Les femmes rendaient grâce à la nature par des rituels païens et utilisaient ce symbole pour évoquer l'étoile de Salomon. Au fil du temps, l'Église en avait fait un emblème satanique pour éradiquer l'hérésie et convaincre le peuple de se conformer au christianisme.

Chacune des branches de l'étoile correspondait à un élément : l'eau, la terre, le feu, l'air et l'esprit. Orienté vers le haut, le pentacle était associé à la magie blanche et à la sorcellerie. Pointé vers le bas, il était associé à la magie noire. Il évoquait ainsi le bouc avec ses cornes, ses oreilles et son menton. De même que pour la croix, il faisait partie des emblèmes inversés du satanisme.

J'eus beau examiner ma brûlure, difficile de déterminer dans quel sens la regarder. Lorsque mon bras était au repos, l'étoile pointait vers le haut, ce qui me rassurait grandement. Mais, de mon point de vue, quand je ramenais mon bras vers moi, le pentagramme pointait vers le bas. Et cette perspective me plaisait beaucoup moins.

La grande main de MacIntosh s'enroula autour de mon avant-bras et son pouce caressa la croûte qui couvrait encore la brûlure. Doucement. Je frissonnai malgré moi.

Je dégageai mon bras en tirant sur ma manche. Il ne croyait peut-être ni aux sorcières, ni aux prophéties, mais ce n'était pas le cas du peuple écossais. À supposer que j'arrive moi-même à me convaincre que je n'étais pas une sorcière, il n'en irait sûrement pas ainsi avec les gens que je croiserais. Tôt ou tard, quelqu'un finirait par apercevoir le pentagramme et je me retrouverais de nouveau à attendre la mort. Je ne verrais sans doute pas la prochaine Samain[7].

– Je ne laisserai rien vous arriver, Isla, répéta-t-il.

Cet homme se croyait vraiment au-dessus de tout ! En cet instant, je choisis de le croire, même si ce sentiment de sécurité restait fragile.

Mac Guthrie était un homme dans la quarantaine. Il arborait une longue chevelure auburn, une barbe rousse et démontrait une autorité naturelle. Lorsqu'il rejoignit ses hommes aux écuries, sa cape au tartan vert foncé volait derrière lui[8].

---

7. Prononcé « Shamaine ». Équivalent de l'Halloween dans les fêtes religieuses celtiques.

8. En vertu de l'Acte de proscription de 1746, il était formellement interdit à tout Écossais de porter le tartan, exception faite des représentants de la couronne d'Angleterre, dont le Black Watch.

Il fulminait intérieurement depuis des semaines. Après s'être battu dans les Flandres, avoir prouvé sa valeur en Irlande, il avait espéré être envoyé dans les colonies, où des anarchistes commençaient à conspirer contre la couronne. Mais on l'avait plutôt renvoyé en Écosse, son pays natal, pour renforcer la sécurité dans les Highlands, puisque les Anglais commençaient à rapatrier leurs troupes. Comme il connaissait bien la région, on lui avait fortement suggéré d'accepter cette affectation temporaire.

Guthrie connaissait sa valeur et savait que ce n'était qu'une question de temps avant qu'on lui assigne un poste et un titre intéressants. Il saurait se montrer patient. En attendant, il exécuterait chaque obligation, chaque mission avec le plus de célérité possible.

Il fit état de la situation à ses subalternes tout en sellant son cheval. La tâche serait facile. Il n'avait même pas à se préoccuper de la fille, Brimstone s'en chargerait. Il ne lui resterait qu'à l'interroger. Selon lui, il était impossible que cette femme ignore tout de ce qui s'était produit dans son village. Elle possédait certainement, même inconsciemment, quelque information qui pourrait lui être utile pour résoudre cette affaire. Et s'il arrivait à découvrir les coupables du carnage, il pourrait entrer dans les bonnes grâces du clergé, ce qui ne pouvait être qu'un avantage pour lui.

Lorsque cette pensée l'effleura, il eut un sourire en coin. Oui, c'était cela qu'il devait faire.

Lorsque Brimstone ramènerait la fille, il l'interrogerait et la ferait parler.

Selon ses propres méthodes.

J'avais réussi à dormir une heure ou deux, tout au plus, mais Brodick, lui, ne semblait pas avoir récupéré du tout. Au-dessus de nos têtes, la lumière du jour filtrait à travers la crevasse et nous permettait de discerner notre environnement même après que la deuxième torche eut rendu l'âme.

J'étais anxieuse. Maintenant que nous avions le médaillon en notre possession, quelle calamité nous attendait au bout de cette chasse au trésor ridicule ? Et pourquoi ce bijou semblait-il être aussi primordial pour l'homme qui nous avait enfermés sous la chapelle ? Allions-nous réussir à lui échapper ?

Autant de questions qui résonnaient sur les parois de mon crâne et m'embrouillaient l'esprit tandis que nous reprenions notre exploration. Au point de m'empêcher de me concentrer sur les obstacles à mes pieds. Je ne réalisai tout le chemin parcouru que lorsque, attirée par une lumière vive, je levai les yeux devant moi. Je poussai une exclamation de joie en constatant que, à quelque distance, une ouverture pouvant tout juste laisser passer un cheval se découpait dans le roc. La lumière du jour était d'un blanc éblouissant et nous ne pouvions rien distinguer au-delà.

Bien sûr, je savais que je ne devais pas me réjouir trop vite, mais je ne pus m'empêcher de me tourner vers Brodick avec sur le visage le plus grand des sourires. Il baissa les yeux vers moi et j'y perçus un éclair étrange, un éclat dangereux et primitif qui fit que quelque chose irradia dans mon ventre. Je me repris rapidement, ignorant le malaise que je ressentais. Je fixai mon attention sur le mur de lumière devant moi.

Qu'y avait-il au-delà du jour ? Une falaise ? Une autre grotte ? S'il fallait que ce soit le cas, je ne le supporterais pas. La lumière venait forcément de quelque part, et j'allais rapidement en avoir le cœur net. Je me précipitai vers l'ouverture, glissant maladroitement sur les rochers, et fis trois pas hésitants pour sortir par la crevasse. Je levai mon visage vers l'ondée qui m'accueillit. Je respirai l'air du littoral! Lorsque mes yeux s'ajustèrent, je reculai, effrayée, et me heurtai au torse de MacIntosh qui arrivait derrière moi.

Tout compte fait, j'aurais préféré rester dans ma caverne…

Chapitre VI

Libera nos a malo

Mac Guthrie tempêtait. Il avait passé les dernières heures à inspecter les ruines de Glenmuick. Il n'avait rien trouvé dans les cendres refroidies. Les traces des chevaux étaient compromises puisque Brimstone et son acolyte avaient brouillé les pistes avec les leurs. Dans les décombres calcinés d'un hangar, quelques cadavres gardaient encore forme humaine. L'incendie avait dû s'éteindre trop vite pour les incinérer complètement. Il ne restait que là à fouiller, mais l'homme n'y fondait pas grand espoir.

Au moment où Guthrie s'accroupit près du premier corps, l'un de ses hommes lui désigna un nuage de poussière qui s'élevait sur la route, non loin de là. Il mit sa main en visière pour se protéger de la lumière du jour et put dénombrer plusieurs chevaux qui arrivaient au galop.

– Aux armes, ordonna-t-il en dégainant son épée.

Il était plus qu'étrange de voir des cavaliers dans le coin, particulièrement à cette allure. Bien que la plupart des habitants de l'Écosse ne soient plus armés, on n'était jamais trop prudent. Il y avait nombre de contrevenants à la loi et il n'allait pas se faire surprendre les mains vides. Qui plus est, les cavaliers semblaient foncer droit sur eux.

Guthrie et ses hommes remontèrent en selle et formèrent une ligne, leurs insignes du Black Watch bien en évidence. Et ils attendirent.

Le premier coup de feu atteignit l'un de ses subalternes et l'homme fut projeté en arrière, tombant de sa monture. Du sang gicla de sa gorge et ses yeux s'éteignirent.

– Vos mousquets, jappa Guthrie.

Il comptait à présent environ huit chevaux montés par des cavaliers masqués, tous vêtus de noir.

Pour une main exercée, il fallait entre vingt et trente secondes pour charger une arme par la gueule du canon. Ils devaient faire vite. Un autre coup de feu retentit et le projectile siffla près de l'oreille de Guthrie, qui visa et tira, touchant l'un des assaillants qui s'effondra sur la croupe de son cheval. La forte odeur de la poudre s'éleva dans l'air.

– Attaquez avant qu'ils ne rechargent leurs armes, hurla-t-il.

Ils éperonnèrent leurs montures en brandissant leurs lames, et le combat débuta, assourdissant parmi les hennissements des chevaux, les hurlements de douleur et les exclamations de fureur. Guthrie réalisa rapidement que ses hommes se faisaient anéantir.

L'un des individus en noir, désarçonné, se jeta sur lui, l'épée levée, mais Guthrie le repoussa violemment d'un coup de botte. Après avoir constaté que son petit contingent ne comptait plus que lui, il fit faire demi-tour à sa monture et prit la fuite. Il put prendre un peu d'avance, mais bientôt, trois des mystérieux assassins furent à ses trousses.

Les pensées défilèrent à toute vitesse dans l'esprit de Mac, à la recherche de la meilleure tactique pour éviter de finir comme ses hommes. Il devait prendre avantage de l'avance qu'il avait sur ses ennemis pour les semer. Il plaça son épée dans sa gaine et, sans même ralentir son cheval, se jeta la tête la première sur la route. Sa monture, affolée, continua sa course et Guthrie roula rapidement sur lui-même pour se camoufler derrière un gros buisson d'ajonc.

Lorsque les cavaliers furent passés, à la poursuite de son cheval, il se releva en grommelant et tenta de prendre la fuite en courant, boitant lamentablement de la jambe gauche. Il saignait de l'arcade sourcilière et du cuir chevelu. Il savait que son sursis serait de courte durée. Bientôt, ses poursuivants seraient sur lui. Dans son esprit, il pouvait déjà entendre le martèlement des sabots qui s'approchaient. Comment allaient-ils l'abattre ? D'une balle entre les omoplates ou d'un coup de lame dans la nuque ?

Il y avait peu de végétation par ici, donc peu d'endroits pour se camoufler. À peine quelques gros rochers ici et là à travers la lande. La bruyère n'avait pas encore fleuri et la plaine s'étendait jusqu'aux montagnes, à une bonne distance à pied. Il devait pourtant les atteindre.

Mac Guthrie devait admettre qu'il avait sous-estimé cette affaire. Il avait cru que l'enquête dans ce petit village fantôme n'était qu'une formalité qui se règlerait en un tournemain. Jamais il n'avait envisagé que ceux qui s'en étaient pris aux villageois pourraient revenir sur les lieux du crime. Et encore moins qu'ils s'attaqueraient aux forces royales. Lui qui avait toujours été en contrôle à la tête de son régiment n'avait pas pensé à se protéger plus que nécessaire. Mal lui en avait pris.

À bout de souffle, il s'accroupit derrière un bloc erratique. Prudemment, il jeta un coup d'œil derrière lui et vit que deux des trois chevaux tournaient en rond, à la recherche de sa piste. Ne pas bouger. Pour l'instant, c'était la chose à faire. Il s'adossa à son rocher et tenta de reprendre son souffle. Il lui fallait trouver une solution pour se sortir de cette impasse.

Il lui fallait un miracle.

J'avais omis toute prudence en m'échappant par la crevasse.

L'air du large et la pluie m'avaient immédiatement rasséréné, jusqu'à ce que je remarque les chevaux. Et les hommes qui les montaient. Manifestement, nous n'étions pas les seuls à avoir découvert la sortie du souterrain. Cinq individus nous encerclaient en silence. Des hommes basanés, aux yeux sauvages et à l'air revêche.

L'un d'eux s'avança. Il avait un visage viril, une barbe de quelques jours et des yeux d'une couleur étrange, trop pâles pour sa morphologie. Il était grand et svelte.

– Remettez-moi le médaillon, ordonna-t-il sans s'empêtrer dans des formules de politesse.

Dans la poche de ma robe, l'objet en question se mit soudain à peser lourd contre ma cuisse. Brodick m'attrapa par le bras et me fit passer derrière lui.

– De quel médaillon parlez-vous ? dit-il en s'adressant d'un ton froid à celui qui semblait être le chef des brigands. Et puis, auriez-vous l'obligeance de nous dire à qui nous avons l'honneur ?

Son interlocuteur le dévisagea un instant avec une expression indéchiffrable.

– Mon nom est Süleyman, je viens de Turquie. Je dois absolument voir ce médaillon. L'avez-vous trouvé ?

– Eh bien... Süleyman, même s'il y avait eu quoi que ce soit dans ces tunnels, il faisait trop noir pour y trouver ne serait-ce qu'un cheval.

La répartie de MacIntosh arracha un sourire à l'homme. Visiblement, il aimait jouer au chat et à la souris.

– Si vous l'entendez ainsi... J'aimerais avoir une conversation privée avec votre amie.

À ces mots, je fis un pas en arrière. Je vis la nuque de Brodick se raidir.

– C'est hors de question, fit-il.

Son ton était catégorique. Tant que cet homme se tiendrait debout, il me protégerait. Et pourquoi? Qu'avait-il à y gagner, à part tout perdre? À cet instant précis, je mesurai tout ce qu'il avait mis en jeu pour me venir en aide et regrettai de l'avoir rappelé, ce jour-là, à l'auberge. J'aurais dû le laisser partir. J'aurais dû le faire sortir de ma vie.

L'autre eut un geste apaisant.

– Je n'ai pas l'intention de lui faire de mal. Je veux lui parler.

– Pas sans moi.

– J'ai entendu parler de l'entêtement des Highlanders. Vous êtes un spécimen particulièrement intéressant. Toutefois, je me vois forcé de refuser votre demande. Il y a des choses qui ne vous concernent pas.

MacIntosh émit un grondement menaçant. L'étranger reprit:

– Vous n'êtes pas en position d'exiger quoi que ce soit. Mes hommes n'ont pas tué depuis longtemps et il serait regrettable de laisser un cadavre dans un si joli endroit.

Les mercenaires restèrent impassibles, attendant les ordres. Ils n'hésiteraient pas à le tuer. Je le lisais dans leur expression. Ils étaient des barbares. Brodick était un homme téméraire, mais il était peut-être temps d'avoir peur?

Les yeux rivés sur ses larges épaules, je me demandai comment sauver la situation. Pouvais-je le défendre à mon tour, l'empêcher de se jeter dans la gueule du loup comme il semblait l'affectionner? Quitte à me sacrifier? Je contournai Brodick en retroussant ma manche et, avant qu'il ait pu réagir, je brandis le pentagramme sous le nez de l'étranger.

– C'est vous qui m'avez fait ça?

Les yeux de l'homme s'agrandirent.

– Non, *hanimefendi*[1], mais si je trouve le coupable…, murmura-t-il.

Je ne compris pas le sens de sa remarque, mais je scrutai attentivement son visage. Quelque chose, chez cet homme, me troublait profondément. Son expression ? Son regard ? Je n'arrivais pas à mettre le doigt sur ce qui clochait. Fascinée, je restai là, les lèvres entrouvertes, à le dévisager.

Je devinais la présence de Brodick derrière moi. Il se tenait à un cheveu de mon âme. Je pouvais sentir sa chaleur dans mon dos, sa prestance dominante, son charisme animal. Je me retrouvais soudain piégée entre deux énergies diamétralement opposées, comme si les deux hommes livraient au-dessus de ma tête une bataille de volonté par leur seule existence.

J'abaissai mon bras et parlai afin de mettre un terme à cet instant de malaise :

– Nous n'avons pas la breloque. Mais libre à vous d'aller la chercher.

– Vous mentez très mal, madame.

Décidément, je devais renoncer à mentir. Personne n'y croyait ! Je me tournai vers Brodick. Nous eûmes de nouveau une conversation silencieuse.

– *Je déteste avoir à risquer nos vies pour ce damné bijou*, dis-je, accablée.

– *Je vous soutiendrai quelle que soit votre décision, Isla.*

– *Je sens que je dois réaliser cette prophétie. C'est mon destin.*

– *Alors, faites ce que vous devez faire.*

Je fis face à Süleyman.

– Je crains que le médaillon que vous cherchez ne soit qu'une légende. Il n'y a rien, dans ce dédale de tunnels, que de la pierre et du sel.

1. « Madame » en turc.

Il eut un sourire condescendant.

– Puisque vous choisissez de jouer à ce jeu, je saurai me montrer patient. Je n'ai pas l'intention de poser la main sur vous. Vous finirez bien par me donner ce que je veux tôt ou tard.

D'un mouvement de la main, il signifia à ses hommes de se saisir de nous. Avant même d'avoir le temps de le réaliser, je fus entourée par sa horde. À ma plus grande surprise, Brodick n'opposa pas de résistance lorsqu'on lui passa une corde autour du cou et qu'on fixa la longe au pommeau de la selle d'une monture. D'un regard sévère, il m'intima d'en faire autant. Mon cœur battait à toute allure, affolé par ce revirement de situation. Comment savoir si ma décision de suivre l'augure ne nous mènerait pas droit à la mort ?

Je fus tout à coup submergée par le doute. J'aurais tellement voulu que Brodick me communique son calme.

Tandis qu'on me liait les mains et qu'on m'installait sur un cheval bai, je jetai un dernier regard à MacIntosh, qui se tenait stoïquement sur les galets, les lèvres pincées. Pourquoi ne se défendait-il pas ? Pourquoi n'essayait-il pas de sauver sa peau, lui qui s'était vanté d'avoir échappé à des bataillons entiers d'Anglais ?

La réponse était simple. À cause de moi.

Lorsque le chanfrein de la bête fut dans son champ de vision, Guthrie bondit de derrière son rocher, fit tournoyer une fois son épée au-dessus de sa tête et abattit sa lame sur l'encolure du hongre qui s'effondra, précipitant son cavalier au sol. Guthrie se déplaça rapidement et enfonça son épée dans les côtes de son adversaire, qui émit un cri de douleur avant de se taire à jamais. L'homme en noir était seul, et Mac le dépouilla de son masque.

Pas même vidé de son sang, l'homme, encore en vie une minute auparavant, semblait dormir. Il était jeune, portait une tunique sombre, de hautes bottes et plusieurs armes que Mac s'empressa de s'approprier. Parmi elles, un pistolet Doune[2] à silex, deux coutelas et une épée.

Il s'empara des munitions et chargea le Doune à la hâte avant de le fourrer dans sa ceinture. Les coutelas trouvèrent place dans ses bottes et il garda l'épée à la main. Il n'y avait pas d'autres cavaliers en vue, alors Guthrie se remit à courir.

Je fixai mes mains, liées à la selle du cheval. Mes doigts étaient sales et mes ongles cassés. Deux entailles entamaient la peau de la droite. Évaluer mon état physique était la seule manière que j'avais trouvée de ne pas penser à Brodick, qui marchait derrière les chevaux depuis trop longtemps.

L'une des montures hennit et je relevai la tête. Nous arrivions aux limites de Dunfermline, aux abords de la Forth. Presque directement en face, sur l'autre rive, se trouvait Édimbourg. Dunfermline était un petit bourg lui aussi surmonté d'une abbaye. Cette agglomération avait fait sa réputation grâce à l'industrie textile, et les petites habitations élémentaires se pressaient toutes autour du monastère. J'espérais qu'on s'y arrêterait, car la nature commençait à me tordre les entrailles. Évidemment, nous contournâmes le village. Je me retournai sur ma selle pour apercevoir Brodick lancer un regard calculateur au dos de Süleyman. Ses vêtements étaient moulés à son corps par la pluie et ses cheveux dégoulinaient devant ses yeux. Avait-il aussi froid que moi ?

---

2. Fabriqués à Doune, en Écosse, des années 1640 à la fin du XVIIIe siècle, ces pistolets sont reconnaissables à leurs gravures complexes et à leur mécanisme de mise à feu à silex.

Après un long moment, nous nous arrêtâmes près d'un petit ruisseau. Un peu à l'est s'étendait un champ de bruyère au milieu duquel se tenait une baraque à l'abandon. Là, deux Turcs étaient assis près d'un feu de camp qui résistait à l'averse, et des chevaux paissaient çà et là. Je reconnus immédiatement l'étalon de MacIntosh.

Süleyman défit personnellement mes liens et m'aida à descendre du cheval. J'émis une plainte de douleur lorsque ses doigts pressèrent mes côtes. Mes mains étaient engourdies et douloureuses. Il resta devant moi sans dire un mot, semblant attendre quelque chose de moi. Il aurait été si simple pour lui de me fouiller pour trouver le bijou. Pourtant, pour une raison obscure, il avait décidé de n'en rien faire. Avait-il l'intention de nous torturer pour nous faire céder ? Mon imagination se représenta soudain les pendus de Glenmuick et la peur me saisit. Tout ce que je réussis à dire à l'homme devant moi fut :

– J'ai besoin de me soulager.

Süleyman aboya des ordres en un langage incompréhensible et deux de ses hommes m'accompagnèrent jusqu'à un buisson d'ajonc où je tentai tant bien que mal de me dissimuler. À mon retour, Brodick attendait, impassible, entouré d'hommes armés.

Nous fûmes conduits vers la baraque où l'on nous fit entrer. L'endroit était sombre, humide et tombait en ruine, mais il avait l'avantage de nous protéger sommairement de l'averse.

– Si vous changez d'avis, je ne serai pas très loin, dit Süleyman avec un sourire narquois.

Puis la porte claqua et nous nous retrouvâmes de nouveau enfermés.

– Décidément…, marmonna MacIntosh tout en évaluant les lieux.

L'endroit était vide de tout meuble, de tout objet. Quelques planches brisées laissaient entrer la lumière blafarde du crépuscule. Bientôt, il ferait nuit. Et avec la nuit viendrait l'obscurité la plus totale.

Je frémis. J'en voulus tout à coup à la terre entière de voir ma vie ainsi bouleversée. De me retrouver ici transie, trempée et bientôt dans le noir.

– Pourquoi nous enfermez-vous ici? criai-je en frappant le bois de mon poing. Ouvrez immédiatement cette porte!

Le rire de Süleyman me parvint. Brodick s'approcha de moi et attendit que je le regarde.

– Isla, écoutez-moi. Peu importe ce qui arrive, il est trop tard pour éviter l'obscurité ce soir. Je sais que vous êtes angoissée, mais vous devez essayer de penser à autre chose.

Je hochai la tête avec un couinement de souris. Il me tendit ses mains.

– Pouvez-vous défaire ces nœuds?

J'accueillis cette occupation avec soulagement, me concentrant sur ma tâche. Je me râpai les doigts à quelques reprises sur la corde rêche et mis de nombreuses minutes à détacher MacIntosh. Ses poignets étaient ensanglantés et la peau de son cou avait été mise à vif par la corde. Aussitôt qu'il fut libre, il me remercia et se mit immédiatement à faire le tour de notre abri, scrutant l'extérieur à travers les espaces entre les planches.

– Nous devrons attendre. Pour l'instant, ils sont partout.

Je mis quelques secondes à comprendre qu'il parlait des Turcs. J'avais l'impression que tout tournait autour de moi.

– Vous auriez dû vous échapper, murmurai-je. Vous aviez votre arme à portée de main. Vous auriez pu couper la corde et fuir.

Il se tourna vers moi, incrédule.

– Et vous laisser à leur merci? Isla, ces hommes sont des mercenaires. Ils tuent comme ils respirent.

– Vous ne me devez rien. Vous en avez déjà trop fait. Je vais remettre le médaillon à ces barbares et ainsi…

J'écarquillai les yeux lorsqu'il posa brusquement la main sur ma bouche pour me faire taire.

– N'y pensez même pas, Isla. Ils nous tueraient dès qu'ils auraient ce qu'ils veulent. Cette chose est désormais notre gage de sûreté.

Je hochai la tête en signe d'assentiment et Brodick libéra ma bouche. Sans rien dire, il prit ma main et m'entraîna vers un coin où le plancher semblait solide et sec. Il s'assit, dos au mur, et m'installa contre lui. Le jour disparaissait derrière les collines environnantes et il était désormais difficile de distinguer quoi que ce soit. Prise de violents frissons, je me demandai si je tremblais de froid ou de peur. Il sembla déchiffrer mes pensées.

– Parfois, la meilleure façon de se libérer de ses craintes est d'en parler.

Sa voix résonna dans sa poitrine, tout contre mon oreille. Je gardai le silence. Il reprit :

– Très bien. Alors, moi d'abord. Comme je vous l'ai déjà avoué, je n'aime pas m'endormir parce que mes nuits sont hantées par Culloden. Ce ne sont pas des rêves, mais des souvenirs. Même dans mon sommeil, je peux sentir les odeurs de la poudre et du sang. Je me sens asphyxié par la fumée des canons. Comme si j'y étais encore.

Ma main se crispa sur sa chemise et j'attendis la suite. Il mit un moment à poursuivre.

– Les Anglais étaient armés de leurs baïonnettes. L'un d'eux fonçait sur moi avec l'intention de me transpercer le cerveau avec son arme. Je ne dois la vie qu'à mes réflexes. Il ne m'a ouvert que la peau. Puis on a sonné la retraite et mon frère a été piétiné par un cheval de la cavalerie anglaise. J'ai dû le transporter sur mon épaule et fuir vers les bois dans le but de le cacher sous des rochers et des fougères. Appelez-moi un lâche ou un déserteur, mais je n'allais pas laisser mon frère mourir sur cette lande.

Sa stratégie était efficace. Je l'écoutais attentivement, oubliant que l'obscurité gagnait du terrain. Je posai ma paume à plat sur ses côtes et le caressai avec mon pouce, lui témoignant silencieusement mon empathie.

– Avant d'arriver dans les bois, j'ai entendu des pleurs d'enfant. Une pauvre femme avait suivi son époux près du champ de bataille avec trois petits, dont un nouveau-né. La femme avait été abattue et les bambins se cramponnaient à ses jupes en pleurant. Je suis resté là comme un idiot à me demander que faire. Choisir entre mon frère ou ces jeunes enfants ? Comment les transporter et les empêcher d'être localisés par leurs pleurs ? Comment subvenir à leurs besoins en pleine campagne ? Mais il était trop tard. Les dragons les avaient entendus aussi. Je n'ai eu que le temps de jeter mon frère inconscient dans un massif et de m'y réfugier. Un colonel anglais a tué les deux plus vieux à bout portant. Et il a brisé la tête du nourrisson sur un rocher.

– Quelle horreur ! murmurai-je, choquée.

– Aveuglé par mon propre sang, transi jusqu'aux os, je suis resté immobile auprès de mon frère durant des jours pour échapper aux patrouilles anglaises. Parfois, j'ai la chance de dormir sans être hanté par ces images. Mais ces nuits sont exceptionnelles. C'est pourquoi je repousse autant que possible le moment de fermer les yeux.

Un long silence s'installa entre nous. Dehors, les hommes s'interpellaient dans leur langue étrange. Les craquements du bois dans le feu se faisaient entendre. Je levai la tête vers lui et, du doigt, je dessinai sa cicatrice. Je la sentis plus que je ne la vis. Elle était profonde et zigzaguait sur sa joue. Il ferma les yeux et frissonna. Son soupir s'éleva en fine vapeur dans la fraîcheur du soir.

Une odeur de viande nous parvint et mon ventre protesta. Voilà deux jours que je n'avais rien avalé à part quelques bouchées de pain et de l'eau. Le vertige me gagnait rapidement. Je reposai ma tête sur sa poitrine.

– Parlez-moi, murmura-t-il.

Je me moulai contre lui, cherchant sa chaleur. J'eus besoin de toute ma volonté pour empêcher mes dents de s'entrechoquer. Il referma ses bras autour de mes épaules.

– Il y a de l'espoir, n'est-ce pas ? Que l'on s'en sorte ?

Il ne répondit pas, mais sa main droite vint caresser les cheveux à la base de ma nuque.

– Ma mémoire me joue souvent des tours, dis-je enfin. Je ne me souviens que très vaguement du jour où ma mère a voulu… enfin, du jour où elle m'a enfermée dans cette malle. Tout comme je n'arrive pas à me rappeler l'attaque de Glenmuick.

– Mmmm. Notre esprit refuse parfois d'accepter les traumatismes. Après Culloden, j'ai mis des mois à me remémorer les enfants que les Anglais ont tués.

– Je me souviens seulement de la nervosité de ma mère, ce jour-là. Et de son sourire lorsqu'elle a refermé la malle. Je ne l'ai plus jamais revue après ça.

Les doigts de Brodick s'immobilisèrent.

– Comment êtes-vous sortie de la malle ?

– Je n'en sais trop rien. Je me suis éveillée dans mon lit et mon oncle était là. Il m'a emmenée chez lui à Glenmuick et c'est là que j'ai vécu.

– Ne vous a-t-il donc rien dit à propos de votre mère ?

Je réfléchis, revoyant dans ma tête l'expression désolée de mon oncle, les gens du village qui défilaient chez nous et les si précieux livres de ma mère que l'on jetait au feu.

– J'étais très jeune. Je ne me souviens pas. Plus tard, j'ai posé des questions, mais on m'a seulement dit qu'on espérait que le Seigneur l'avait rappelée à lui.

– Donc, elle serait morte, ce jour-là ?

Les doigts reprirent leur caresse dans mon cou.

– C'est ce que je crois. Je pense qu'elle a dû s'enlever la vie et qu'on n'a pas jugé bon de me confirmer que son âme était damnée. J'ai toujours cru qu'elle avait voulu m'emmener avec elle dans la mort en m'enfermant dans ce coffre sous autant d'épaisseurs. J'ose croire que le Seigneur veillait sur moi, ce jour-là. Quelqu'un m'a trouvée.

Brodick prit mon menton entre ses doigts et leva mon visage vers lui.

– Dieu merci !

Il s'inclina lentement vers moi. Je sentis son souffle balayer ma peau et mon sang se mit à battre furieusement dans mes oreilles. Délicatement, il posa ses lèvres sur mon front, puis sur le bout de mon nez, avant de prendre ma bouche avec douceur.

Des milliers de papillons envahirent mon estomac. Comme je m'y attendais, ses lèvres étaient chaudes et tendres. Il me laissa le découvrir, le goûter, se contentant d'enfouir ses mains dans mes cheveux. Je soupirai contre sa bouche et fermai les yeux. Je bus son sang-froid et son courage.

Je sentis le bout de sa langue chatouiller mes lèvres, puis se retirer. Curieuse, je l'imitai et il répondit aussitôt, sans trop s'immiscer, sans me brusquer. Simplement pour butiner. J'étais consciente du moindre stimulus : son odeur, la température de sa peau, la rugosité de sa barbe, son goût, son souffle, ses mains. Bien que ma tête me crie que ce n'était ni l'heure ni le lieu, je ne voulais plus ouvrir les yeux de peur que ce moment ne s'achève.

Ses lèvres papillonnèrent au-dessus des miennes encore un instant, se posant de temps à autre pour s'envoler de nouveau. Enfin, il m'embrassa avec ferveur, refermant ses mains dans mes cheveux pour renverser ma tête en arrière. Un gémissement se fit entendre, et je réalisai qu'il venait de moi.

C'est tout mon corps qui s'éveillait sous cette étreinte fougueuse. Au contact de ses lèvres, de sa langue, j'avais l'impression que mon ventre se liquéfiait. Je n'avais jamais rien ressenti de tel.

MacIntosh brisa le baiser et me garda étroitement lovée dans ses bras, me berçant contre lui.

– Dormez, Isla. Vous êtes épuisée.

– Non. Touchez-moi, Brodick. J'en ai besoin.

Il dut percevoir la nécessité dans ma voix. J'avais besoin de ses caresses sur moi pour contrer le désespoir. Sa main glissa sur ma joue avec douceur, fit son chemin le long de ma gorge. Il me fit soudain pivoter et je me retrouvai sous lui alors que sa bouche suivait le sentier brûlant de ses doigts.

Il caressa mon épaule et ses lèvres épousèrent ma clavicule. Puis sa main s'arrondit sur mon sein et je me cambrai. Avec une lenteur délibérée, Brodick laissa son pouce errer sur la pointe, qui durcit instantanément.

A Dhia!

Il s'arrêta un instant, jaugeant ma réaction, puis recommença. Mon mamelon tendait le tissu de ma robe, et Brodick fit perdurer son manège. À chaque passage de son doigt, je sentais les muscles entre mes cuisses se contracter. Le souffle court, je fermai les yeux et me laissai aller à profiter de la sensation. Quelle était cette tension qui s'installait dans mon corps ? Il caressa doucement mon autre sein, et lorsqu'il se pencha pour mordiller doucement le bout érigé à travers ma robe, je crus défaillir.

Ses mains gigantesques caressèrent doucement mes flancs et s'attardèrent sur mes hanches tandis que sa langue effectuait des mouvements circulaires à la hauteur de mon mamelon. Contre ma cuisse, je le sentis durcir, et il bougea le bassin contre moi pour s'ajuster. Après un long moment d'euphorie, sa main se glissa sous ma jupe et il caressa l'intérieur de ma cuisse avant d'effleurer le centre de mon corps.

À ce moment, je ressentis une grande excitation et je pressai mon sexe contre sa paume. Ses doigts parcoururent mon entrejambe offert, et il murmura :

– Oh, Isla, vous en avez tellement envie.

« *Aye !* » avais-je envie de hurler, mais aucun son ne franchit ma gorge. Je voulais qu'il continue, qu'il me fasse tout oublier. Avec douceur, il glissa un doigt en moi. Je me cramponnai à ses épaules.

Il retira son doigt et étala mes propres fluides sur mon sexe. Puis il recommença avec lenteur. Lorsque son doigt me pénétrait, son pouce caressait ma féminité, m'amenant progressivement au sommet de l'excitation. Jusqu'où pouvais-je monter ? Jusqu'où allait-il me mener ?

Soudain, je sentis mon cœur battre entre mes jambes, m'élançant dans un délicieux plongeon, et je m'accrochai au cou de Brodick pour ne pas me perdre. Ce fut une telle libération que je dus retenir un cri de soulagement en enfouissant ma tête au creux de son cou. Je n'arrivais plus à respirer et mes muscles n'en finissaient plus de se contracter. Brodick me soutint de son bras libre tout en ralentissant ses caresses, sans toutefois retirer sa main.

Après que mon rythme cardiaque se fut apaisé, il se réinstalla contre le mur et m'attira à lui de sorte que je repose contre sa poitrine. Nous restâmes ainsi enlacés en silence, et bientôt, je sombrai dans un sommeil léger, ayant conscience de la pluie qui s'abattait sur le toit de notre abri, des battements de son cœur sous ma joue. De temps à autre, il s'assoupissait et sa respiration devenait profonde, puis il sursautait, sur ses gardes.

À un certain moment, je me sentis déposée sur le sol et Brodick se leva. Silencieusement, il fit le tour du refuge, s'arrêtant périodiquement. Je n'arrivais pas à distinguer ce qu'il faisait, dans le noir. Seuls sa respiration et le bruit étouffé de ses pas me parvenaient.

J'étais à présent bien éveillée, mes yeux écarquillés dans l'obscurité, à l'affût. Je sentis mon estomac se nouer. Allait-il tenter de fuir? Me laisser seule? Ou risquer de nous faire abattre tous les deux? J'expirai lentement pour calmer mon cœur qui s'emballait. Il était manifestement le type d'homme à prendre des risques. Mais la situation pouvait facilement se retourner contre lui. Contre nous. Des ébauches de scénarios, des plus tragiques aux plus farfelus, me traversèrent l'esprit en une succession rapide.

– Isla! siffla-t-il soudain entre ses dents.

En un instant, je fus à ses côtés. Je vis briller la lame de son *sgian dubh*.

– Je vais tenter de faire sortir la porte des gonds. Restez près de moi, ordonna-t-il.

Son ton était si autoritaire que je grinçai des dents. Mais je fis ce qu'il me dit.

Lentement, longuement, il travailla à l'aveugle, forçant les charnières avec sa lame. Après ce qui me sembla des heures, il put enfin faire bouger la porte et jeter un coup d'œil à l'extérieur. J'aperçus l'ombre d'une sentinelle, un peu plus loin.

Brodick se faufila dans l'ouverture, aussi souple et silencieux qu'une panthère. La comparaison lui allait comme un gant. Sombre, félin, tout en muscles avec des yeux perçants. Il me fit signe de rester immobile et s'éloigna, poignard à la main, vers la silhouette qui se tenait à une courte distance.

Brodick se coula derrière la sentinelle. Il faisait plus clair, dehors, et je distinguais leurs deux formes. D'un même mouvement, il passa un bras autour de la tête de l'homme et lui trancha la gorge de sa main libre dans un gargouillis qui me glaça le sang. L'homme s'écroula à ses pieds et MacIntosh revint vers moi en courant. Sans un mot, il me saisit la main et me tira derrière lui.

J'eus peine à suivre la panthère, avec ses longues jambes et son instinct de survie. Il m'entraîna dans les ténèbres, semblant voir les obstacles alors que je ne faisais que trébucher. Nous montâmes un vallon où s'étendait la bruyère, puis Brodick s'arrêta subitement et s'accroupit en me faisant signe de l'imiter. À bout de souffle, les pieds mouillés, je frémis dans la fraîcheur nocturne.

– Restez ici.

– Quoi ? Mais…

Il avait déjà disparu dans la nuit. Le vent froid franchissait l'étoffe humide de ma robe. La pluie s'était transformée en crachin. Partout autour, les grenouilles coassaient librement, emplissant les ténèbres de leur chant paisible. J'avais toujours aimé ce son, mais ce soir, il était synonyme d'affolement. Quelque chose remua près de moi et je refoulai un cri. Pourquoi Brodick ne revenait-il pas ? Où était-il allé ?

Sur la lande, un cri d'alarme résonna. Une ombre se tenait près du cadavre de la sentinelle et braillait des ordres. Bientôt, le campement grouilla comme une fourmilière et je sus que notre évasion avait été découverte. Au milieu du tumulte, une silhouette restait immobile, scrutant les ténèbres. Pendant un instant, j'eus l'impression que Süleyman regardait droit dans ma direction. J'étais pourtant bien à l'abri sous le couvert de la nuit, mais la sensation qu'il me voyait me donna froid dans le dos.

Les hommes sellaient déjà leurs chevaux et seraient bientôt partout. Je n'étais pas assez loin du campement pour être en sécurité. Je dus réfléchir rapidement. Brodick allait-il revenir ? Si oui, il ne me trouverait pas si je m'éloignais. Mais pouvais-je perdre un temps précieux à l'attendre alors que des sauvages étaient à ma recherche ? Il valait sans doute mieux que nos chemins se séparent ici ; il avait déjà trop risqué sa vie pour moi. J'éprouvais de l'affection pour lui et ne souhaitais pas être la cause de sa perte.

Je me faufilai à travers la lande, ne sachant aucunement dans quelle direction avancer et où trouver refuge. Dans la plaine, les torches s'enflammaient et les chevaux piaffaient d'impatience. Je tremblais et mes nerfs étaient mis à rude épreuve. Comme je détestais la nuit !

Je pris la résolution de penser à autre chose qu'à l'obscurité afin de me permettre d'avancer avec plus d'assurance. Ce furent des images de Brodick penché sur moi qui traversèrent mon esprit à la vitesse de l'éclair. Son regard intense, ses lèvres entrouvertes alors que ses doigts glissaient sur des parties de moi que je n'avais jamais dévoilées. Son souffle un peu plus rapide que d'ordinaire et sa fermeté contre ma cuisse. Il avait même émis un son étouffé lorsque j'avais succombé à l'extase et il avait pressé son bassin contre moi.

À bout de souffle, je m'accroupis près d'un buisson et jetai un coup d'œil derrière moi. Les hommes munis de flambeaux faisaient décrire de grands cercles aux montures. J'avais un peu d'avance, mais je ne pouvais pas me permettre de m'arrêter. Je retroussai donc mes jupes et me remis à courir.

Après avoir parcouru quelques centaines de pieds, je trouvai un sentier qui s'enfonçait dans un boisé. À peine y eus-je pénétré que je trébuchai sur une racine protubérante. Je m'éraflai les jambes et me cognai le genou sur une pierre, mais la pire douleur vint de mes côtes meurtries. Une exclamation m'échappa et je roulai sur le dos, le souffle coupé par la souffrance. Il fallait que je me relève tout de suite. Mon esprit m'implorait de fuir. Mais mon corps lui opposait un farouche combat. Sans nourriture depuis trop longtemps, contusionné et gelé, il était à court d'énergie.

Lentement, je pivotai sur le côté et refermai le poing dans la végétation humide. Je ne m'apitoierais pas sur mon sort. Avec un grognement, je me hissai sur un coude et rampai vers les arbres. Les cris des hommes de Süleyman résonnaient toujours, un peu plus près chaque fois. Avec un effort surhumain, je me traînai jusqu'à la lisière des bois. Mes dents claquaient à tel point que j'eus l'impression qu'elles trahiraient ma présence à des lieues à la ronde.

Une branche craqua soudain tout près de moi et je levai les yeux, pétrifiée. Une silhouette me surplombait. Je distinguai le sourire narquois d'un homme dont la tunique ne m'était que trop familière.

Celle d'un soldat anglais.

Chapitre VII

Mea culpa

Comme guérisseuse de mon village, j'étais souvent sollicitée à toute heure du jour et de la nuit. J'avais donc acquis avec le temps la faculté de me réveiller complètement en quelques secondes, prête à toute éventualité. Les accidents et les accouchements n'attendaient pas le chant du coq pour se présenter.

Cette fois, je me réveillai lentement, je me sentais engourdie. Une agréable odeur de lardon et de haggis me chatouilla les narines. Mon ventre protesta bruyamment. Les yeux clos, je souris de béatitude. J'étais chez moi, dans mon lit. Mon amie Sorcha était venue me préparer le petit déjeuner, comme chaque fois que je passais la nuit avec un patient.

J'avais fait un rêve troublant de réalité dans lequel j'avais dû faire des deuils, traverser des tunnels accompagnée par un sombre Highlander. Je fis la moue, un peu déçue que cet homme ne soit que le fruit de mon imagination, et m'étirai. La douleur me figea et j'ouvris brusquement les yeux. Je n'étais pas chez moi. J'étais étendue sur une paillasse près d'un âtre et une femme ronde aux cheveux gris s'affairait dans la cuisine de la maisonnette, l'air nerveux. Son regard passait sans arrêt de la porte au feu de cuisson.

La mémoire me revint subitement. Les Anglais m'avaient traînée ici au milieu de la nuit en m'insultant et en me poussant. J'avais pourtant gardé toute ma dignité et marché la tête haute, me refusant à leur montrer à quel point j'avais peur. Le seul fait d'avoir réussi à m'endormir témoignait de mon état de fatigue extrême, puisque les tuniques rouges étaient restées dans les parages un long moment après m'avoir installée sommairement sur ce grabat. Ce matin, je ne les vis nulle part.

Lentement, je glissai ma main jusqu'à la poche de ma robe et sentis le poids rassurant du médaillon. On ne me l'avait pas pris.

La femme sursauta lorsque des voix s'approchèrent de l'entrée. La porte s'ouvrit sur trois hommes en uniformes écarlates qui discutaient calmement. Je reconnus immédiatement le plus grand d'entre eux : c'était le soldat aux airs de seigneur que nous avions fui à Braemar ! Obéissant à mon instinct, je fus aussitôt sur mes jambes.

Les trois militaires se tournèrent vers moi comme un seul homme.

– Heureux de vous voir sur pied, mademoiselle, dit le seigneur en s'inclinant. Capitaine Scott, pour vous servir.

– Pourquoi suis-je ici ?

– N'ayez pas peur. Nous voulons simplement savoir où est l'individu qui vous accompagnait, celui qui a tué mon adjudant.

– Je l'ignore. Il m'a laissée derrière lui en pleine nuit.

Il haussa les sourcils.

– Vraiment ?

– *Aye*, à la merci de Turcs barbares.

– Oui, les étrangers ont pris la fuite lorsqu'ils nous ont repérés. Quels sont vos liens avec eux ?

– Aucun.

Scott pencha la tête de côté et m'étudia un instant. Sans doute me jaugeait-il pour évaluer si je mentais. Je lui rendis son regard. J'avais dit la stricte vérité.

J'espérais qu'il se lasserait bientôt, car je devais faire un gros effort de volonté pour rester debout. Mes jambes étaient faibles et mon estomac se tordait dans tous les sens. Semblant lire dans mes pensées, il se tourna vers la femme et s'enquit de l'heure du petit déjeuner. La pauvre se mit à bafouiller tandis que le capitaine Scott m'invitait à la table. La femme déposa devant moi une assiette de haggis ainsi qu'un bol de porridge. Sans plus me soucier des Anglais, je me jetai sur la nourriture et l'engouffrai de façon fort peu féminine. Je n'avais rien à faire de l'opinion que des Britanniques pouvaient se faire de moi. Trop tôt, il ne resta plus rien des scones[1] et des œufs qui étaient venus compléter ma pitance, et je m'essuyai la bouche avec une serviette de table comme la lady que je pouvais être.

L'un des Anglais, un homme plutôt quelconque aux cheveux gris, s'adressa alors à moi :

– Le barbare qui a tué l'adjudant Chase et qui vous a laissée à la merci des étrangers, était-ce votre mari ?

– Ironique que vous traitiez les Highlanders de barbares. Vous saviez que nous disons la même chose de vous ?

L'estomac plein, j'avais retrouvé tout mon aplomb, et je ne nourrissais aucun tendre sentiment pour ces tuniques rouges. J'ignorai le regard noir que me lança Scott. Malgré son calme apparent, il semblait être un homme froid et sans pitié sous ses traits parfaits.

– Répondez à la question, gronda-t-il.

– Nous ne sommes pas mariés.

– Un membre de votre famille, alors ? suggéra le militaire aux cheveux gris.

---

1. Petits pains que l'on mange en Grande-Bretagne à l'heure du thé.

Évidemment, cet homme ne pouvait concevoir que je voyage sans chaperon avec quelqu'un d'autre qu'un époux ou un frère. Moi-même avais encore du mal à y croire, mais toutes les conventions avaient été bouleversées par la victoire des Anglais à Culloden et par les nouvelles lois de leur couronne. Quel Highlander pouvait encore se permettre d'être escorté? Qui même avait encore une famille?

– Répondez à la foutue question! s'impatienta Scott devant mon regard éteint.

Avant que j'aie pu desserrer les lèvres, la porte s'ouvrit avec fracas. Deux soldats poussèrent Brodick MacIntosh à l'intérieur et s'adressèrent à leur supérieur:

– Il rôdait dans les environs, capitaine.

Je plissai les yeux avec suspicion. Les deux hommes avaient l'air intacts et plutôt joyeux. Comment avaient-ils pu avoir raison de MacIntosh et le faire prisonnier sans y laisser des plumes? Où était passé le Highlander qui s'était vanté de détrousser des régiments entiers?

– Tiens, tiens, fit Scott. Venez donc nous tenir compagnie.

MacIntosh s'approcha avec nonchalance et prit place sur le banc, tout près de moi. L'éternel sourire narquois à la commissure de ses lèvres et son air indolent me firent craindre le pire.

Scott posa son arme à feu bien en évidence devant lui sur la table, le canon dirigé vers Brodick. La menace était palpable. Je retins mon souffle. Sous la table, MacIntosh toucha mon genou. S'il croyait que cela allait suffire pour me rassurer, il se mettait le doigt dans l'œil. J'avais pleinement conscience de la charge d'antipathie qui planait dans la pièce. Je ne pus empêcher mon regard de revenir à la gueule du canon qui était pointée sur lui. On aurait dit un œil glauque qui n'attendait qu'un seul mouvement pour cracher sa haine.

La paysanne interrompit le cours de mes pensées en s'excusant deux fois plutôt qu'une. Il était l'heure de traire le bétail et elle devait aider son époux. La pauvre hère était une boule de nerfs et n'appréciait visiblement pas qu'on ait choisi sa demeure comme quartier général pour héberger des prisonniers de son propre peuple. Le capitaine Scott lui jeta un œil indifférent et lui fit signe de disparaître, ce qu'elle fit sans tarder. Je lui enviai sa liberté.

Le capitaine se tourna vers moi.

– Il est intéressant de voir que l'homme qui vous a soi-disant abandonnée au milieu de la nuit rôde aux alentours alors que mes hommes battent la campagne pour lui mettre la main au collet. Vous allez me dire qu'il n'est rien pour vous ?

– Absolument, dis-je d'un ton neutre. Si vous voulez savoir ce qu'il fait ici, adressez-vous à lui !

– J'ai bien l'intention de le faire, mademoiselle. En temps et en heure. Vous devez comprendre que son sort est déjà scellé. Ce sera la corde pour lui.

Brodick resta tout à fait impassible en apprenant sa mort prochaine. L'Anglais continua :

– Il n'en est pas de même pour vous, par contre. Je me sens d'humeur conciliante, aujourd'hui, et j'aimerais vous entendre sur ce qui s'est passé à Braemar. Si véritablement vous arrivez à prouver que ce Highlander vous est étranger, je pourrais me montrer clément à votre endroit.

Brodick renâcla.

– Clément ? En la transformant en catin pour vos soldats ? C'est ça votre clémence ?

– Vous me prêtez des intentions que je n'ai pas, monsieur. Cette jeune fille a manifestement été maltraitée et je me dois de la soustraire à votre influence puisque votre tempérament est incontrôlable.

Le sourire de Brodick fut terrifiant.

– Et tout de suite vous présumez que c'est moi qui l'ai violentée. Si vous voulez mon avis, cette demoiselle a bien plus à craindre entre vos mains qu'entre les miennes. Votre peuple a prouvé maintes et maintes fois qu'il n'aspirait qu'à la destruction du nôtre.

J'avais l'impression de voir deux gamins se défier. Je me levai brusquement.

– Arrêtez ! Vous allez rester assis là toute la journée à tenter de départager qui a raison ou tort ? Quelle culture est plus sauvage que l'autre ? Et pour quoi ? S'il est déjà condamné, vous n'avez rien de plus à gagner dans cette bataille de mots. Et vous, ajoutai-je en me tournant vers MacIntosh, que faites-vous ici à regarder la mort dans les yeux ?

L'Anglais qui n'avait pas parlé jusqu'alors me fit signe de me rasseoir, sourcils froncés, tandis que Scott reprenait la parole :

– En effet, nous pourrions discuter longtemps sans nous entendre. Mais la question de votre amie est judicieuse et la réponse m'intéresse. Que faites-vous encore dans les parages puisque vous avez abandonné cette femme à la merci de tous ?

– Je ne l'ai pas abandonnée, gronda le Highlander.

– Étrange, alors, que vous n'ayez été nulle part en vue lorsque mes hommes l'ont trouvée errant dans la lande.

– Je n'ai pas à me justifier devant vous.

Il se tourna vers moi et s'appuya sur son coude, les épaules un peu voûtées.

– Je suis parti pour chercher Haras. Ou toute autre monture, pourvu que nous puissions fuir rapidement. Mais les Turcs ont donné l'alarme trop vite. Lorsque je suis revenu vous chercher, vous aviez disparu.

Pouvais-je le croire ? Mon esprit se déchira entre le soulagement et le doute.

– Pourquoi ne pas m'avoir dit que vous comptiez revenir, alors ? dis-je d'un ton très bas dans lequel vibraient toute la peur et le ressentiment que j'éprouvais.

– Le temps manquait ! Comment pouvez-vous croire que je vous aurais laissée sans protection ?

Avais-je manqué de confiance en lui ? Si je n'avais pas pris pour acquis qu'il m'avait abandonnée, aurais-je pu éviter de tomber dans la gueule du loup ? Scott suivait l'échange avec intérêt.

– Comment faire autrement ? Vous êtes parti, Brodi…

– Taisez-vous ! aboya le géant, me faisant sursauter.

Je réalisai rapidement mon erreur.

– Brodick ? fit l'Anglais aux cheveux gris. Brodick MacIntosh ? C'est donc vous qu'on recherche dans toute l'Écosse ? J'aurais dû y penser à en juger par votre taille. Vous avez une sacrée réputation.

Son ton était presque admiratif. Scott intervint :

– Cela change tout. Vous devrez être jugé et puni comme il se doit avant votre exécution afin de servir d'exemple. Que les Écossais constatent que la rébellion est proscrite. Tttt tttt tttt, vous venez de vous mériter une fin digne de celle de William Wallace[2].

Mortifiée, j'ouvris et refermai la bouche sans réussir à produire un son. Qu'avais-je donc fait ? De nombreuses images toutes plus atroces les unes que les autres me traversèrent l'esprit et la nausée me saisit. Quelle créature ignoble j'étais !

– Femme, dit l'Anglais resté silencieux jusqu'à présent, allez donc nous faire du thé. Il semble que la discussion va se prolonger.

---

2. Héros écossais, chef des rebelles qui combattirent l'occupation anglaise, il mourut exécuté en 1305 après avoir été traîné par les pieds par des chevaux, castré, éventré, écartelé et décapité. Mieux connu sous l'appellation « Cœur vaillant » et incarné au grand écran par Mel Gibson.

Je levai la tête.

– Du thé ? Qui peut bien avoir du thé dans les Highlands de nos jours ?

L'homme renifla avant de marmonner :

– Je vais vous en trouver.

Il sortit et revint bientôt avec deux petits sachets odorants.

Toujours ébranlée, je me levai de table et me mis machinalement à préparer ce qu'on venait de me demander. Comment m'amender ? Que pouvait faire la femme que j'étais contre des soldats de l'armée britannique ? Mon regard flotta jusqu'à Brodick qui restait d'un calme déroutant, la mâchoire serrée et le teint pâle. Sans doute tentait-il également de trouver le moyen de se sortir de cette situation désespérée. En cet instant, il devait particulièrement regretter d'être revenu pour moi.

La discussion reprit, mais je n'écoutai guère. Peu importe ce qui allait se dire, la conclusion serait la même : la mort de MacIntosh. C'est avec des mains tremblantes que j'apportai le plateau sur la table. Lorsque, faute de tasses, les Anglais eurent un bol fumant devant eux, je repris ma place près de Brodick.

– Mademoiselle, vous n'avez aucun talent pour le thé. Il est beaucoup trop amer, remarqua le soldat aux cheveux gris avec une grimace.

Scott but une gorgée à son tour et reprit le fil de son propos :

– Maintenant que le cas de votre ami est réglé, discutons du vôtre, mademoiselle. Vous risquez d'être jugée complice et de subir le même sort que MacIntosh, à moins que vous parveniez à convaincre le général de votre innocence. Alors, vous retrouverez votre liberté.

Je déglutis. Dès que les autorités britanniques apercevraient le pentagramme sur mon bras, elles me condamneraient d'office. Peu importe ce que je pourrais dire ou faire pour prouver mon innocence, on ne me croirait pas. L'Anglais aux cheveux gris passa le doigt dans l'encolure de sa tunique, le front luisant de sueur. Il s'adressa à moi :

– Vous avez fait une grave erreur en vous acoquinant avec ce vaurien, mademoiselle.

Je le regardai fixement, les yeux ronds. Les mains jointes dans mon giron, le teint livide, je ne répondis pas. Scott grimaça et sa main se crispa sur son uniforme, à la hauteur de l'estomac. Il jeta un coup d'œil aux deux autres militaires et ses yeux s'agrandirent d'horreur.

– Non, gronda-t-il en réalisant ce qui se passait.

Il eut un mouvement vers son arme, mais la souffrance le paralysa. Un haut-le-cœur lui secoua les épaules et de l'écume sortit de sa bouche en même temps qu'il s'effondrait au sol en se tordant de douleur. MacIntosh profita de la surprise des deux autres pour saisir l'arme sur la table et se leva, pointant le pistolet sur les Anglais. L'homme aux cheveux gris se redressa en titubant. Il s'appuya contre la table pour recouvrer son équilibre, mais tomba à genoux en se frappant le menton au bord du meuble.

– Qu'avez-vous fait ? articula-t-il entre deux quintes de toux.

Brodick me jeta un regard interrogateur.

– Oui, qu'avez-vous fait ? s'enquit-il en reculant de quelques pas.

Le troisième soldat tourna de l'œil et s'effondra tout bonnement sur la table.

– Il faut partir, Brodick ! Dépêchons-nous !

Tout en gardant l'arme pointée sur les Anglais, il les contourna et entrouvrit la porte, jetant un coup d'œil méfiant à l'extérieur. Lorsqu'il se tourna vers moi, je fixais les trois hommes en murmurant des paroles inintelligibles. Quand je contournai la table à mon tour, le capitaine Scott saisit ma cheville et je crus défaillir de terreur. Il tenta de m'attirer à lui en montrant les dents, sa souffrance et sa volonté se confrontant en une simagrée horrible. Il n'avait plus beaucoup de force et je pus me libérer d'un coup de pied, rejoignant MacIntosh près de la porte. Scott s'immobilisa soudain, la main tendue vers moi comme une supplique muette, et expira son dernier souffle.

Brodick saisit ma main et m'entraîna dehors rapidement. Il pleuvait à boire debout et la lumière du jour transperçait à peine la grisaille des nuages. Alors que nous tournions le coin de la chaumière, le hurlement de douleur du dernier Anglais me glaça le sang.

Je n'eus pas l'occasion de m'attarder pour réfléchir à la situation. Brodick m'entraînait à travers les arbres en courant si vite que je peinais à le suivre. Sa main était gigantesque sur la mienne et il me communiqua sa force. Je voulais m'éloigner de ce lieu maudit où j'avais sans doute laissé une partie de mon innocence et je mis toute mon énergie à fuir avec celui qui avait risqué sa vie pour revenir me chercher. Qui s'était laissé capturer pour me venir en aide. L'honneur de cet homme n'avait-il donc aucune limite ?

Nous courûmes longtemps pour nous arrêter finalement au bord d'une rivière, épuisés et trempés jusqu'à la moelle. La douleur dans ma cage thoracique m'accablait. Mes cheveux dégoulinaient et mes cils se brouillaient de perles d'eau. Je levai mon visage vers Brodick et parvins à articuler péniblement :

– Avez-vous au moins retrouvé votre damné cheval ?

Il s'essuya le front avec sa manche, sans grand succès.

– *Och, aye*. Nous y sommes presque.

– Votre… cargaison ?

Il serra les dents et inspira avant de répondre :

– Les Turcs l'ont saisie.

– Oh…

– Isla. Que s'est-il passé là-bas ? fit-il en pointant le menton en direction de la maisonnette que nous venions de quitter.

Je me mordis la lèvre. Brodick fit un pas vers moi et posa ses mains de chaque côté de mon visage.

– Parlez-moi ! Qu'avez-vous fait ? Que murmuriez-vous lorsque nous sommes partis ? Quel genre d'incantations avez-vous prononcées ?

Je le regardai droit dans les yeux et répondis d'une voix plate :

– J'ai prié.

Il m'observa avec un demi-sourire frondeur, mais le regard méfiant.

– Qu'y avait-il dans ce thé ?

– Rien du tout, couinai-je le plus innocemment possible.

Brodick mit sa main sur mon épaule et son pouce effleura mon cou.

– Je ne vous crois pas. J'ignore ce que vous avez fait tout à l'heure, mais vous finirez bien par me le dire. En tout cas… merci.

Il m'attira à lui et marmonna :

– Partons vite. S'ils nous mettent la main dessus maintenant, nous serons tous les deux des gibiers de potence.

Seul le tic-tac régulier d'une horloge grand-père venait briser le lourd silence qui régnait dans l'antre de l'évêque Harriot. Le religieux était assis derrière son bureau, les mains croisées sur son ventre, et fixait avec stupéfaction les deux hommes qui lui faisaient face.

– Que voulez-vous dire ? s'enquit-il en regardant Mac Guthrie dans les yeux.

Celui-ci, blême de fureur, reprit son histoire comme s'il s'adressait à un sot :

– Je dis que six de mes meilleurs hommes ont été exterminés comme des mouches en quelques minutes. J'ignore qui étaient ces individus masqués et comment ils pouvaient savoir que nous serions sur place, mais ils fonçaient sur nous comme les cavaliers de l'Apocalypse.

L'évêque se mordilla le pouce, songeur.

– Croyez-vous vraiment qu'ils savaient que votre bataillon avait été envoyé à Glenmuick ? Ne peuvent-ils pas tout bonnement être tombés sur vous par hasard ?

– Tout est possible, mais dans un cas comme dans l'autre, il est évident qu'ils n'avaient d'autre but que de nous occire.

William Russell, le supérieur de Guthrie, intervint :

– Nous sommes retournés sur les lieux de la bataille pour examiner les cadavres de ces cavaliers masqués et tenter de déterminer leur identité.

– Et ? questionna l'évêque en se grattant derrière l'oreille.

Russell hésita.

– Ils n'y étaient plus, monseigneur. Seuls les hommes de Guthrie s'y trouvaient toujours. Visiblement, quelqu'un est allé faire le ménage.

– Il s'agit manifestement d'un groupe organisé, affirma Guthrie.

L'évêque fronça les sourcils. Il n'aimait pas être confronté à ce genre de situation.

– Quelles sont vos conclusions ? Qu'une organisation est à la tête d'une horde d'assassins qui sévit dans mon diocèse ?

Tous gardèrent le silence. Une telle éventualité était lourde de conséquences.

Guthrie se tourna vers son chef.

– Il faut revoir notre approche si nous voulons tirer tout cela au clair. Mettez plus d'hommes à ma disposition et je découvrirai non seulement qui sont les auteurs de la tuerie de Glenmuick, mais aussi qui tire les ficelles dans cette sordide affaire.

L'évêque leva une main.

– Est-ce bien sage ? Mettre davantage de vies en péril est une action qui doit être réfléchie et discutée !

Guthrie se pencha en avant.

– De quoi voulez-vous discuter, monseigneur ? Plus nous attendons, plus nous risquons de voir des événements du même genre se reproduire. Combien de villages vont disparaître pendant que nous réfléchissons ?

– Tâchons de garder la tête froide, mon fils. Nous ne sommes sûrs de rien pour le moment. Nous savons seulement qu'au centre du massacre de Glenmuick, il y avait une jeune femme dont nous ignorons toujours l'identité et les origines. Brimstone ne reviendra pas d'Édimbourg avant plusieurs jours encore, alors je suggère d'attendre jusque-là avant de prendre des risques inutiles.

– Allons, monseigneur ! protesta Guthrie. Laissez-moi faire mes preuves, je…

– Mac, cela suffit, l'interrompit Russell, à qui l'évêque venait d'adresser un regard éloquent. Nous savons de quoi tu es capable et personne ne doute de tes capacités à mener une enquête d'une telle envergure. Laisse-moi discuter avec monseigneur Harriot. Je te tiendrai au courant de ma décision.

Fou de rage, Guthrie se leva et sortit du bureau sans dire un mot, claquant la porte derrière lui.

Après quelques heures de chevauchée et une traversée un peu houleuse de la rivière Forth sur le ferry, nous atteignîmes enfin Édimbourg. Lorsque nous pénétrâmes dans la ville, je fus frappée par la puanteur et le bruit.

– Est-ce la première fois que vous venez dans la capitale ? questionna Brodick par-dessus son épaule.

– *Aye.*

– Nous sommes sur la principale artère. On l'appelle le Royal Mile, car elle sépare le château d'Édimbourg et Holyrood Palace et fait un peu plus d'un mile de long. En fait, le Royal Mile est constitué de quatre rues distinctes : Castlehill, Lawnmarket, High Street et Canongate.

Je n'avais pas assez d'yeux pour tout voir. Il y avait tellement de gens ici ! À dos de cheval, nous nous faufilâmes lentement à travers la masse. De temps à autre, Brodick me montrait un lieu particulier, comme le *tolbooth*[3], la prison locale. Il me désigna également des petites ruelles qui s'enfonçaient entre des édifices parfois très hauts.

– Ces ruelles se nomment des *closes* ou des *wynds*. Mary King's Close se trouve plus haut, à droite. Nous irons demain. J'ai vécu assez d'aventures pour aujourd'hui. Et je dois trouver Brim.

Les gens se bousculaient, faisant le tour des charrettes, évitant les chevaux de justesse. Des marchands criaient pour annoncer leurs biens, espérant vendre. Je vis une femme sortir la tête d'une fenêtre au cinquième étage d'un édifice de pierre en criant : « *Gardyloo !* » Plus bas, dans la rue, les passants s'écartèrent sans y porter plus d'attention et le contenu d'un pot de chambre fut répandu.

– Plus de soixante-dix mille habitants s'entassent ici. Cela devient invivable pour la population et pour les visiteurs. Comme vous le voyez, la ville est emplie de déchets. Les habitations se construisent en hauteur, certaines font jusqu'à quatorze étages ! Les plus riches résident en hauteur, loin de toutes ces odeurs, et les plus pauvres, eh bien…

3. Palais de justice, prison et lieu d'exécution.

Je plissai le nez, me félicitant d'avoir habité la campagne toute ma vie. Dans l'air, au-delà de celle des pots de chambre renversés et des déchets qui jonchaient les trottoirs, flottait une odeur âcre dégoûtante.

– Mais quelle est donc cette odeur entêtante ?

Brodick rit franchement.

– C'est le doux parfum du Nor'loch[4] !

– Un loch avec une odeur aussi infecte ? Où est-il donc ?

– Édimbourg se trouve sur un mont. Juste sous la falaise du château s'étale le Nor'loch. La ville y déverse son système de canalisations, ses déchets domestiques et quelques cadavres en passant. Or, c'est une eau stagnante. De là la puanteur. On dit qu'on peut sentir Édimbourg avant de la voir. C'est de cette façon qu'elle s'est mérité le surnom de « *Auld Reekie* »[5].

Je ne posai plus de questions, tout occupée que j'étais à observer la ville. Les édifices se dressaient, collés les uns aux autres, et j'allais sans doute me donner un torticolis à vouloir tout absorber. Devant nous s'élevait la silhouette massive du château qui dominait la ville de ses constructions militaires. Bientôt, nous nous arrêtâmes devant une grande bâtisse située près de la cathédrale Saint-Gilles.

– Voici la pension de Mme Drysdale. Nous ferons escale ici.

Nous fûmes conduits à une chambre austère, mais propre. Un âtre occupait un mur, un fauteuil et une petite table y faisant face. Le lit se trouvait dans l'autre coin. Une grande fenêtre donnait sur le Royal Mile, six étages plus bas.

---

4. Le North loch est un ancien lac situé à la base du piton volcanique sur lequel s'élève le vieil Édimbourg. Il fut drainé et, à sa place, on trouve aujourd'hui de magnifiques jardins et Waverley Station, la gare ferroviaire d'Édimbourg.

5. « Vieille nauséabonde » en anglais.

Même si d'épais rideaux tentaient de bloquer les courants d'air venant de l'extérieur, il faisait un froid de canard dans la pièce et j'entrepris de mettre du bois dans le foyer pour y faire une attisée. D'une oreille distraite, j'entendis Brodick commander un repas, puis il ferma la porte et se délesta de son épaisse ceinture de cuir avant de s'effondrer dans le fauteuil en soupirant.

– Ne regagnez-vous pas votre propre chambre ? demandai-je en soufflant sur la maigre flamme qui tentait de prendre vie.

Attendant toujours sa réponse, je me tournai vers lui. Il me fixait avec une expression entre l'amusement et le désarroi.

– Isla, je n'ai pas de quoi payer deux chambres. Nous allons partager celle-ci.

La consternation dut se lire sur mon visage, car il esquissa un sourire moqueur.

– Allons ! Nous avons déjà dormi ensemble dans une grotte et dans une cabane. C'est le lit qui vous pose problème ?

– Oui, murmurai-je. Je dormirai dans le fauteuil.

– Que vous soyez dans le fauteuil ou dans le lit, une fois la porte de la chambre fermée, les gens présument que nous dormons ensemble. Autant profiter du confort tant qu'il est à votre portée. De toute façon, nous sommes à Édimbourg. Personne ne se soucie de votre virginité ici.

Choquée par son choix de mot, je me détournai pour cacher la rougeur de mes joues.

– Devrais-je craindre pour ma virginité ? répondis-je d'une voix étranglée.

Il se pencha en avant.

– Isla, regardez-moi.

Je tournai lentement la tête vers lui. Il avait retrouvé son sérieux et fronçait légèrement les sourcils.

– Non, articula-t-il.

Il se redressa.

– Vous n'avez rien à craindre de moi, je ne vous toucherai jamais sans votre consentement.

À la seule mention de son toucher, le bout de mes seins se durcit et la chair de poule parcourut mon échine. J'espérais qu'il ne s'en apercevrait pas, mais c'était mal connaître Brodick MacIntosh, qui semblait avoir un sens de l'observation redoutable.

Il étira le bras et saisit une boucle de mes cheveux entre son index et son majeur. Il la fit glisser entre ses doigts avant de la replacer derrière mon oreille.

– Ne soyez pas si troublée. Ce qui s'est passé hier soir était beau. Savez-vous à quel point vous êtes magnifique quand vous avez du plaisir ?

Cramoisie, je portai toute mon attention sur le feu et fus soulagée lorsque des coups furent frappés à la porte. Une femme de chambre entra avec un plateau aux arômes alléchants. Elle portait également sur son bras une épaisse cape de laine qu'elle me tendit dès qu'elle eut déposé son fardeau.

– Pour vous, madame MacIntosh.

Mme MacIntosh ? Cette femme présumait sans doute que nous étions mariés, ne pouvant concevoir que nous partagions une chambre sans être liés par une alliance. Après tout, la pension de Mme Drysdale devait jouir d'une excellente réputation. Je remerciai la jeune femme du bout des lèvres et elle me détailla lentement avant de se tourner vers Brodick.

– Mme Drysdale vous réitère ses vœux de bonheur, monsieur MacIntosh. Votre récent mariage décevra sans doute quelques cœurs célibataires dans cette ville !

– *Tapadh leat, a Meghan*[6] *!*

Amusée, je haussai les sourcils à l'intention de MacIntosh qui souleva les épaules alors que Meghan s'affairait à

---

6. « Merci, ô Meghan » en gaélique.

poser les couverts sur la table. Lorsqu'elle quitta la pièce, Brodick me tira le fauteuil et prit place sur le lit.

– Votre récent mariage ? Voilà qui est divertissant, fis-je en mâchant une bouchée de pain. Pourquoi vouloir préserver ma réputation puisque, d'après vos dires, personne ne s'en soucie ?

– Moi, je m'en soucie. Je ne pouvais me résoudre à ternir votre honneur.

– Oui, que me reste-t-il d'autre, d'ailleurs ?

Il eut une moue songeuse avant de répondre :

– L'honneur ne se résume pas à la pureté du corps. C'est aussi celle de l'esprit. Avoir le courage de se battre pour ses convictions malgré les obstacles qui se dressent sur sa route demande des efforts. Vous ne craignez pas de vous en tenir à vos vraies valeurs, Isla, malgré ce que les autres peuvent en dire. Vous m'épatez tous les jours.

Ses mots étaient admiratifs, son ton caustique. Je me sentis mal à l'aise.

– Brodick, non, je...

– Je sais que vos actes sont guidés par votre peu de foi en l'humanité. Que vous mentez de peur qu'on vous croie dérangée. Mais ne suivez-vous pas toujours votre cœur ? Votre instinct ? N'est-ce pas ça, l'intégrité, la vraie ?

L'ironie dans sa voix ne m'échappa pas. Je n'aimais pas du tout le tour que prenait cette conversation. J'avais de plus en plus l'impression que sous ses compliments se dissimulaient des reproches.

– Priez-vous vraiment, à l'occasion ? ajouta-t-il.

Il faisait évidemment référence à mon comportement dans la chaumière. Ne voyant que trop bien où il voulait en venir, je m'enfermai dans le silence.

Brodick posa ses mains à plat sur la table et me regarda droit dans les yeux.

– Allez-vous enfin me dire ce que vous avez fait aux Anglais ?

Je sentis la bile remonter à la surface de mon estomac. L'appétit coupé, je déposai ma fourchette et déglutis péniblement.

– Qu'y avait-il dans ce thé ? insista-t-il calmement.

Je détournai le regard et inspirai pour me donner du courage.

– De la cigüe.

Je levai les yeux sur lui. Il me fixait avec incrédulité, la bouche entrouverte.

– Où diable avez-vous trouvé de la cigüe ?

– En prenant la fuite, cette nuit, j'ai pénétré dans un boisé, mais je suis tombée. Ma main s'est refermée sur des plants de cigüe. Lorsque j'ai constaté que les Anglais me feraient prisonnière, j'en ai mis une poignée dans ma poche... au cas où j'aurais dû en finir rapidement.

Brodick se passa une main sur le visage en soupirant.

– Vous êtes très courageuse. Heureusement, vous n'êtes pas allée jusque-là ! Vous auriez souffert mille morts ! La cigüe paralyse d'abord les organes vitaux. Et c'est l'esprit qui s'éteint en dernier.

– Je sais ! m'écriai-je. Ce que j'ai fait à ces Anglais est cruel, mais je n'avais pas le choix ! Ils vous auraient emmené et m'auraient déshonorée...

Je ne pus continuer, horrifiée à la seule pensée d'être violentée. Brodick posa sa main sur la mienne dans un geste apaisant.

– Pourquoi avoir tant tardé à me révéler la vérité ? Doutez-vous toujours de moi ?

Je baissai les yeux et restai silencieuse. Il termina son assiette et se leva, contournant mon fauteuil pour remettre sa ceinture et se préparer à aller faire la tournée des tavernes à la recherche de Brimstone. En passant près de moi, il posa sa main sur mon épaule, et lorsque je levai la tête vers lui, ses doigts s'y enfoncèrent un peu plus.

– Ne vous y trompez pas, Isla. Je sais quand vous mentez. Toujours.

Chapitre VIII

Usque ad sideras et usque ad inferos

Quelques minutes après le départ de mon « époux », Meghan revint avec une autre femme et elles installèrent près de l'âtre une baignoire qu'elles emplirent d'eau fumante et parfumée.

– Voilà, madame. M. Brodick tenait à ce que vous puissiez faire votre toilette. Il vous fait également porter une chemise et une nouvelle robe. Je ferai nettoyer celle que vous portez, me dit la jeune employée avant de sortir.

Bien que ses paroles fussent cordiales, son ton était plus cassant que lorsqu'elle avait adressé ses félicitations à MacIntosh quelques instants plus tôt. Elle semblait contrariée. Et à la façon qu'elle avait de prononcer son nom... je compris qu'elle devait être amoureuse de lui. Ma présence venait tout compliquer.

Je me glissai avec délice dans l'eau chaude et fis mousser mes cheveux. Puis je me détendis, fermant les yeux et appréciant ce luxe démesuré. MacIntosh s'avérait être un personnage surprenant par ses attentions et sa générosité. Était-il ainsi avec toutes les femmes ? Apprendre à le connaître était une entreprise captivante.

Brodick et ses baisers langoureux. Brodick et ses mains expertes. De nouveau, mon corps réagit aux pensées lascives que mon cerveau projetait contre mes paupières, et j'expirai lentement. Ma main descendit le long de mon cou, de mon épaule, et effleura mon sein. Je frissonnai lorsque mes doigts glissèrent sur mon mamelon dressé. L'eau savonneuse rendait le toucher encore plus sensuel. Ma main poursuivit son chemin le long de mes côtes, balaya mon ventre et s'arrêta timidement entre mes cuisses. Je ressentis une grande excitation lorsque mes doigts bougèrent sur cette partie de mon anatomie, et les images de Brodick penché sur moi, son sexe pressé contre ma jambe, ses mains me caressant avec adresse, revinrent me troubler.

J'avais envie que ce soit lui qui me touche, qu'il me fasse de nouveau ressentir ces choses auxquelles je n'osais m'attarder. Je voulais ses mains et sa bouche et sa chaleur et ses caresses sur mon corps ! Je pressai mon bassin contre mes doigts, à la recherche de ces sensations qu'il m'avait fait découvrir.

Il était viril et attentionné, mais aussi surprotecteur, cynique... et parfois tellement irritant ! À cette pensée, mon excitation s'envola et je retirai ma main, honteuse. Je devais me laver et m'habiller avant qu'il ne rentre et ne me trouve nue. J'avais assez traîné dans la baignoire ! Je me séchai et enfilai la nouvelle robe, qui était d'un gris vert très sombre, avec un décolleté carré d'où dépassait le frison de la chemise. Une jupe évasée sous laquelle on pouvait apercevoir un épais jupon blanc et trois boutons de la même teinte que le tissu ornant le corsage ajusté complétait la tenue.

J'attendis un long moment le retour de Brodick. Je me sentais fébrile. J'avais besoin d'explorer Mary King's Close. Dans le fauteuil, je me tournais les pouces, à bout de patience. Puis je pris une soudaine décision. Je n'allais pas rester plantée là comme un poireau tandis qu'il parcourait les tavernes à la recherche de son compagnon de beuverie. D'autant que, s'il retrouvait Brimstone, ce dernier pourrait le convaincre de tout laisser tomber. De *me* laisser tomber. Je ne pouvais concevoir de demeurer assise tranquillement dans la chambre jusqu'à ce que Brodick revienne m'annoncer qu'il refusait désormais de me suivre dans mes lubies. Pas si près du but ! Je devais trouver Mary King's Close et la signification du message gravé sur le médaillon avant son retour. Je me levai précipitamment et m'enroulai dans la cape gracieusement offerte par le jeune homme.

Dehors, les nuages s'amoncelaient au-dessus d'Édimbourg et les cloches de la cathédrale annonçaient le milieu de l'après-midi. Je n'eus pas à aller loin. Mary King's Close se trouvait juste en face de la cathédrale Saint-Gilles. J'ignorais ce que je devais y chercher, mais mon instinct me poussait vers l'entrée de cette ruelle en pente qui descendait vers le Nor'loch. L'étroit passage était sombre, la lumière du jour s'infiltrant à peine entre les hautes bâtisses. Je me mis à avancer, lisant les enseignes sur les devantures au passage : William Aiton, gantier. John Orr, perruquier. Mme Wilson, marchande de tabac. Andrew Bell, graveur. Cordonniers, marchands, vendeurs de bière. Qu'étais-je censée trouver ici ?

Je croisai une bande de gamins qui jouaient aux billes sur le sol de terre battue, au milieu des détritus. Les enfants me jetèrent un coup d'œil indifférent, mais il n'en fut pas de même pour les adultes que je croisai un peu plus loin.

La première femme que je rencontrai me lança un seul regard et s'empressa de ramasser sa lessive et de disparaître dans la minuscule pièce qui lui servait de logis. La deuxième écarquilla les yeux et rappela deux des enfants qui jouaient aux billes avant de refermer la porte de sa maison. Au début, je prêtai peu d'attention à leur comportement étrange, mais bientôt il fut évident que les gens de la rue n'aimaient pas les étrangers. Un homme cracha à mes pieds et poursuivit son chemin en grommelant. Lorsque la plupart des portes et fenêtres se furent refermées sur moi, je n'eus d'autre option que de remonter vers Lawnmarket, morose. Ma visite ne m'avait rien appris et les gens inamicaux du coin n'allaient manifestement pas m'aider.

Je levai les yeux vers l'entrée de Mary King's Close et fus éblouie par la lumière blafarde du jour. Soudain, une immense silhouette se découpa en contre-jour et je devinai que j'étais dans de beaux draps. La carrure de Brodick MacIntosh était unique, je ne pouvais me méprendre sur l'homme qui se tenait immobile au seuil de la ruelle, me fixant probablement avec fureur.

Je m'obligeai à avancer vers lui. Je me sentais soudain si lasse, j'eus l'impression que le poids du monde reposait sur mes épaules. Avais-je le courage de faire face à un autre affrontement ? Je savais qu'une joute verbale s'annonçait et qu'il n'allait pas me laisser me tirer d'affaire sans avoir marqué son point. Lorsque je pus déchiffrer son expression, il était effectivement furieux. Il arborait le faciès d'un adulte qui s'apprête à admonester un enfant. J'ignore si c'est ma mine défaite ou mes épaules courbées qui le touchèrent, mais son visage s'adoucit quelque peu. Mon regard s'enfonça dans le sien.

– Vous êtes en colère…

Il mit un instant à répondre, sur un ton doucereux :

– Je ne suis pas en colère. Je suis fou de rage.

Sans doute était-il de mauvaise humeur parce que j'étais sortie sans lui. Mais pourquoi aurais-je demandé sa permission ? Il continua :

– Je suis retourné chez Mme Drysdale et vous n'étiez plus là. J'ai imaginé les pires scénarios. J'ai pensé que les Turcs nous avaient suivis et vous avaient prise. Ce Süleyman n'arrêtera devant rien pour obtenir le médaillon, vous le savez mieux que moi ! Je vous croyais paisiblement endormie, je vous retrouve au milieu de ruines et de déchets !

Sur son front, une veine s'était mise à saillir. Je tentai de l'amadouer.

– Vous avez raison, c'était téméraire de ma part. Mais je suis toujours allée où bon me semble quand bon me semble, Brodick. Ce n'est pas aujourd'hui que vous allez me faire captive entre les quatre murs d'une pension.

Deux grandes mains se posèrent sur mes épaules, me serrant un peu trop fort.

– Isla, vous n'êtes plus à Glenmuick ! Il y a des mercenaires turcs à vos trousses, et sans doute des Anglais aussi ! Sortir seule et vous aventurer dans les ruelles d'Édimbourg, je n'appelle pas ça de la témérité, mais de l'inconscience !

Je tentai de me libérer de sa poigne.

– De l'inconscience ? Et vos manigances, alors ? Et ce tempérament destructeur dont vous faites preuve face aux Anglais ? C'est moi l'inconsciente ?

Quelques curieux tournèrent la tête vers nous. Je baissai le ton avant de poursuivre :

– Brodick, je refuse d'être votre « chose ». De répondre de vous et de perdre mon indépendance !

Il se frotta la nuque, faisant visiblement un effort pour se contenir.

– Je me le tiendrai pour dit, grogna-t-il. Rentrons.

D'une main sur mon épaule, il me guida jusqu'à notre chambre où je m'effondrai dans le fauteuil tandis que le Highlander entreprenait d'attiser le feu. Me tournant le dos, il s'enquit :

– Avez-vous au moins trouvé la signification du médaillon ?

– Encore aurait-il fallu que les gens ne s'enfuient pas devant moi. Le peuple d'Édimbourg craint-il donc tant les étrangers ?

Il tourna la tête vers moi, sourcils froncés.

– Les Édimbourgeois sont généralement très accueillants.

Je me sentis mal à l'aise. S'ils étaient si avenants, pourquoi toutes les portes s'étaient-elles refermées sur moi ? Je gardai le silence un instant, songeuse, puis demandai à mon tour :

– Avez-vous trouvé Brimstone ?

– *Och, nay*. Mais une connaissance m'a dit l'avoir aperçu près du Flodden Wall[1] ce matin. J'irai faire un tour là-bas demain.

– Avant ou après être retournés à Mary King's Close ?

MacIntosh sourit distraitement, perdu dans ses pensées. Accroupi ainsi, en équilibre sur la pointe des pieds, il semblait peu à peu se détendre. Son pantalon de toile taupe et sa chemise, jadis blanche, moulaient avantageusement son corps. Il avait des cuisses musclées, des fesses parfaites et des bras puissants. Déroutée par le cours de mes pensées, je gigotai sur mon siège.

Un silence confortable s'installa. J'ignorais quelle était la nature de ses réflexions, mais les miennes étaient dirigées vers une certaine partie de son anatomie que je n'avais pas vue, mais que j'avais sentie durcir contre moi. J'arrivais à me confondre moi-même par l'attirance physique qui semblait me pousser vers lui. S'il me touchait, allais-je lui résister ou me donner à lui ? Quelle était cette force qui faisait que j'avais envie de le toucher alors que nous nous connaissions si peu ?

La nature de l'homme ne m'était pas étrangère. Comme guérisseuse à Glenmuick, j'avais parfois vu des hommes nus, dans tous leurs états. Je comprenais la morphologie et le fonctionnement du corps, et j'avais une bonne idée de ce qui se passait lors de rapports intimes. Les témoignages des femmes étaient souvent contradictoires, certaines affirmant

1. Mur d'enceinte datant du XVIe siècle.

que « l'acte » était infâme et animal alors que d'autres se montraient excitées et en redemandaient, saisies par le désir de la chair. Cela dit, je n'avais jamais moi-même ressenti d'appétence pour un homme et je trouvais la situation pour le moins troublante.

Lorsqu'il se releva, il alla jusqu'à la porte dont il actionna le verrou. Puis il se défit de nouveau de sa ceinture et me jeta un regard de biais. Sa chemise passa par-dessus sa tête et il alla verser de l'eau dans une vasque pour se laver le visage et le cou.

Bercée par sa proximité, je fermai les paupières et reposai mon esprit. Je les rouvris lorsque je l'entendis bouger. Il venait vers moi en s'essuyant le visage avec une serviette. Les muscles roulaient sous sa peau comme le félin auquel je le comparais souvent. Il s'arrêta devant moi et je retins mon souffle. Un instant, il me surplomba de toute sa hauteur, puis il se pencha pour saisir délicatement mon cou entre ses mains.

– Je suis désolé de m'être montré mécontent tout à l'heure. N'aie pas peur de moi, Isla.

Sa familiarité soudaine me hérissa le poil des bras.

– Je n'ai pas peur, murmurai-je.

– Alors, pourquoi ton cœur bat-il si fort ?

Ses pouces glissèrent lentement, langoureusement le long de ma gorge. Je ravalai ma salive avec peine. Je n'arrivais pas à lire son expression, qui se faisait à la fois tendre et impitoyable. Il était si grand, si imposant, il saturait tout l'espace devant moi tel un mur. Je ne pouvais rien voir d'autre que lui, sa peau nue, sa cicatrice. Je me retrouvai calée dans l'étoffe du fauteuil, les lèvres entrouvertes, le corps tremblant.

– Réponds-moi, ordonna-t-il.

Je ne savais que dire. Que mon émoi était dû au fait que j'avais envie de le repousser et de l'attirer à moi en même temps ? De le bénir et de le maudire ? Son visage était à un souffle du mien. Je pus lire l'interrogation dans ses prunelles. J'aurais pu m'y perdre, chuter dans ces abîmes sans fond.

Nonobstant les bonnes manières, je fermai la distance qui nous séparait encore et l'embrassai doucement. Il émit un son de surprise et d'appréciation avant de répondre à mon baiser. Sa barbe était rêche, et il avait le goût du scotch. Constatant que je devais lever la tête à un angle impossible tant il était grand, il s'agenouilla devant moi, sa langue caressant la mienne au passage. Contre mes lèvres, il murmura :

– Ton parfum me rend fou…

Je ne voulais pas parler. Je ne voulais plus réfléchir. Je n'avais qu'une envie : me réfugier dans cet état second où tout n'était que sensations. Les yeux clos, j'absorbai le flot de chaleur et de tendresse qu'il laissait déferler sur moi et je me redressai pour me coller à lui. Aussitôt, il enroula ses bras autour de moi, me pressant contre son torse.

Sa main remonta le long de mon dos et je frissonnai violemment lorsque ses doigts effleurèrent ma nuque. Son poing se referma dans mes cheveux et il tira ma tête en arrière en laissant ses lèvres et sa langue sillonner ma mâchoire, ma gorge. Immobilisée, j'étais consciente de chaque mouvement de sa bouche sur mon corps, et je n'osai plus respirer.

De sa main libre, il défit les boutons de mon corsage et en écarta les pans. Délibérément, il laissa glisser son index sur ma peau jusqu'à atteindre l'encolure de ma chemise. Je tentai de me libérer de son emprise pour l'embrasser de nouveau, mais il resserra sa poigne dans ma crinière et recula un peu pour… m'admirer ? Son souffle était plus rapide, son regard fixé sur mes seins qui pointaient à travers l'étoffe. Allait-il devenir un animal guidé par son instinct ? Lorsque son regard revint sur mon visage, je sus qu'il était maître de lui et qu'il n'allait pas me faire de mal.

Il accrocha l'index baladeur au bord de l'échancrure de mon sous-vêtement et tira lentement. Il me testait, me jaugeait, guettant mes moindres réactions. Il était le prédateur et moi, la proie. J'attendais le moment où il allait poser sa main ou sa bouche ou sa langue sur mon sein. Je me noyais dans l'expectative, dans le désir. Qu'il cesse sa torture! Juste avant de découvrir cette partie de moi que personne n'avait jamais vue, il se ravisa et replaça ma chemise.

Quoi? Pour tourner le fer dans la plaie, il libéra mes cheveux et se leva. Comment pouvait-il me laisser ainsi, vulnérable et pâmée de désir? Qu'allait-il faire à présent? Il me prit par le coude et me fit lever, posa ses mains sur mes épaules et fit glisser ma robe, qui tomba par terre avec un son étouffé, me laissant en chemise et en jupon. Il me souleva dans ses bras comme si j'étais aussi légère que le brouillard des Highlands et me déposa sur le matelas en s'agenouillant près du lit.

Un incendie faisait rage sous ma peau, enflammant tous mes sens. Je me sentais nue sans ses mains sur moi. Je me sentais seule sans ses lèvres. Comment en étais-je arrivée là? Curieuse, je tendis la main et effleurai sa joue. Il sourit et me laissa faire. Mon pouce caressa sa lèvre inférieure, puis mon index suivit la ligne de sa cicatrice. Sa barbe ne poussait pas, à cet endroit. Mes doigts effleurèrent son épaule, puis sa poitrine.

Il s'étendit sur moi, en appui sur ses avant-bras placés de chaque côté de ma tête. Mes cheveux étaient pris sous lui, mais je n'en avais cure. Il était sur moi, son érection évidente à travers l'étoffe de son pantalon. Je ressentais ce damné vide intérieur, comme si je n'allais être complète que lorsqu'il serait en moi, avec moi.

Mon pouce caressa son mamelon et il gronda. Il défit prestement le lacet qui retenait ma chemise et exposa ma poitrine. Ses narines frémirent et il se pencha sur moi. Sa langue… oh, sa langue! Il laissa une main se refermer sur mon sein et je m'arquai. Mue par l'instinct, je me pressai contre sa cuisse, la friction causant un délicieux frisson d'extase dans mon entrejambe.

– Cesse de te tortiller, *banshee*, gronda-t-il.

Mes inhibitions s'estompaient avec le désir, et la curiosité l'emporta : je glissai ma main entre nos deux corps et la refermai sur son membre gonflé. Il émit un son étouffé et ferma les yeux. Mon pouce glissa sur l'extrémité de son érection et il enfouit son visage dans mon épaule pour me laisser l'explorer à ma guise. Son souffle se hacha et il finit par s'écarter de moi pour se débarrasser de ses bottes d'un coup de talon. Ses mains s'attardèrent sur la braguette de son pantalon.

– C'est dans des moments comme celui-là que mon kilt me manque le plus !

Le temps d'un éclat de rire de ma part et il se tenait nu devant moi. Je le bus du regard. Il s'étendit à mes côtés et m'embrassa de nouveau. Ses doigts papillonnaient sur mes seins, agrippaient mes fesses, caressaient mes cheveux. Je sentais toute la retenue qu'il exerçait pour me ménager.

Il retroussa soudain mon jupon et sa main glissa entre mes jambes. Je gémis. La sensation était intense, primitive, j'avais besoin de lui. Maintenant.

– Prends-moi, Brodick, soupirai-je. Tout de suite…

Malgré une étincelle de crainte, j'étais prête. Je voulais l'accueillir, qu'il me complète, qu'il me transporte. À mes paroles, il transféra son poids pour se caler entre mes jambes et plaça doucement son membre à l'entrée de mon sexe. Il était énorme et j'ignorais si je serais capable de le recevoir. La seule certitude que j'avais était que je voulais vivre cette expérience avec lui.

Il s'inséra en moi avec une lenteur délibérée, me laissant du temps pour m'ajuster physiquement et émotionnellement. Je me raidis, la sensation de déchirement prenant le dessus sur le plaisir.

– Doucement, Isla. Si c'est trop, dis-le, je me retirerai.

Je ne répondis pas, mais secouai la tête.

– Détends-toi.

J'inspirai et relâchai la tension qui m'habitait. Au même instant, il glissa complètement en moi. Puis il bougea le bassin en un va-et-vient sensuel, et cette fois, je me tendis pour une tout autre raison. Le désir me submergea aussi rapidement qu'il avait disparu.

Le poids de MacIntosh m'enfonçait dans le matelas. Il me caressa longtemps en bougeant lascivement, jusqu'à ce que l'excitation soit à son comble. Peu à peu, je le sentis perdre le contrôle. De temps à autre, il émettait un son entre le grognement et le gémissement, et de l'entendre décuplait ma stimulation. Ses lèvres s'attardaient sur mes seins tandis qu'une de ses mains guidait mes hanches.

La tension grandit en moi. Je sentais que la libération telle que je l'avais vécue la nuit précédente était proche. Je cherchai mon souffle, ma tête oscillant doucement sur l'oreiller. Ma respiration se saccada et mes lèvres formèrent un O silencieux lorsque la délivrance me happa. Les muscles de mon sexe se crispèrent autour de Brodick qui accéléra la cadence et se laissa aller à son tour.

– Isla..., souffla-t-il en se raidissant.

Dieu qu'il était beau en cet instant de pure extase. J'aurais pu l'observer durant des heures, ainsi captif d'une douce agonie. Mais il s'effondra sur le lit, m'entraînant avec lui pour que je sois allongée à ses côtés, la tête sur son épaule. Le souffle encore court, nous laissâmes le silence s'installer entre nous.

Lentement, je dérivai dans le sommeil, comblée.

Les ombres bougeaient étrangement dans Mary King's Close. La température avait drastiquement chuté depuis ma visite d'hier. Un nuage de vapeur s'élevait dans l'air lorsque je respirais. Même la lumière était singulière, mes yeux n'arrivaient pas à s'ajuster aux reflets du Nor'loch sur les édifices. Je me sentais étourdie par un étrange sentiment de détachement.

À nouveau, les portes se refermaient sur mon passage, mais cette fois, c'est avec une expression d'horreur que les gens me dévisageaient avant de se réfugier chez eux. Chaque rencontre me donnait l'impression d'être l'incarnation du mal, et je savais d'avance que ma quête serait vaine, car personne n'accepterait de me parler.

Brodick, pensai-je, *pourquoi avoir refusé de m'accompagner?*

Il avait prétexté avoir des affaires pressantes à régler et était parti aux premières lueurs de l'aube sans un regard en arrière. Je m'étais sentie souillée, utilisée. Il n'avait fait que prendre ce que j'avais docilement donné.

Je réalisai soudain que j'avais laissé le médaillon dans la poche de la robe que j'avais remise à Meghan. Comment avais-je pu être aussi négligente? Que disait-il déjà? Ah! Oui! « B., dans les profondeurs de Mary King's Close ». Qu'est-ce que ça pouvait bien signifier? « B » pouvait désigner tant de choses! Comment savoir?

Un vent venu de nulle part souffla soudain, soulevant mes cheveux, et dans l'obscurité, au fond de la ruelle, je vis apparaître une silhouette fantomatique. Les yeux agrandis, je regardai la forme bouger et onduler dans une aura bleutée, puis exploser en une flamme vive qui s'éteignit aussitôt. Le cœur battant la chamade, je me demandai quel genre de spectre venait de se manifester. Effrayée, je n'avais pas envie de m'attarder ici plus longtemps. Je me mis à reculer lentement, faisant le moins de bruit possible, retenant mon souffle de peur de voir réapparaître la vision.

Le vent soufflait de plus en plus fort, me fouettant le visage et rabattant ma cape contre ma poitrine. Les rafales semblaient venir de toutes les directions à la fois, me donnant l'impression de subir un assaut sauvage. Les détritus s'envolaient en tourbillonnant autour de mes jambes et la poussière me piquait les yeux. J'avais peine à regarder autour de moi.

Personne ne viendrait-il donc à mon aide ? Le tourbillon de vent semblait localisé autour de moi, le reste de la ruelle paraissait calme. Ma jupe était soulevée et s'enroulait autour de mes genoux, entravant mes mouvements de retraite.

Soudain, je tendis l'oreille. Un chuintement se faisait entendre au loin.

À cause du sifflement du vent, je n'arrivais pas à bien distinguer ce qui pouvait causer ce bruit étrange. Cela semblait venir de partout à la fois, tout comme les bourrasques. Mais le son se rapprochait tandis que je tentais d'écarter mes cheveux de mon champ de vision, regardant partout autour avec affolement.

– À moi ! tentai-je de hurler, mais ma voix s'éteignit au milieu des rafales.

Le chuintement s'amplifia pour devenir un ignoble chuchotement, le murmure d'un millier de voix discordantes exigeant de se faire entendre toutes à la fois. Je connaissais ces voix, je les avais entendues dans mes visions auparavant. Ma terreur se décupla. Tant que je savais que ces voix appartenaient au monde du rêve, je pouvais les supporter, mais qu'elles m'entourent dans la réalité, je ne croyais pas pouvoir y survivre. Étais-je cinglée ?

Je tentai de fuir, mais me retrouvai clouée sur place, paralysée par la peur. Au milieu de tous les remous, j'aperçus des yeux qui me fixaient à travers les fenêtres des habitations. Non seulement ces gens m'abandonnaient à mon sort, mais ils allaient désormais certainement m'associer à la sorcellerie et me faire pendre haut et court !

Mon souffle devenait superficiel et je n'arrivais pas à me battre contre la force de ce phénomène. La lumière changea autour de moi et des distorsions apparurent dans les ombres. D'autres silhouettes bleutées surgirent et se volatilisèrent après avoir pris feu. Ma gorge se serra et j'eus peur de mourir ici, seule. Je devais avancer. Je devais me déplacer vers l'extrémité fréquentée de Mary King's Close et atteindre Lawnmarket, c'était ma seule chance. Avec un immense effort de volonté, je réussis à faire un pas vers la lumière. Mais alors, un bruit épouvantable résonna derrière moi, comme des ongles que l'on fait crisser sur une ardoise. Je me figeai.

Elle était là.

La présence. La voix. La plus immonde de toutes, celle que je craignais par-dessus tout.

Non !

– *Islaaaa*, murmura-t-elle de son timbre démoniaque.

Au comble de la panique, je me mis à trembler violemment. Je n'arrivais jamais à fuir cette voix tyrannique, quoi que je fasse.

– *Trouve Bridget !*

Bridget ? Je n'arrivais pas à réfléchir, encore moins à assembler mes idées pour former un tout cohérent. Un brouillard s'élevait dans la ruelle, m'entourant de ses doigts gelés.

– *Bridget*, répéta la voix, comme un écho.

Bientôt, ce seul mot, ce nom, se répercuta sur les parois de mon crâne à l'infini, s'amplifiant et m'enlevant ce qui me restait de capacité de réflexion. Je ne percevais plus rien d'autre que cette résonnance.

Mes genoux cédèrent.

Je hurlai.

Les étoiles scintillaient de leur froide lumière lorsque Süleyman arriva à destination. Malgré l'heure tardive, mille lampes semblaient éclairer l'intérieur de la chaumière et une voix monotone lui parvenait, psalmodiant des paroles étranges. Il pénétra dans l'habitation sans même frapper et se figea sur le pas de la porte, la main sur la poignée. Les yeux clos, la sorcière se tenait près de sa table, où des bougies de différentes couleurs étaient allumées. Une forte odeur de clou de girofle flottait dans la pièce.

Elle déclamait des phrases inintelligibles, mais le Turc put en saisir des bribes qui le pétrifièrent. « … te voilà sous mon emprise », « tes capacités d'agir sont maintenant suspendues », « Isla, tu m'es désormais soumise en pensées, en actes et en paroles… »

La fureur s'empara de Süleyman qui s'avança et balaya du bras tous les objets qui se trouvaient sur la table de travail. Les bougies s'éteignirent avant même de toucher le sol. La femme ouvrit les yeux et tendit une main vers lui en criant :

– Vous ne devez pas pénétrer dans le cercle ! Les énergies ne sont pas dissipées !

L'homme baissa les yeux lorsque crissèrent sous sa botte du gros sel et de la terre. Un cercle entourait la femme, la protégeant prétendument des esprits du mal. En fixant l'ensorceleuse droit dans les yeux, il effaça une partie du cercle avec son pied. Celle-ci pâlit et recula d'un pas.

– Vous venez de libérer des forces maléfiques qui…

– Taisez-vous ! ordonna le Turc, hors de lui. Depuis quand utilisez-vous la magie noire sur elle, *cadi* ?

– Elle a besoin d'aide !

– Depuis *quand* ?

La femme déglutit et murmura :

– Depuis quelque temps.

Süleyman avança sur elle et la saisit à la gorge.

– Si vous lui faites du mal, je vous tuerai !

L'ensorceleuse ferma sa main sur l'avant-bras de son agresseur. Il était furieux.

– Je n'ai jamais voulu lui faire de mal ! se défendit-elle.

– À d'autres !

Le Turc avait une soudaine envie d'éliminer cette horrible harpie. Même s'il n'avait pas l'habitude de s'en prendre à des femmes, il savait qu'il éprouverait une immense satisfaction à libérer la planète de cette sorcière. Mais il avait encore besoin d'elle.

– Süleyman, vous devez comprendre… Isla n'est pas comme vous. Elle est une abomination. Si un jour elle a conscience de ce qu'elle peut accomplir, elle sera redoutable !

– Elle est la personne la plus douce et la plus équilibrée que j'aie rencontrée dans votre pays de sauvages !

Il resserra sa poigne autour de la gorge de la femme avant de continuer :

– En revanche, vous êtes un être exécrable ! Vous la manipulez comme un vulgaire pion ! Et vous prétendez l'aimer ?

La sorcière s'écria :

– Bien sûr que je l'aime ! Elle est ma *fille*, pour l'amour de Dieu !

– Non, madame. Vous ignorez ce qu'est l'amour.

La femme leva sa main difforme en signe de reddition. Elle étouffait. Il la fixa longuement d'un regard mauvais avant de la libérer avec un rictus de dégoût.

– Que faisiez-vous, à l'instant ?

L'ensorceleuse eut la décence de fixer le plancher. Elle inspira avant de lâcher dans un souffle :

– Elle est une femme, désormais. La prophétie doit suivre son cours.

– Vous êtes ridicule avec votre présage !

– C'est son destin !

Süleyman abattit son poing sur le mur, près de la tête de la sorcière.

– Je ne le dirai qu'une fois, Élisabeth Catriona Horne : si vous ne laissez pas Isla tranquille, je vous tuerai à mains nues !

La femme ferma les yeux. Son mode de vie lui avait certainement volé sa jeunesse. Elle avait l'air vieille et désabusée.

– Très bien, Süleyman.

Elle passa sous son bras tendu et s'éloigna de quelques pas avec soulagement avant de reprendre :

– Pourquoi êtes-vous ici ? Je ne vous dirai rien de plus que les fois précédentes.

Il se mordilla l'intérieur de la joue, en pleine réflexion. Avant qu'il ne réponde, elle éclata d'un rire sardonique :

– Vous l'avez perdue, n'est-ce pas ? Vous n'avez ni ma fille, ni le médaillon.

En même temps qu'elle parlait, il acquiesça de la tête, sans la regarder.

– J'ai *besoin* de savoir ce que disait ce médaillon, fit-il. Garder le silence plus longtemps ne vous apportera rien. Et je dois protéger Isla de gens comme vous !

– Oh, mais Isla n'a pas besoin de votre protection ! Elle se débrouille fort bien toute seule.

Le ton de la femme était si mielleux qu'il releva subitement la tête. Faisant fi de son expression menaçante, elle continua, comme pour elle-même :

– Consommer cette union hors des liens du mariage… Je reconnais bien là ma petite fille : passionnée et impulsive. J'ai toujours su que cette enfant…

– Ça suffit, *cadi* ! l'interrompit Süleyman.

Il fit un pas vers Élisabeth et pointa une lame sous son menton. Une étincelle de rage brute brillait dans ses prunelles.

– Je ne vous laisserai pas me mener en bateau plus longtemps. Dites-moi où elle est. Maintenant !

– Isla !

Je m'éveillai en sursaut, la poitrine dans un étau et le souffle court. Il fallut un moment pour que Mary King's Close s'efface de ma rétine et que je me retrouve dans le lit d'une pension de Lawnmarket, à Édimbourg. Brodick était penché sur moi, les sourcils froncés, et attendait visiblement une réaction de ma part. Sa main était posée sur ma joue et son pouce caressa ma pommette, effaçant une larme que je n'avais pas eu conscience de verser.

– Encore ce rêve ?

Un rêve ? Non. Je ne savais comment décrire ce que je venais de vivre, mais ce n'était pas un rêve. Mon esprit avait-il voyagé dans une autre réalité, ou étais-je victime d'hallucinations ? Allais-je finir par perdre la tête ? Le sentiment de peur panique était toujours présent et je ne pus m'empêcher de regarder autour de moi pour m'assurer que tout était normal. La chambre était paisible, les braises rougeoyant dans l'âtre. Dehors, le vent soufflait, sifflant autour de la fenêtre. Brodick me tenait dans ses bras, sa chaleur contrastant avec ma peau glacée. Lorsque mon regard revint au sien, il y resta accroché un instant, et je lus l'inquiétude et la perplexité sur son visage.

– Je n'arrivais pas à te réveiller. Tu as ouvert les yeux, mais tu regardais à travers moi.

– Non… non, je dormais, je t'assure.

Incrédule, il me dévisagea en secouant la tête. Puis il me serra contre lui, et je me mis à pleurer.

– Je sais quand tu mens, me rappela-t-il en murmurant dans mes cheveux.

Je sanglotai de plus belle.

– Oh, Brodick ! Je voudrais tant pouvoir t'expliquer… C'est si horrible !

Il caressa ma chevelure. Je me blottis dans sa chaleur et l'abri de ses bras. Je ne voulais plus qu'il me lâche, jamais.

– Parle-moi, dit-il en appuyant son front sur le mien.

Ma voix trembla lorsque je chuchotai :

– Je ne retournerai pas à Mary King's Close. Jamais.

– Très bien. Mais que fais-tu du médaillon et de la quête qui semble tellement te tenir à cœur ?

Je secouai la tête.

– Je ne peux pas y retourner.

– Même avec moi ?

Je gardai le silence. Que pourrait-il faire si l'entité s'en prenait à moi ailleurs que dans mon sommeil ? S'en prendrait-elle aussi à lui ? Il reprit :

– Nous verrons demain matin. À la lumière du jour, tout semble toujours plus relatif.

Il avait raison. Une partie de mon esprit ricana sournoisement, me traitant de sotte de croire à ces stupides visions. Moi, la guérisseuse rationnelle, n'aurais-je pas dû savoir que je ne risquais rien, que ce phénomène n'était que le fruit de mon imagination débordante ? L'aspect sombre et décrépit de Mary King's Close avait probablement influencé mon subconscient. Et pourtant, comment ces voix pouvaient-elles me souffler les réponses des énigmes qui se présentaient à moi aux moments les plus inattendus ? Était-ce une forme de souvenirs qui ressurgissaient de mon enfance, qui ramenaient à ma mémoire des faits concrets que j'avais ensevelis pour les oublier ? Cette explication me paraissait la plus plausible, mais lorsque ces visions se manifestaient, je me mettais à douter, car elles étaient plus que réalistes. Elles étaient cauchemardesques. Comme des griffes brumeuses s'infiltrant dans mon cerveau pour m'imposer des actions que je ne tenais pas à accomplir.

Je me tournai dans les bras de Brodick et il plaqua son torse contre mon dos. Je sentis immédiatement son désir se rallumer, mais il ne fit pas un geste pour m'inviter à autre chose que ce doux moment de réconfort. Il me tint contre lui sans rien dire, m'offrant simplement sa présence en respirant doucement dans mes cheveux. Après un instant, il murmura :

– Je peux comprendre que tu n'aies pas envie d'en parler et je respecte ta volonté. Mais sache que je peux t'écouter si l'envie te prenait de libérer ton esprit de ces horreurs.

Je fermai les yeux. Comment pouvait-il être un individu sans scrupules dans certaines sphères de sa vie et être aussi attentionné envers moi ? Cet homme était un paradoxe sur deux jambes ! Pour toute réponse, je pressai mes fesses contre son érection, avec l'envie de penser à des choses plus agréables que ces cauchemars atroces.

Il m'immobilisa d'une main sur ma hanche.

– Ne me provoque pas, *banshee* !

Je souris. Le surnom était à la fois affectueux et railleur C'était sa façon de reconnaître cette magie étrange qui faisait partie de moi tout en gardant une certaine réserve. Chaque seconde, je m'étonnais que, malgré sa réticence, il continue de m'aider dans ce qu'il croyait être une lubie de ma part.

De nouveau, je moulai mon bassin au sien et il émit une exclamation étouffée. Je voulais l'exciter, le séduire, qu'il me désire et qu'il me fasse oublier mes tracas. Il caressa la pointe de mon sein du bout des doigts et se glissa en moi sans se faire prier. Je m'abandonnai, oubliant tout de Mary King's Close, d'une certaine Bridget et de mes angoisses. À cet instant, je me dis que j'avais assurément trouvé mon havre de paix.

Jusqu'à ce que tout se gâche.

Chapitre IX

Ira furor brevis est

– Adhamh ! appela l'évêque en entrant dans la bibliothèque d'un bon pas. Des nouvelles de Brimstone Ross ?

Le vieil homme sursauta et rajusta ses lunettes sur son nez.

– Un courrier est venu livrer une dépêche de sa part, monseigneur. Elle est sur votre bureau.

– Il était temps !

L'évêque s'enferma dans son bureau et brisa le sceau. La missive était brève et difficilement lisible, avec une orthographe douteuse. Mais l'homme de Dieu ne s'attarda pas à ces considérations. Pour tout dire, il était déjà heureux que Brim sache écrire. Il lut rapidement les quelques mots et jeta la lettre sur le secrétaire devant lui.

« MacIntosh introuvable. Aurais du etre ici il y a trois nuis. Je garde l'oeil ouvers. »

Le prélat soupira et gratta sa tête blanche. Cette affaire se complexifiait d'heure en heure. Les gens des patelins environnants avaient appris ce qui s'était passé à Glenmuick et vivaient dans la peur qu'une telle tragédie se reproduise. Quelques familles avaient quitté la région, d'autres venaient se lamenter à sa porte. Bien qu'il leur assure que la situation était sous contrôle, il n'en était rien.

Il rouvrit la porte de son bureau.

– Adhamh ! Faites préparer l'attelage.

Il allait lui-même se rendre sur les lieux de la tuerie de Glenmuick. Il avait besoin de voir l'endroit et d'absoudre les âmes des défunts. Il devait se recueillir et décider par la suite des actions à entreprendre.

À la troisième taverne, Brodick repéra les cheveux en bataille de Brim et se fraya un chemin à travers la clientèle hétéroclite de l'établissement. Malgré l'heure matinale, il y avait foule et les conversations allaient bon train. L'endroit était fait de boiseries sombres et de trophées de chasse, une décoration typiquement masculine, mais pas nécessairement de bon goût. Les tables étaient entassées et les serveuses devaient jouer des hanches pour pouvoir circuler.

Brim était affalé sur un banc de bois devant un scotch et regardait l'une d'elles aller et venir. Elle était visiblement très jeune avec des courbes plantureuses et des cheveux auburn. Lorsque Brodick fut assez près, il put lire la convoitise dans le regard de l'homme.

– À ta place, je l'oublierais. C'est la maîtresse du patron. Il la garde farouchement sous son aile.

Brim se redressa, surpris qu'on lui adresse la parole. Lorsqu'il reconnut son associé, il se renfrogna, mais lui serra la main.

– Où diable étais-tu passé ? Cunningham attend la cargaison, il est furieux !

Brodick prit place devant Brim et fit signe à l'une des filles de lui apporter la même chose que son ami. Il se frotta la mâchoire avec un air contrit.

– *Aye*, j'imagine. Il sera d'autant plus enragé lorsqu'il apprendra que j'ai perdu la moitié de la marchandise.

Brim recracha sa gorgée d'alcool.

– Quoi ?

Brodick haussa les épaules.

– Ce sont les risques de l'aventure.

– Et comment est-ce arrivé ? Tu n'as jamais laissé personne toucher à tes cargaisons, quitte à mettre ta vie en péril.

– Je n'avais pas que moi à prendre en compte, cette fois.

Brim secoua la tête.

– La fille... Elle est encore avec toi ?

Le géant acquiesça d'un mouvement de tête.

– Brodick, bon sang, à quoi joues-tu ? Je ne te reconnais pas. Toi qui n'as jamais manqué une livraison et qui as toujours mis un point d'honneur à fournir la marchandise, voilà que tu m'annonces avoir perdu ta cargaison pour... une femme ?

– C'est beaucoup plus compliqué que ça en a l'air, je t'assure.

– Alors, explique-moi, et vite, parce que j'ai vraiment envie de t'envoyer mon poing à la figure en ce moment !

MacIntosh sourit de toutes ses dents et adressa un signe de tête à la serveuse qui déposa un *dram* devant lui en lui décochant un regard aguichant, qu'il ignora.

– *Och*, c'est complexe comme situation, mais si tu as toute la journée...

– Abrège.

Plus Brim se rembrunissait, plus le sourire de MacIntosh s'élargissait. Il avait manifestement du plaisir à faire enrager son comparse. Mais il n'avait pas l'intention de tout dire. Certaines choses ne regardaient pas Brim, et connaissant le mauvais caractère de celui-ci, il voulait rester discret. Il fit donc un bref résumé, omettant volontairement plusieurs éléments pour se cantonner à l'essentiel.

Lorsqu'il se tut, Brim se contenta de le fixer durant un moment, puis il éclata de rire.

– J'ai toujours admiré ton talent de conteur, MacIntosh. Cette fois, tu te surpasses!

Brodick fit un geste vague de la main et changea de sujet.

– Revenons plutôt à la question qui nous intéresse. Nous allons livrer la moitié restante de la cargaison à Cunningham ce soir. Naturellement, il faut s'attendre à ce que nos revenus soient largement amputés.

– *Ton* revenu, MacIntosh. Ma cargaison est en sécurité.

Brodick se pencha, les mains à plat sur la table.

– Laisse-moi te rappeler, Brim, que sans moi tu serais mort cent fois. C'est moi qui t'ai tout appris et qui ai accepté que tu te joignes à moi. Cette marchandise, tu ne l'as pas acquise tout seul. Si tu avais perdu la tienne, j'aurais été le premier à te sortir du pétrin en te donnant la moitié de la paie. Je considère que nous travaillons ensemble, pour le meilleur et pour le pire, et tout ce que nous faisons, c'est à deux. Dans les bons et les moins bons moments. N'oublie jamais cela.

Les deux hommes s'affrontèrent du regard. Brim rageait d'avoir à diviser le magot, mais il se dit que s'il voulait avoir une chance de trouver la fille qui accompagnait Brodick, il devait éviter de se le mettre à dos. Pour l'instant. MacIntosh n'avait toujours rien révélé sur l'endroit où il la cachait. Il opta donc pour l'humour.

– Ce sont presque des vœux de mariage, *mo charaid dubh*[1].

Brim se força à sourire devant l'expression venimeuse de MacIntosh. Il poursuivit:

– Soit. Tu as raison. Tu viens avec moi rencontrer Cunningham pour fixer le lieu et l'heure du rendez-vous?

Brodick toussa.

– *Och, nay*. J'ai d'autres engagements en ce moment, mais je te rejoindrai ici au coucher du soleil.

---

1. « Mon ami noir » en gaélique.

– À ta guise. Ne sois pas en retard, par contre, ou je partirai sans toi. Et surtout, ne mêle pas la fille à ça.

Brodick déposa une pièce sur la table et se leva. Il touchait presque le plafond de l'établissement.

– Tu n'as rien à craindre d'Isla.

Lorsque le géant eut quitté la taverne, Brimstone se leva et le suivit. Il tâta rapidement sa botte pour s'assurer qu'il avait une arme dont il pourrait se servir en cas de besoin.

En voyant MacIntosh pénétrer dans la pension Drysdale, Brimstone eut une moue satisfaite. La jeune femme serait facile à leurrer.

Avant de partir à la recherche de son ami, Brodick m'avait fait promettre de ne pas bouger de la chambre. Encore blottie dans la chaleur de nos corps, j'avais facilement donné ma parole et m'étais rendormie avec un sourire après qu'il eut déposé un baiser sur mon front.

Maintenant, habillée de pied en cap, j'attendais son retour pour connaître la suite des événements. Mon dilemme était déchirant. Abandonner une quête que je sentais devoir mener à terme, et par le fait même, mettre fin à cette drôle d'association avec Brodick MacIntosh. Ou retourner à Mary King's Close tout en sachant que j'étais tétanisée chaque fois que je songeais à cette ruelle sombre et à ma vision nocturne, mais aussi que dans ce cas, je serais avec lui.

Aucune de ces options ne me paraissait acceptable. La solitude ou l'angoisse. D'aucuns m'auraient traitée d'idiote d'être aussi effrayée par un simple rêve, mais au plus profond de mon âme, je savais qu'il y avait un fond de vérité dans ces visions, et chaque jour, je vivais avec la peur de vivre un autre de ces épisodes imprévisibles.

Calée dans le fauteuil de la chambre, les genoux sous le menton, je fixais les flammes dans l'âtre sans les voir quand, soudain, des chuchotements se firent entendre derrière la porte. Je tentai de les ignorer, mais ils persistèrent un long moment. Je crus reconnaître la voix de Brodick et la curiosité l'emporta.

Sur la pointe des pieds, je m'approchai de la porte et y collai mon oreille. Si la voix de l'homme appartenait bien à MacIntosh, je ne reconnus pas celle de la femme avec qui il se chamaillait.

– Je ne t'ai jamais rien promis. Ce qui s'est passé entre nous était d'un commun accord et il était clair que ce n'était l'affaire que d'une nuit. Rien de plus.

– Vous vous êtes servi de moi ! Et si j'étais tombée enceinte ? Vous m'avez laissé croire qu'il y avait quelque chose de spécial entre nous !

Brodick soupira.

– *Nay, a Meghan*, j'ai été très clair, souviens-toi.

Meghan ! J'avais donc raison ! Elle éprouvait des sentiments profonds pour Brodick. En revanche, je n'avais pas soupçonné qu'il l'avait séduite. Dans cette chambre ? Dans ce lit ?

– Je ne peux pas croire votre audace ! Ramener votre *femme* ici, sous mes yeux, alors que la dernière fois que vous êtes venu, vous m'avez donné espoir en votre retour !

– Je suis désolé que mon mariage t'affecte ainsi…

J'en avais assez entendu ! Je m'éloignai de la porte, assaillie par un flot de questions. Est-ce que Brodick aurait été plus loin dans sa relation avec Meghan si je n'avais pas été là ? Est-ce qu'une union éventuelle aurait été possible ? Meghan avait-elle vraiment été éconduite ? Brodick lui avait-il promis quelque chose de plus tangible à son retour ?

Ce qui me troublait le plus, toutefois, était la similitude entre nos histoires. À la différence de Meghan, je savais que mon aventure avec lui ne mènerait nulle part, mais la pensée d'avoir été séduite alors que j'avais cru percevoir chez lui de la tendresse me faisait vivre des sentiments ambigus. N'étais-je qu'une autre fille pour lui ? Un autre corps ? Pour moi, la nuit dernière avait été mémorable. Il m'avait permis de me sentir vivante, importante, et j'avais flotté un moment sur ce nuage de plénitude et de réconfort. En cet instant, mon nuage gisait crevé sur le sol. Sans doute n'avais-je rien de plus spécial que cette pauvre femme de chambre et que toutes les autres avant elle.

J'entendis la poignée tourner et tentai de me recomposer une expression neutre. Je n'allais pas le laisser me blesser, je n'avais pas non plus l'intention de subir l'humiliation d'une confrontation comme celle dont je venais d'être témoin. Était-ce là la réponse que j'attendais ? Abandonner ma quête et laisser partir Brodick me semblait désormais la solution la plus sage à mon dilemme.

Il entra de son pas mesuré, la mine renfrognée. Il eut un regard satisfait en voyant que j'étais toujours là. Que croyait-il donc ? Que j'irais escalader Arthur's Seat[2] durant son absence ? Je lui adressai un sourire que je voulais naturel, mais qui dut lui paraître crispé, car il fronça les sourcils.

– Tout va bien ? s'enquit-il en s'approchant de moi.

Je me tendis. Je n'avais pas envie qu'il soit attentionné et qu'il s'inquiète, véritablement ou non, de mon bien-être. J'avais envie qu'il soit honnête, qu'il me dise la vérité et que son comportement envers moi soit intègre. C'est tout ce que je demandais.

– Oui, bien sûr ! As-tu trouvé Brimstone ?

Il passa une main dans ses cheveux.

---

2. « Le siège d'Arthur » est une colline de deux cent cinquante et un mètres d'altitude, point culminant de Holyrood. Elle est située près du centre de la ville d'Édimbourg.

– *Aye. Aye.* Isla, je dois te dire…

Je retins mon souffle. Était-ce le moment où il allait me dire qu'hier soir était une erreur? Son expression était austère.

– Nous allons livrer la cargaison d'armes ce soir. C'est toujours risqué. Si je ne revenais pas…

– Ne dis pas de bêtises!

Il continua comme si je n'avais rien dit en me tendant un pli:

– Si je ne revenais pas, voici une lettre signée de ma main pour mon cousin Euan, qui habite à Glasgow. Il y a aussi une somme d'argent qui te permettra de voyager par malle-poste[3] jusque chez lui. Je lui demande de te prendre à son service et sous sa protection jusqu'à ce que tu puisses te débrouiller seule.

Je pâlis.

– Me prendre à son service?

– Euan est un marchand de textiles. Il pourra te trouver du travail, soit chez lui, soit dans son entreprise.

Je me retrouvai dans un état de confusion grandissant. MacIntosh n'allait peut-être pas revenir et il organisait son départ comme on organise une transaction d'affaires. Je repoussai sa main.

– Tu n'as pas à faire ça, Brodick. Je saurai prendre soin de moi. Tu peux avoir l'esprit tranquille.

Il mit deux doigts sous mon menton et m'obligea à le regarder.

– Avoir l'esprit tranquille? N'as-tu donc rien compris?

– Comprendre quoi? Tu n'es pas responsable de moi. Tu ne me dois rien! Est-ce que toi tu peux comprendre cela?

– *Aye*, murmura-t-il. *Aye*, je comprends.

Après une longue pause, il reprit:

3. Diligence transportant courrier et voyageurs.

– Tu dois cesser de croire que tu es un fardeau. Je ne fais pas ça pour avoir l'esprit tranquille. Je le fais parce que tu as de l'importance à mes yeux.

Je retins mon souffle. Moi ? Importante ? Il resta là, à me fixer de son regard obscur, et j'eus soudain honte. Honte d'avoir douté de lui. D'avoir écouté aux portes.

– Brodick, je… Hier, après ton départ, quand Meghan est venue préparer mon bain, je me suis rendu compte que ses yeux brillaient en prononçant ton nom et qu'elle… eh bien, qu'elle aurait voulu me voir disparaître sur-le-champ. Pour rien au monde je ne voudrais empêcher quoi que ce soit entre vous, si tels étaient vos projets. Je…

Il leva brusquement la main.

– Meghan était une erreur. Je n'aurais pas dû lui donner d'espoir. J'étais saoul et je croyais avoir mis les choses au clair. Je n'ai aucune excuse, je suis un homme, voilà tout.

Le sujet était manifestement clos. Il n'allait rien ajouter. Je pris le pli qu'il me tendait toujours et le déposai sur le lit. J'hésitai à prononcer les mots qui me serraient la gorge.

– Brodick. Je n'ai jamais eu d'importance pour qui que ce soit, sauf mon oncle, peut-être. L'idée de compter pour quelqu'un me gonfle le cœur, mais je n'arrive pas à y croire. S'il te plaît, ne joue pas avec moi.

Il eut un rire sans joie.

– Je peux comprendre que tu n'aies pas l'habitude d'être estimée, mais ai-je fait quelque chose qui te laisse croire que je ne suis pas sincère ? Je t'ai dit que tu avais de la valeur à mes yeux. Et je dis *toujours* la vérité.

Je me raidis, piquée. Son insinuation était flagrante.

– Tu m'accuses encore de te duper ? Dois-je comprendre que je n'ai pas mérité ta confiance jusqu'à présent ?

– Non. Je suis désolé.

Sur ces mots, il se détourna. J'avais sans doute mérité cette condamnation. Je retenais souvent la vérité. Mais j'avais une bonne raison de le faire. Blessée par ses paroles, je mis un moment à retrouver mon souffle. Je pinçai les lèvres et ne dis plus rien. Après un long moment où ni l'un ni l'autre ne parla, il revint vers moi et posa rudement sa main sur mon épaule.

– Toi non plus, tu ne me fais pas confiance ! Si tu me disais tout, je serais plus en mesure de t'aider et de te protéger. Au lieu de ça, tu me laisses marcher à tâtons. Tu ne me dis jamais rien, mais je peux lire la détresse dans tes yeux !

– Ne comprends-tu pas que c'est pour ton bien ? criai-je, triste et blessée.

Il me dévisagea, surpris par mon explosion de colère. Je n'étais pas prête à me taire.

– Tu es important aussi à mes yeux et je veux te protéger ! De moi ! Et puis, comment te laisser entrer dans le monde qui est le mien si tu n'y crois pas ? « Balivernes », c'est ce que tu répètes toujours ! Je me sens comme une idiote à chaque fois !

Il ferma les yeux comme s'il souffrait. Je poursuivis sur ma lancée :

– Avec toi, j'ai l'impression d'être entre deux vagues. La première est chaude, enveloppante et me fait flotter, tandis que la seconde est une douche froide qui me suffoque ! J'essaie de nager entre ces émotions contradictoires, mais je me sens tirée vers le fond. Je n'ai jamais été aussi confuse de toute ma vie !

En prononçant ce dernier mot, je le frappai de mon poing à la hauteur du cœur. Il saisit mon poignet et gronda :

– *Sguir dheth*[4] !

Je tentai de me libérer, mais il avança sur moi, m'acculant contre le mur. Sa poigne était de fer et son visage, de glace. Je dus lever la tête pour croiser son regard.

---

4. « Assez ! » en gaélique.

– C'est maintenant ou jamais. Je veux la vérité. Parle ! ordonna-t-il.

– Que veux-tu que je te dise ? Tu ne crois pas aux prophéties !

– Que cherches-tu dans Mary King's Close et pourquoi, Isla ?

Je déglutis. Pourquoi avait-il eu à poser cette question ? Comment lui expliquer que les voix dans mon rêve m'avaient dit de chercher une femme du nom de Bridget ?

– Réponds-moi ! rugit-il.

Je frémis. Jamais je ne l'avais vu dans un tel état. Il était effrayant. D'une voix blanche, je le suppliai :

– Lâche-moi, Brodick. S'il te plaît.

Il baissa les yeux sur mon bras et me lâcha aussitôt qu'il vit la marque de ses doigts imprimée sur ma peau. La douleur était supportable, mais je vis la culpabilité se dessiner sur ses traits.

– Je suis désolé. Tu trembles.

Sa colère s'évapora aussitôt et il m'attira contre lui. Il continua de chuchoter des excuses dans mes cheveux. Je ne l'écoutai pas vraiment. Une partie de mon être se méfiait désormais de MacIntosh. Il était un homme comme les autres. Je sentis quelque chose en moi se briser.

Je ne lui rendis pas son étreinte. Je ne répondis pas.

Il recula d'un pas, planta un doux baiser sur mes lèvres et sortit de la chambre en toute hâte. Je glissai le long du mur et appuyai mon front sur mes genoux. Je ne pouvais pas croire que nous nous soyons laissés en ces termes. Je n'allais peut-être jamais le revoir. Il était parti risquer sa vie pour quelques armes.

Après quelques minutes, j'entendis la porte s'ouvrir. Il était revenu ! Lorsque je relevai la tête, je me figeai. Ce n'était pas lui.

Brimstone se tenait sur le seuil.

Chapitre X

Dies irae

– J'ai vu Brodick sortir en trombe. Tout va bien ?

Il était beaucoup plus amical que dans mon souvenir. Je me relevai et secouai mes jupes.

– Oui, pourquoi cela n'irait pas ? Brodick était pressé, voilà tout. N'allait-il pas vous rejoindre quelque part, d'ailleurs ?

L'homme sourit en haussant les sourcils.

– Pas avant le coucher du soleil. Ne vous l'a-t-il pas dit ?

Je décidai d'ignorer la question.

– Écoutez, Brimstone, je partais à l'instant. Si vous souhaitiez voir Brodick, vous n'aviez qu'à le suivre.

Brimstone regarda autour de lui et s'appuya au cadre de la porte.

– Je voulais d'abord m'assurer que vous étiez en sécurité. Avec Brodick, on ne sait jamais…

Je relevai brusquement la tête.

– Que dites-vous ?

– Bien sûr, il ne vous l'aura pas dit. MacIntosh a une réputation peu flatteuse à l'égard des femmes. La seule qu'il ait aimée, c'est la femme de son frère. Les autres, il les prend et les jette comme bon lui semble. Il lui est même arrivé d'être violent.

J'avais du mal à croire ce que j'entendais, mais Brodick ne venait-il pas de me prouver qu'il pouvait s'emporter ? Il s'était contrôlé au dernier moment, mais aurait-il pu aller plus loin ? S'il était impulsif en ce qui avait trait aux Anglais, il pouvait très bien l'être avec le sexe faible.

– J'apprécie votre sollicitude, Brimstone. Mais je vais très bien, je vous assure. Je dois partir, maintenant.

Brim fit un pas dans la chambre, l'air nonchalant, et ferma la porte d'un coup de pied. Je sentis mon cœur s'emballer. Mon instinct de survie criait tout à coup au danger !

– Que voulez-vous ? demandai-je d'une voix qui trembla malgré moi.

– Je suis venu vous offrir ma protection. Vous risquez gros avec MacIntosh. Il pourrait vous blesser. S'il est allé se saouler dans une taverne, il ne se contrôlera plus à son retour. Venez avec moi, je peux vous mettre à l'abri !

Mon esprit était rempli de doute. Je me méfiais de Brimstone et de son accès d'altruisme. D'un autre côté, les paroles de Brodick résonnaient dans ma tête : « J'étais saoul et je croyais avoir mis les choses au clair. » J'avais soudain besoin d'air. Besoin de me soustraire à la protection de ces hommes qui m'étouffaient en prétendant me vouloir du bien. Il me fallait retrouver ma liberté. Prendre mes distances et refaire ma vie loin d'eux. Je passai subtilement près du lit et ramassai le pli que Brodick m'avait laissé.

– Je vous remercie pour votre offre, mais je crois pouvoir me défendre seule. Partez l'esprit tranquille, dis-je en lui indiquant poliment la porte.

L'homme changea subitement de physionomie et je pus lire un mélange de convoitise et de malveillance dans ses yeux. Il n'était pas ici pour mon bien. Non, il avait une fin plus obscure. Encore une fois, mon cœur fit trois tours.

– Je ne bougerai pas d'ici tant que vous ne m'aurez pas dit ce qui s'est vraiment passé à Glenmuick le jour de l'attaque, lança-t-il.

Pourquoi fallait-il qu'il ramène ce sujet sur le tapis alors que je tentais d'éviter d'y penser ?

– Je n'ai aucun souvenir de ce jour-là. Vous le savez. Maintenant, sortez !

– Oh, vous pouvez jouer les saintes-nitouches avec Brodick, mais pas avec moi. Vous allez me dire la vérité.

Je fis deux pas en arrière et Brimstone se pencha, glissant la main dans sa botte. Je vis l'éclat froid du métal briller dans sa main. Une lame aiguisée qu'il ne tenta pas de dissimuler plus longtemps. Il traversa la pièce et m'agrippa par le poignet.

– Parlez, sorcière, sinon c'est le bûcher qui vous attend !

J'avalai de travers. *Non ! Pas ça !*

– Écoutez-moi ! suppliai-je. Je vous jure que je ne sais rien de ce qui s'est passé. Je ne pourrais rien vous dire même si je le voulais de toute mon âme ! Ne comprenez-vous pas que j'ai perdu des gens que j'aimais, ce jour-là ? Si je pouvais désigner le coupable, je le ferais. Laissez-moi partir, Brimstone, je vous promets que vous n'entendrez plus jamais parler de moi.

– Vous continuez à vouloir faire croire que vous êtes innocente et que vous n'avez rien à voir dans cette histoire ? Mais je n'avale pas votre farce. Vous mentez, et je hais les petites fourbes comme vous !

Il me traîna à travers la chambre et me jeta contre le mur. Ma tête heurta violemment la cloison. Je sentis bientôt la lame sur ma jugulaire.

– Un geste et je vous saigne comme une truie.

Je m'immobilisai, convaincue qu'il n'hésiterait pas à mettre sa menace à exécution. N'étais-je donc en sécurité nulle part ? D'une main, il déboutonna sa braguette et exhiba son sexe tendu. Tous ceux qui prétendaient me vouloir du bien ne faisaient en fait qu'assouvir leurs désirs.

– Allez-vous parler, maintenant, ou dois-je utiliser des arguments plus convaincants ?

Il laissa tomber le couteau par terre et m'agrippa par les cheveux à deux mains. Il me força ainsi à m'agenouiller, puis m'immobilisa en tordant son poing dans ma chevelure. Ce qui avait été la veille un geste érotique de la part d'un homme devenait une sujétion abominable de la part d'un autre.

Il approcha son sexe de mon visage et se caressa. Puis il pressa son érection contre mes lèvres scellées. Les larmes brûlaient mes yeux, mais je me jurai de ne pas lui donner la satisfaction de me voir pleurer. Quelle humiliation ! Tandis que j'essayais de rassembler mes esprits et que je me demandais si je pourrais inventer une histoire qui le contenterait, il recula d'un pas et lâcha mes mèches. Je crus alors qu'il allait m'épargner, mais au lieu de ça, il agrippa des deux mains les bords de mon corsage et, d'un mouvement sec, il l'ouvrit en faisant voler les boutons dans toute la pièce.

– Je vous en prie, ne faites pas ça ! criai-je. Je vous en supplie !

Après avoir récupéré son arme au sol, il me prit par le bras et me jeta sur le lit. Il déchira ma chemise et exposa mes seins. Puis il remonta mes jupes, dévoilant ma féminité. De mes mains, je tentai de me couvrir pour préserver un peu de fierté, mais il s'empara de mes poignets. Bientôt, sa bouche fut sur moi, ses lèvres sur ma poitrine, et le dégoût me donna la nausée.

Je remontai mon genou pour le frapper, mais il esquiva. Sa main malaxait douloureusement mon sein et sa bouche tentait de pénétrer la barrière de mes lèvres. Il se redressa entre mes cuisses et me frappa au visage. Je vis des taches noires durant un moment, tandis qu'il s'excitait en caressant son sexe et en me regardant. Je sentis que les dés en étaient jetés. Quoi que je dise, quoi que je fasse, il était beaucoup trop excité pour arrêter maintenant. Plus je tentais de me libérer, plus il était stimulé. Il frotta son sexe contre le mien en fermant les yeux.

Je réalisai alors que, dans son excitation, il avait posé le couteau sur le matelas, près de mon genou. Je choisis ce moment pour m'en saisir et l'enfoncer avec force dans son épaule. Surpris, il émit une exclamation de douleur et opposa peu de résistance lorsque je le poussai. Je bondis hors du lit et me précipitai vers la porte.

– Reste ici, salope! rugit-il dans mon dos.

Mais j'avais déjà traversé le couloir et dévalais l'escalier à toute vitesse.

En débouchant dans le hall de la pension, je tentai tant bien que mal de cacher ma nudité en rassemblant les lambeaux de ma robe sur ma poitrine. Je jetai un regard autour de moi. Sur une patère à l'entrée, un châle était accroché et je m'en emparai pour me couvrir. J'entendis Brimstone hurler et ses pas résonner dans la cage d'escalier. Je devais fuir.

Pouvais-je me réfugier dans la cathédrale? Non, l'endroit serait désert à cette heure-ci et Brimstone m'attraperait facilement. Instinctivement, je traversai Lawnmarket en courant et me dirigeai vers le seul endroit que je connaissais: Mary King's Close. Les passants me dévisagèrent lorsque je les bousculai, mais je ne voulais pas m'arrêter. Mon agresseur était sur mes talons. Je croyais l'avoir blessé gravement, mais il tenait encore debout.

Je dévalai la pente de la ruelle à toute vitesse. Les commerces étaient achalandés, aujourd'hui, mais j'y portai peu d'attention, sinon pour contourner les badauds afin de poursuivre ma route. Je réalisai très vite mon erreur. Plus je m'enfonçais dans la rue, moins l'endroit était fréquenté. Je devais m'arrêter et demander de l'aide! Je pénétrai dans la première boutique sur ma droite et un homme costaud au ventre rebondi leva les yeux de la bâche qu'il raccommodait. Dès qu'il me vit, son expression changea et il se dressa d'un bond.

– Sortez ! aboya-t-il en me prenant par le bras et en me faisant passer le seuil. On ne veut pas de vous ici !

– Attendez, je vous en prie ! Je suis poursuivie par un homme qui…

– Ce n'est pas mon problème ! tonna-t-il en me claquant la porte au visage.

Abasourdie qu'on refuse de m'aider, je repris ma course folle. J'entendis le rugissement de Brimstone à quelque distance et les gens s'écartèrent pour le laisser passer, effrayés. Personne ne réagirait-il donc ?

Soudain, des distorsions apparurent dans mon champ de vision et des murmures s'élevèrent.

– Par pitié, mon Dieu, pas maintenant ! Pas maintenant !

Je trébuchai et m'effondrai, paralysée par les ombres et le froid qui précédaient mes visions. Brimstone allait bientôt être sur moi et je ne pourrais rien y faire. Les gens allaient me regarder mourir au fond d'une ruelle sombre sans même intervenir. Et je ne saurais jamais pourquoi on aurait refusé d'aider une pauvre femme.

À travers les murmures, je perçus des éclats de voix. Je me sentais dans une sorte de dualité. Une partie de moi se trouvait sur le rocher d'onyx dans la mer Noire. L'autre partie était consciente du sol inégal sous mon dos et de pas précipités près de moi. Mais je n'arrivais pas à voir. Je me débattis lorsqu'on me toucha, m'attendant à subir la violence de Brimstone, mais je fus plutôt soulevée par des bras masculins.

– Brodick ?… murmurai-je avant de me mettre à pleurer.

– Non, *hanimefendi*.

Je sanglotai de plus belle en reconnaissant les intonations de Süleyman le Turc.

L'évêque Harriot revint de Glenmuick avec un sentiment de désolation prononcé. Le village n'était plus qu'un amas de ruines calcinées. Sur ses ordres, les cadavres brûlés avaient été retirés des décombres. Il avait présidé une messe improvisée à la mémoire des pauvres victimes et avait vu à ce qu'elles soient convenablement enterrées. C'était son devoir de veiller au repos éternel de ces enfants de Dieu.

Il avait vu le bûcher. Celui-ci s'était un peu affaissé et les liens défaits se trouvaient toujours sur place. Le prélat se questionnait. Pourquoi les malfrats y avaient-ils attaché la fille si c'était, *in fine*, pour ne pas la brûler ? Avaient-ils manqué de temps ? Avaient-ils été surpris ? D'un autre côté, si les criminels avaient marqué la jeune femme au fer, n'était-ce pas qu'ils avaient eu comme intention première de la laisser en vie ? On ne marquait pas un futur cadavre…

Il ne restait plus rien à Glenmuick qui puisse incriminer qui que ce soit. Même si Mac Guthrie persistait dans son enquête, il y avait fort à parier qu'il ne trouverait rien. Poursuivre les investigations ne serait que pure perte de temps et d'argent, et Dieu sait que celui-ci se faisait rare depuis le soulèvement de 1745.

En montant l'escalier qui menait à ses appartements, l'évêque prit donc sa décision. Il allait convoquer William Russell et lui faire part de sa position. Mais avant, il avait besoin de repos.

Oui, juste un peu de repos.

Après avoir longtemps fixé le fond de son *dram*, Brodick décida de revenir à la pension. Il avait été dur avec la jeune femme et elle méritait des excuses. Il ignorait pourquoi elle réussissait à l'affecter à ce point. Jamais il n'avait perdu patience envers une femme. Elle était la première. Elle semblait avoir la faculté de tirer sur des ficelles invisibles qui le rendaient fou. Avec Isla, Brodick se sentait toujours sur une corde raide. Il aimait sa compagnie, sa personnalité et la douceur de sa peau. Elle avait sa propre volonté et un charisme fou. Était-ce le genre de femme avec qui il désirait faire sa vie ? Sans doute pas, car la droiture et l'honnêteté étaient pour lui des valeurs foncières.

Sur cette réflexion, il rit tout haut. Qui était-il donc pour juger, lui qui trafiquait des armes et qui détroussait les représentants de la couronne ? Peut-être Isla était-elle celle qu'il lui fallait, après tout, celle qui pourrait accepter son mode de vie et les risques qu'il comportait ? Faire l'amour avec elle avait été une bénédiction. À la seule pensée de son corps nu, il se sentit durcir. Elle avait des seins parfaits, des hanches galbées, des fesses fermes. Même inexpérimentée, elle savait bouger pour plaire à un homme. Elle avait beaucoup de potentiel et d'instinct et il voulait de nouveau goûter à ses charmes. Là, maintenant.

Il grimpa quatre à quatre les escaliers et fronça les sourcils en voyant la porte de leur chambre entrouverte. L'avait-il fait fuir ? Son accès de colère l'avait-il effrayée à ce point ? Damnation !

– Isla ?

Il crut que son cœur allait s'arrêter lorsqu'il aperçut le sang sur le lit et des boutons sur le plancher. Il fit demi-tour et dévala les escaliers, remarquant au passage la trace de sang sur les marches. Dans l'entrée, il croisa Meghan qui sortait de la cuisine avec un plateau de nourriture.

– Meghan ! Avez-vous vu Isla ?

– Non, je...

Brodick était déjà dehors, suivant les traces de sang tout en regardant autour de lui. Les gens circulaient paisiblement, inconscients du sentiment d'effroi qui lui broyait soudain les entrailles. Il ne pouvait pas la perdre.

Son regard fut attiré par un mouvement de foule à l'entrée de Mary King's Close et il reconnut le chef des Turcs parmi les badauds. Avec horreur, il constata que celui-ci portait le corps inanimé d'Isla dans ses bras. Jamais il n'avait ressenti une telle envie de tuer un homme à mains nues. Pourquoi l'avait-il laissée seule ? Pourquoi avait-il été négligent en sachant que les Turcs voulaient s'emparer d'elle ? Comment l'avaient-ils trouvée ?

MacIntosh se mit à courir aussi vite que ses jambes le lui permettaient. Isla reposait dans les bras du mercenaire, les yeux clos, le teint cireux, les cheveux en bataille. Des lambeaux de vêtements dépassaient d'un châle de laine dans lequel elle était enveloppée. Une goutte de sang marquait sa lèvre inférieure. Brodick s'empara de son *sgian dubh*, prêt à abattre l'étranger.

Celui-ci tourna la tête et l'aperçut. Au lieu de fuir, il se dirigea vers lui. C'est avec perplexité que Brodick nota sur son visage une expression qu'il interpréta comme de l'inquiétude et de la rage.

– Que lui avez-vous fait ? gronda le Highlander.

Ignorant sa question, Süleyman riposta de son accent exotique :

– Où diable étiez-vous quand elle a été attaquée ? Prenez-la et mettez-la en sûreté pendant que nous essayons de rattraper le coupable ! Nous règlerons nos comptes plus tard.

Brodick prit Isla dans ses bras. Son corps était froid et il ne percevait pas son souffle. Pendant un instant, il crut qu'il était trop tard. Jusqu'à ce qu'elle remue les lèvres. Tandis que Süleyman s'éloignait, le géant lui cria :

– Gardez-moi un morceau de ce bâtard !

Il cala son précieux fardeau contre sa poitrine et le porta jusqu'à la pension. Mme Drysdale se trouvait sur le seuil, dans tous ses états.

– Meghan m'a dit que votre femme avait disparu. Il y a du sang sur votre lit ! Est-elle… A-t-elle été…

– Je n'en sais rien, Patty. Apportez-moi de l'eau chaude et des draps propres.

– Tout de suite, monsieur.

Lorsqu'il entra dans la chambre, Meghan avait déjà retiré le couvre-lit. Il déposa Isla sur la couche et entreprit d'évaluer les dommages. Elle avait une nouvelle ecchymose au menton et la lèvre un peu enflée. Il ouvrit le châle et sentit une rage meurtrière bouillir dans ses veines en voyant l'étoffe déchirée exposant les seins de la jeune femme. Des empreintes rougeâtres y subsistaient et Brodick craignit le pire.

– Isla, parle-moi.

La jeune femme gisait là, apathique, les yeux clos. Il déposa un baiser sur sa joue et se leva pour prendre la vasque d'eau que Mme Drysdale apportait. Il y trempa un linge qu'il déposa sur le front d'Isla.

– Monsieur MacIntosh, laissez-moi l'examiner. Je dois savoir d'où vient ce sang. Peut-être a-t-elle été violée.

– Très bien, soupira-t-il.

– Sortez, je vous prie, ça ne prendra que quelques minutes.

Brodick fronça les sourcils.

– Je n'irai nulle part.

La femme exprima son désaccord, mais rien n'y fit. Elle se déplaça au pied du lit et releva discrètement les jupes d'Isla. Lorsqu'elle tenta d'écarter ses jambes, la jeune femme se mit à se débattre et cria.

– Assez ! ordonna l'Écossais en couvrant Isla d'une couverture propre. Laissons-la se reposer. Elle saura sans doute nous dire elle-même si elle a été violentée lorsqu'elle sera en état de parler.

Mme Drysdale acquiesça et quitta la pièce avec Meghan après avoir signifié à Brodick son désarroi. Lorsque la porte se fut refermée sur elles, il tira le fauteuil près du lit et y prit place. Comment les événements avaient-ils pu dégénérer en un si court laps de temps ? Qui avait pénétré ici ? Isla semblait être une proie pour beaucoup trop de prédateurs. Qu'avait-elle qui attirait autant le malheur au-dessus de sa tête ? Elle était forte et à la fois si fragile. C'était à lui de la protéger, et il avait failli à la tâche. Il ne pouvait pourtant pas passer sa vie collé à elle à observer ses moindres faits et gestes. Ils deviendraient fous tous les deux.

Les minutes s'égrenèrent avant qu'Isla remue un peu et ouvre enfin les yeux. Un peu perdue, elle regarda autour d'elle, puis l'horreur se dessina sur son visage. Elle lutta pour s'asseoir et tenter de se lever du lit, et Brodick la souleva dans ses bras. Il reprit place dans le fauteuil et la berça contre lui.

– Dis-moi ce qui s'est passé, Isla. Qui t'a fait du mal ?

Elle se raidit contre lui, mais ne répondit pas. Elle semblait être dans un état second. Il était très difficile pour lui de la voir souffrir ainsi et de ne rien pouvoir faire. Tant qu'elle ne parlerait pas, il ne pourrait pas agir. Lui qui était un homme d'action, il se sentait impuissant devant sa détresse.

Que faisait-elle sur Mary King's Close alors que, la nuit dernière, elle refusait d'y retourner ? Y avait-elle fui son assaillant ? Ou bien celui-ci l'y avait-il menée de force ? Que s'était-il passé dans cette chambre après son départ ? Deux coups secs furent frappés à la porte, le tirant de ses pensées, et Süleyman apparut avant même d'être invité à entrer. Son regard passa du corps prostré dans les bras du géant au couvre-lit souillé de sang qui gisait encore par terre. Son expression se fit mauvaise.

– L'avez-vous attrapé ? s'enquit Brodick avec dans la voix toute la rancune qu'il éprouvait.

– Non, il a réussi à s'enfuir en sautant dans le loch.

– Qui est-ce?

Süleyman eut une grimace de dégoût.

– L'homme aux yeux de glace qui était avec vous à l'auberge près de Glenmuick.

Brodick se redressa.

– Quoi?

– Vous n'avez que vous à blâmer. C'est à cause de vous qu'il a pu la trouver. Je devrais vous tuer pour ça.

Brodick en perdait son latin. Comment Brim avait-il pu trouver Isla? En le suivant, bien sûr. Mais pour quelle raison s'en prendre à une jeune femme sans défense? Brimstone avait toujours été mystérieux. À la limite, un peu trop à cheval sur les principes. Mais il était loyal et intègre. Qu'est-ce qui avait bien pu le pousser à commettre une telle agression? La rage étouffa MacIntosh.

– Vous aurez peut-être des chances de le trouver à Clerihugh's Tavern dans Writer's Court au coucher du soleil.

Le Turc hocha légèrement la tête, absorbant l'information. Le Highlander poursuivit:

– Et vous, Süleyman, comment avez-vous retrouvé la trace d'Isla? Que faisiez-vous dans cette ruelle?

– Comme elle ne m'a pas donné le médaillon, j'ai dû me débrouiller pour savoir ce qu'il disait. J'ai appris qu'il menait à Mary King's Close. J'étais en train d'explorer les lieux lorsque Isla s'y est réfugiée… Quand je l'ai trouvée, elle répétait un nom sans arrêt: Bridget.

– Bridget? D'où tient-elle ce nom? Les gens du *close* refusaient de lui parler.

Süleyman se gratta l'arête du nez.

– Parce qu'elle est le portrait craché de sa mère, Élisabeth. Celle-ci a habité durant un moment sur Mary King's Close, mais s'est vite fait haïr des habitants.

– Attendez, sa mère n'est-elle pas censée être morte de longue date ?

– Elle est bien vivante, je vous l'assure. Isla lui ressemble beaucoup. Les gens du *close* ont cru voir en elle la réincarnation d'Élisabeth.

Brodick inspira, irrité.

– Et vous avez trouvé cette Bridget ? Que vient-elle faire dans cette histoire ?

– Bridget Tavish a jadis habité les profondeurs de Mary King's Close. Je n'ai pas pu lui parler. On m'a dit qu'elle était partie travailler au service du propriétaire de Menzies Castle. Je n'en sais pas plus.

– Cette chasse au trésor ridicule commence à m'agacer. Que cherchez-vous donc, à la fin, qui soit assez important pour que vous poursuiviez Isla à travers l'Écosse ?

– La même chose qu'elle. Mais j'ai besoin d'elle pour m'aider.

– Comment pourrait-elle vous aider puisqu'elle semble ignorer ce qu'elle cherche ? *Och*, j'ai assez entendu vos charades. J'apprécie votre aide, mais je vais maintenant vous demander de sortir.

Süleyman ricana.

– Soit. Soyez assuré que je guetterai vos allées et venues, cependant. Si Isla souffre par votre main, vous périrez de la mienne.

Chapitre XI

Amor patitur moras

Je n'étais jamais restée aussi longtemps sur mon rocher d'onyx.

Les voix s'étaient tues, et au loin, je ne voyais plus rien. Le froid était là, mais une chaleur accueillante me ramenait lentement vers le monde réel. J'avais cessé d'avoir peur quand les voix s'en étaient allées. Dans cet univers, aucun homme ne pouvait m'atteindre.

Soudain, ce fut comme si j'étais violemment projetée en arrière, et je me réveillai avec un hoquet dans les bras de Brodick. Je crois qu'il dormait, la tête contre le fauteuil, et il s'éveilla en même temps que moi. Tous les mauvais souvenirs de la journée me revinrent d'un coup, comme une douche froide, et le pouvoir anesthésiant de la mer noire se dissipa d'un trait.

J'eus l'impression de sentir encore la bouche de Brimstone sur mes seins, ses mains sur moi, son sexe… Je me sentis soudain si sale, si souillée, que j'eus envie de retirer mes vêtements et de m'arracher la peau. Jamais je ne réussirais à frotter assez fort pour enlever de moi la sensation dégoûtante de ce contact intime. Des milliers de fourmis semblaient courir sous ma peau, dans ma nuque et dans mes épaules. L'angoisse montait et j'avais envie de hurler.

Sentant ma détresse, Brodick posa ses mains de chaque côté de mon visage et me força à le regarder. Ses pouces caressèrent mes pommettes et il attendit que la panique s'estompe un peu avant de parler.

– *Ist! Ist*[1] *!* Je ne te laisserai plus, Isla. Je suis là.

Sa voix était douce, presque tendre, et je voulais le croire. Mais dans ma tête revenaient sans cesse les paroles de Brimstone : « Vous risquez gros avec MacIntosh. Il pourrait vous blesser. S'il est allé se saouler dans une taverne, il ne se contrôlera plus à son retour. » Pouvais-je ajouter foi aux propos de cet homme au vu de ses agissements ? D'un autre côté, Brodick ne m'avait-il pas brutalement serré le bras lors de notre altercation ? Tout cela se brouillait dans mon esprit déjà confus et je ne savais plus à qui faire confiance.

– Isla. Est-ce qu'il t'a… A-t-il…

Il passa la main sur son visage, incapable de formuler la question.

– J'aimerais partir d'ici. Ne plus jamais revenir, dis-je d'une voix blanche. Je hais Édimbourg.

– *Aye*, nous partirons demain à la première heure.

– Non. Je ne veux plus voir cette chambre. Ni ce lit. Ni ces murs.

Brodick inspira et plissa les yeux en m'étudiant.

– Il fera bientôt nuit. Tu n'aimes pas l'obscurité.

– Je ne peux pas rester ici. Pas une minute de plus.

– Très bien. Change-toi, je vais faire préparer Haras.

Je dus me raisonner pour ne pas céder à l'affolement. Il serait parti à peine quelques minutes ! Et quelles étaient les chances que Brimstone revienne ici durant cette courte absence ? Quelques instants plus tard, nous étions prêts à

1. « Chut » en gaélique.

prendre de nouveau la route. Je n'avais aucune idée de notre destination et je m'en fichais. J'avais seulement besoin de m'éloigner de cet endroit.

Brodick me fit monter devant lui et m'encercla de ses bras. Je me redressai soudain.

– Ta livraison?

Brodick rit tout bas. Je sentis un certain désarroi dans son ricanement.

– Quelle livraison? Süleyman a la moitié de la cargaison et Brimstone a l'autre. Je ne m'attends pas à être payé si je n'ai pas d'armes à livrer.

– Je comprendrais que tu sois en colère contre moi. J'ai tout gâché, n'est-ce pas? Et Brimstone, il… je…

– Brimstone est un homme mort, Isla. J'en fais une affaire personnelle. J'espère presque que Süleyman ne lui mettra pas le grappin dessus.

Je fronçai les sourcils.

– Qu'est-ce que le Turc a à voir dans cette histoire? Pourquoi voudrait-il s'en prendre à Brimstone?

Brodick posa son menton sur le sommet de ma tête et réfléchit un instant avant de répondre.

– C'est Süleyman qui t'a sauvée. Brim a eu le temps de prendre la poudre d'escampette, mais les Turcs sont à ses trousses.

– Quoi? Mais… Oui, maintenant que tu en parles, j'ai un vague souvenir de sa voix… Je ne comprends pas. Qu'est-ce que Süleyman faisait dans Mary King's Close?

– Il voulait trouver la signification du médaillon, tout comme toi.

Je secouai la tête.

– Comment aurait-il pu savoir que le médaillon menait à cette ruelle? Je ne lui ai jamais remis!

L'Écossais hésita.

– Isla, nous reparlerons de tout cela demain. Pour l'instant, éloignons-nous de la ville, il y a beaucoup de malfrats qui rôdent par ici la nuit.

Je me tournai vers lui, des éclairs dans les yeux.

– Oh non, Brodick MacIntosh. Nous pouvons parler sur ton cheval. Je veux savoir ce qui s'est passé cet après-midi.

– Moi aussi, j'aimerais savoir ce qui s'est passé ! dit-il en me foudroyant du regard à son tour. Alors, parle et je complèterai le tableau par la suite.

Je tiquai un peu devant son ton péremptoire, puis je me dis que si je voulais connaître les détails, je n'avais d'autre choix que de m'ouvrir. Je me mis donc à parler. J'eus peine à relater l'agression ; ma gorge était si serrée à force de retenir mes larmes que ma voix s'éteignait sans cesse.

– Il n'a pas eu le temps de me violer, conclus-je en clignant des yeux.

Brodick soupira de soulagement et me serra contre lui.

– Cela ne l'excuse en rien, trancha-t-il avec aigreur.

Après un bref moment de malaise, je le relançai :

– À ton tour, maintenant. Raconte-moi comment Süleyman a su ce qu'il y avait sur le médaillon.

MacIntosh se fit de nouveau hésitant, et je n'aimai guère son silence.

– Dis-moi, comment s'appelait ta mère ? finit-il par me demander.

Je ne m'expliquai pas le rapport entre Süleyman, le médaillon et ma mère, mais je répondis tout de même :

– Élisabeth Catriona Horne.

– Mmmmph.

Mmmmph ?

– Süleyman prétend que ta mère est vivante.

Je me retournai subitement dans ses bras et le fixai avec stupeur. Comment Süleyman pouvait-il affirmer une telle chose ? C'était tout bonnement insensé. J'eus un rire nerveux.

– C'est ridicule. Cet étranger ne peut pas connaître ma mère ! Elle est morte !

– Et si elle ne l'était pas ?

Cette hypothèse me glaça le sang. Était-il possible qu'on m'ait menti depuis ma tendre enfance ? Mon univers s'écroulait peu à peu autour de moi. Avec avidité, je demandai à Brodick :

– Qu'est-ce que Süleyman a dit d'autre ?

– Que tu lui ressemblais énormément.

Moi ? Je ressemblais à ma mère ? Mon cœur hésita entre se gonfler et se fracasser.

– Et que les gens de Mary King's Close t'avaient fuie parce que ta mère avait habité là-bas durant un moment et qu'ils la craignaient. En te voyant, ils ont cru qu'elle était de retour.

– Ils la craignaient assez pour me laisser mourir ? Pour refuser de m'aider quand Brimstone était sur mes talons ? Je ne peux pas croire qu'elle ait été si effrayante !

– Si jamais je croise les imbéciles…

– Quoi d'autre ? Où est-elle ? Pourquoi m'a-t-elle abandonnée ?

Brodick pinça les lèvres et secoua la tête.

– Il n'a rien dit de plus sur ta mère. Je suis désolé.

– Alors, il faut retrouver Süleyman et l'interroger !

Brodick me regarda comme si j'avais perdu l'esprit. Visiblement, il n'avait aucune intention de croiser inutilement le chemin du Turc.

– C'est ma mère, Brodick !

Il eut une expression désolée, comme si j'étais une enfant à qui on avait enlevé une friandise.

– Je sais.

Nous nous éloignâmes d'Édimbourg et nous dirigeâmes vers les régions boisées. Il allait sans doute nous faire dormir en forêt. Je devrais faire avec la noirceur. Après de longues minutes à me torturer l'esprit, je soupirai.

– Il y a tellement de questions qui me passent par la tête, et aucune d'elles n'a de réponse valable. Je me sens dépassée.

– Moi, j'ai une question à laquelle j'aimerais bien que tu répondes.

– *Aye*, laquelle ?

– Qui est Bridget ?

– D'où tiens-tu ce nom ? fis-je, étonnée.

Il me sourit gentiment.

– Tu le répétais sans cesse lorsque Süleyman t'a trouvée.

– Ah… La vérité est que j'ignore qui est cette Bridget. La voix dans mes visions me répète sans cesse ce nom, comme s'il était impératif que je rencontre cette personne. Mais Mary King's Close est derrière nous à présent, et je ne saurai jamais comment la trouver.

Il claqua la langue pour encourager son cheval, puis il dit :

– Tu te trompes. Süleyman a mené son enquête. Les gens du *close* ont accepté de lui parler.

– Quand as-tu bien pu avoir une conversation complète avec cet homme ?

– Pendant que tu dormais. Juste avant qu'il ne menace de m'occire si jamais je te faisais souffrir.

J'éclatai de rire. Sottises !

– Je suis sérieux. J'ignore quelles sont ses intentions envers toi, mais il t'a portée dans ses bras comme si tu étais un objet précieux avant de te confier à moi et de partir à la poursuite de Brim. Puis il est venu à la pension prendre de tes nouvelles et m'assurer qu'il gardait l'œil ouvert quant à nos allées et venues.

Mon état de confusion grandissait au fur et à mesure que la conversation se prolongeait. Je commençais à sentir les élancements d'une migraine dans mon cerveau. Au loin, le soleil descendait sur l'horizon.

– Pourquoi ferait-il ça?

– Il a dit qu'il était à la recherche de la même chose que toi. Et que tu pouvais l'aider. La discussion n'a pas été plus loin.

Il se perdit un instant dans ses pensées. Puis il reprit:

– Où en étions-nous?

Je réfléchis un moment.

– Bridget.

– *Och, aye!* Bridget Tavish était une résidente de Mary King's Close. Je suppose qu'elle y était en même temps que ta mère et que celle-ci lui aura confié quelque chose. Mais elle n'y est plus. Elle est partie travailler à Menzies Castle, au nord.

– Oh... Alors, il faut aller là-bas!

Brodick se tut un moment avant de répondre.

– Isla, je veux bien t'aider, mais je dois aussi travailler. Il est déjà assez dramatique que j'aie perdu ma cargaison. Je dois livrer des missives qui attendent depuis trop longtemps maintenant.

Bien sûr, il avait raison. Il devait arriver à vivre. Il avait déjà perdu assez de temps à cause de moi. Mais qu'allais-je devenir s'il partait faire le messager à travers l'Écosse? Je me secouai. J'allais me débrouiller. Il était hors de question que je dépende constamment de Brodick. Je m'arrangerais pour me rendre par mes propres moyens à Menzies Castle.

La conversation mourut et je me laissai bercer par la cadence de Haras. L'horreur de la journée m'avait épuisée, bien que Brodick affirmât que j'avais dormi très longtemps. Comment lui expliquer que je n'avais pas sombré dans le sommeil, que j'étais restée, pensive, dans cet univers étrange qui me terrorisait en temps normal?

C'étaient ces petits détails que je préférais garder pour moi, car je savais qu'il ne pouvait pas comprendre.

Il n'y croyait pas.

Mac Guthrie sella son cheval en rageant.

William Russell venait de lui apprendre qu'il fermait l'enquête de Glenmuick. Son supérieur avait discuté avec l'évêque et il était ressorti de cet échange qu'il n'y avait pas matière à poursuivre les investigations et à risquer la vie d'autres membres d'élite du Black Watch.

Fadaises !

Ce n'était certainement pas non plus une question de livres sterling ! Pour l'amour du ciel, un village entier avait été décimé ! Sans parler de ses hommes. Pourquoi avait-on décidé de mettre fin aux recherches alors que la jeune femme n'avait pas encore été interrogée ? Cela n'avait aucun sens.

Frustré, il avait assuré à son supérieur qu'il percerait le mystère malgré tout. Russell lui avait ordonné de n'en rien faire. Si, toutefois, d'autres événements du genre devaient survenir, il réévaluerait la situation et veillerait à ce que la lumière soit faite.

Mac en faisait une affaire personnelle, c'est vrai. Il voulait prouver sa valeur et venger la mort de tant d'innocents. Mais il avait aussi le sentiment que quelque chose dans cette histoire sonnait faux et il allait mettre le doigt dessus.

Il vérifia les sangles de sa selle une dernière fois et monta à cheval. Il devait réfléchir à la meilleure façon de s'y prendre. La première chose à faire était de retourner sur les lieux du massacre. Il y avait certainement là un indice, quelque chose qui lui avait échappé. Ce n'était pas son genre d'abandonner, et il savait que le temps était compté avant qu'on ne le renvoie patrouiller dans les Highlands comme un vulgaire débutant.

Guthrie éperonna son cheval et le lança au galop vers le soleil couchant avant de risquer d'être intercepté par quiconque. Il résoudrait cette affaire.

Coûte que coûte.

Brodick me réveilla quelques heures plus tard. Il faisait nuit et il jugeait que nous nous étions assez éloignés de la cité d'Édimbourg pour nous reposer à l'abri du danger. Il mit donc pied à terre, fixa la longe de sa monture à un arbre et entreprit d'allumer un petit feu qui nous garderait au chaud durant la nuit.

Durant mon sommeil, un plan s'était dessiné dans mon esprit. Il semblait assez simple pour être réalisable, mais il me faudrait oublier tout sentiment de culpabilité à l'égard de MacIntosh. De toute façon, notre aventure ensemble tirait à sa fin : il devait reprendre du service comme courrier et moi, je devais poursuivre mon but afin de voir la prophétie de ma mère accomplie.

J'aspirais plus que jamais à la tranquillité d'esprit, au repos et à la paix. Mais tant que les voix viendraient me hanter, tant que les visions seraient présentes, je n'aurais aucun répit. Et Brodick non plus. Je n'avais d'autre choix que de mener cette quête à terme. Seule.

Assise sur une souche, je levai les yeux vers lui. Le feu éclairait son beau visage et la lumière orangée faisait presque disparaître sa balafre. Mon cœur se serra.

Je partirais cette nuit, pendant qu'il dormirait.

Bientôt, je fus étendue dans ses bras, incapable de retrouver le sommeil. Le sol était inégal et humide, mais la chaleur et la force de son étreinte me faisaient me sentir en sécurité. Il n'essaya pas de me toucher plus intimement et je lui en fus reconnaissante. Les gestes déplacés de Brimstone étaient encore si frais à ma mémoire que je n'aurais pas pu m'abandonner à lui si tôt après les événements.

Je n'aurais eu droit qu'à une nuit avec lui. Une seule.

Peu à peu, sa respiration se fit plus profonde et ses bras se relâchèrent autour de moi. J'attendis encore, attentive au moindre son de la nuit. Dans ma tête, je tentai de me repérer. Brodick nous avait amenés à l'ouest d'Édimbourg, alors que je devais remonter au nord. J'allais peut-être passer par Stirling pour atteindre Aberfeldy. J'en avais pour plusieurs jours de chevauchée et je savais que j'allais devoir faire avec la nuit. Toute seule.

Lorsque je fus assurée que MacIntosh dormait profondément, je me dégageai lentement et roulai hors de notre couche de fortune. J'observai une dernière fois son visage détendu par le sommeil et retins l'envie de déposer un ultime baiser sur son front. Ce n'était pas le moment de le réveiller. Je me levai silencieusement et fis mon chemin jusqu'à Haras, qui exprima sa satisfaction de me voir en piaffant légèrement.

– Silence, espèce d'idiot! murmurai-je en le caressant entre les deux yeux.

Je soulevai avec peine l'énorme selle de cuir et la fixai avec le plus de célérité possible. Je détachai ensuite l'animal et le guidai un peu plus loin. Dans le silence de la nuit, j'eus l'impression que ses sabots faisaient un vacarme impossible et que MacIntosh allait subitement se réveiller en me sermonnant. Il aurait peut-être même l'envie folle de m'attacher ou de me jeter dans le loch le plus proche. Lorsque je le vis remuer dans son sommeil, je m'immobilisai et Haras me poussa de la tête. Mais Brodick continua à dormir et je m'éloignai lentement du campement.

Lorsque je fus assez loin, je montai en selle et dirigeai la bête vers un semblant de nord-ouest. Pourquoi avais-je soudain l'impression d'être en deuil ? Comment pouvais-je abandonner MacIntosh au milieu de nulle part sans sa monture ?

Le jour naissait lentement, dans toute sa splendeur.

Je me sentis bien démunie, sans arme ni provisions ni argent pour me débrouiller. De l'argent ? Je me souvins alors que j'avais glissé dans ma robe, avec le médaillon, le pli que Brodick m'avait offert. Il contenait l'adresse de son cousin et des espèces. Je tâtai ma poche avec soulagement. Au moins, je ne crèverais peut-être pas de faim.

Bientôt, Haras se mit à n'en faire qu'à sa tête. Le pauvre animal avait sans doute faim. N'empêche que je me sentais bien petite pour résister à un étalon. Eût-il été un hongre, il aurait été facile de le faire obéir, mais Haras, habitué à la main ferme de Brodick, sentit rapidement que son maître n'était plus là et il s'arrêta souvent pour goûter les herbes près du sentier ou pour humer le parfum des fleurs.

J'eus beau le cajoler, le damner, jurer comme un homme, l'animal refusa de m'obéir. Je descendis pour le tirer par la bride. Rien à faire. Il était coriace. Je me sentis tout à coup si ridicule d'être incapable d'avoir le dessus sur un stupide cheval ! Je remontai en selle et l'implorai de repartir quand, soudain, un long sifflement retentit au loin. La bête redressa la tête.

– Non, Haras, je t'en prie, pas ça ! Épargne-moi cette humiliation !

La bête avait déjà fait demi-tour et se dirigeait au galop vers l'endroit d'où Brodick avait sifflé.

– Haras, laisse-moi au moins descendre ! suppliai-je.

Bientôt, la silhouette de MacIntosh apparut devant moi. Les bras croisés sur la poitrine, les jambes écartées, il attendit que son cheval s'immobilise près de lui avant de faire un geste. Il caressa d'abord sa bête en m'ignorant royalement, puis il me saisit par le bras et me fit basculer. Il me rattrapa juste avant que je ne frappe le sol de tout mon poids. Une fois sur mes pieds, je dus affronter son expression courroucée.

– Je suis désolée ! Ne me fais pas mal, je t'en prie !

Il fronça les sourcils.

– Te faire mal ? Voilà qui est une bonne idée, tu mériterais une bonne correction, mais je pense que tu as assez souffert depuis quelques jours. Où allais-tu donc, avec *mon* cheval, de si bon matin ?

Je penchai la tête pour lui cacher mes joues brûlantes de honte.

– Menzies Castle, marmonnai-je en espérant qu'il n'insisterait pas.

MacIntosh éclata de rire. De mémoire, je ne l'avais jamais entendu rire de si bon cœur. Le son était riche et velouté, et surtout, contagieux.

– Tu es impossible ! J'admire ton courage d'avoir volé le cheval d'un homme qui fait deux fois ta taille et d'être partie toute seule dans le noir… mais Menzies Castle est de ce côté, fit-il en indiquant la direction opposée de celle d'où j'arrivais.

Mortifiée, je me mordis la lèvre inférieure. J'avais sans doute mérité qu'il se moque de moi.

– *Seall orm, Isla*[2].

Nos regards se heurtèrent.

– Pourquoi as-tu tant besoin de suivre cette piste ?

– Pour me libérer. Quand j'aurai accompli cette prophétie, les voix disparaîtront.

Il pinça les lèvres et m'étudia.

– En es-tu bien certaine ? Et si ces « voix » faisaient partie de toi ?

– Je ne suis pas folle ! protestai-je avec véhémence.

---

2. « Regarde-moi, Isla » en gaélique.

– Ce n'est pas ce que je dis, mais parfois des hallucinations auditives suivent un choc nerveux… et tu en as vécu plusieurs ces derniers temps. Peut-être as-tu besoin de repos ?

Avant d'avoir pu réfléchir à mon geste, je l'avais giflé. Comment osait-il me dire de façon aussi cavalière qu'il croyait que j'avais une imagination débridée ou un problème mental encore plus grave ? La colère déferla sur moi.

– Tu peux croire ce que tu veux, Brodick MacIntosh ! J'ai toute ma tête ! Ta réalité est sans doute différente de la mienne, mais je ne suis pas cinglée et je ne permettrai à personne de l'insinuer !

Il toucha sa joue, mais ne broncha pas. J'avais sans doute à peine réussi à lui faire mal, tandis que ma main brûlait d'une douleur cuisante.

– Pourquoi es-tu si susceptible ? Tu veux aller à Menzies Castle ? Très bien, vas-y. Prends mon cheval, mon argent, mon courrier, mon arme et tout ce que tu veux, je te les offre ! Mais de grâce, cesse de te mettre dans le pétrin !

Sur ces mots, il se détourna pour ramasser les couvertures que je lui avais laissées cette nuit.

– Je suis désolée, d'accord ? Désolée d'avoir pris ton cheval. Désolée d'être partie sans un mot d'explication. Ne mesures-tu donc pas à quel point je peux me sentir seule et abandonnée dans cette histoire ? Je suis la seule à savoir. Personne ne me croit. Et toutes ces questions qui tourbillonnent sans cesse dans mon esprit, c'est intolérable !

Il se tourna et mit ses mains sur mes épaules.

– Tu n'es pas seule ! Moi je suis là ! Je te crois.

– Je suis seule, même avec toi !

Ses mains glissèrent le long de mes bras, jusqu'à prendre possession des miennes.

– Laisse-moi t'expliquer… Ce que tu vois, ce que tu vis, je sais que c'est réel pour toi. Mais pour moi, c'est abstrait. Je ne le vis pas, donc ça n'existe pas.

– Es-tu en train de te moquer de moi ?

Exaspéré, il passa les mains dans ses cheveux.

– Non, pas du tout. Écoute-moi, je t'en prie. Quand je me suis réveillé et que j'ai vu que tu étais partie, j'ai su que tu courais droit à ta perte. Et j'ai eu mal à la seule idée qu'il t'arrive quelque chose. Je t'aiderai, je t'en fais la promesse. En échange, j'aimerais que tu me jures que tu ne feras plus de bêtises de ce genre. Tu dois me faire confiance.

Nos volontés s'affrontèrent en silence durant un long moment. Puis, tout d'un coup, je sentis la tension quitter mon corps.

– J'ignore comment faire confiance, Brodick.

– Je sais. Tu es la femme la plus... secrète, cachotière et têtue que j'aie jamais rencontrée !

– Oh...

– Mais aussi la plus belle, ajouta-t-il avec un baiser sur mon nez.

Je lui souris. Il avait raison. Je devais apprendre à faire confiance. C'était une mission difficile quand on n'avait jamais pu se fier à personne d'autre que soi. Je ne savais pas par où commencer.

– Je promets d'essayer de te faire confiance, mais j'aurai besoin de ta patience et de ton soutien. Je tenterai d'être sage.

– Commence par dire la vérité, *banshee.*

Cela paraissait si simple pour lui ! Mais j'avais toujours tout gardé pour moi : ma peur du noir, les secrets de ma mère, la prophétie... Comment faire pour que, du jour au lendemain, je sois capable d'ouvrir les vannes pour laisser filtrer un peu de mon intimité ?

Je me mordis l'intérieur de la joue un moment, puis je décidai de parler.

– La vérité, oui. Eh bien, mon instinct me pousse vers Bridget Tavish sans que je puisse l'expliquer logiquement. Je pense qu'elle est un morceau important du puzzle.

Brodick se gratta le front.

– Menzies Castle, hein ? Je ne croyais pas y retourner un jour.

– Tu y es déjà allé ?

Il se perdit un moment dans ses pensées.

– *Aye*, avec l'armée de Bonnie Prince Charlie[3], peu avant Culloden. Nous y sommes restés deux nuits.

– Oh… Et tu crois que Bridget y est toujours ?

– Nous verrons bien.

Je montai à cheval et Brodick me tendit un bout de pain et un morceau de fromage que j'engouffrai sans vraiment y goûter. J'étais affamée ! Le géant prit place derrière moi et, d'un simple claquement de langue, fit avancer l'animal.

– Brodick, tu viens de me dire que Menzies Castle était par là. Pourquoi te diriges-tu à l'ouest ?

Il rit dans mon oreille et je frissonnai en sentant son souffle dans mes cheveux.

– Parce que nous allons d'abord faire un arrêt à Glasgow.

Je faillis m'étouffer avec ma bouchée de pain.

– Glasgow ? Pourquoi faire un tel détour, pour l'amour du ciel ?

Brodick eut un sourire enjôleur. Il n'était pas peu fier de lui.

– Je te l'ai dit, Isla. J'ai du courrier à livrer. Pendant mon absence, toi, tu te conduiras comme une lady chez mon cousin Euan.

3. Surnom du prince Charles-Édouard Stuart qui, en avril 1746, mena son armée de jacobites à sa perte sur le champ de bataille de Culloden face aux Anglais.

Dès que le soleil se leva, Mac Guthrie se mit au travail.

Il fouilla d'abord les déchets au pied du bûcher. Un par un, il déplaça les débris et les jeta plus loin après les avoir inspectés consciencieusement. Il y passerait la journée s'il le fallait. Il y avait là des meubles, des caisses de bois, des planches. Des roues de chariot, des pieux de clôture et des portes. Il y avait même un berceau avec ses couvertures. Heureusement, le bébé n'était pas dedans, ironisa-t-il.

Tandis qu'il dégageait deux bouts de bois, un rayon de soleil fit briller un morceau de métal à ses pieds. Intrigué, Mac se pencha pour le ramasser et l'inspecta, sourcils froncés. Il s'agissait d'un morceau d'argent en forme de « L » fait d'entrelacs celtiques. Surpris, Mac inclina la tête. Personne dans ce village n'aurait eu les moyens de se payer de l'argent.

Guthrie tenta de se souvenir de ce jour où les hommes en noir avaient attaqué son bataillon. Portaient-ils un quelconque objet en argent sur leur uniforme ou sur leurs armes ? Curieux, il revint à son cheval et sortit les armes du cavalier qu'il avait abattu. De fait, sur l'épée se trouvait un blason particulier qu'il n'avait pas remarqué auparavant et qui lui était inconnu, une croix d'argent entrelacée de chardons.

Un lent sourire éclaira toute la physionomie de l'homme. Il ne lui restait qu'à trouver à qui appartenaient ces armoiries pour identifier les auteurs du massacre et remonter jusqu'à leur tête dirigeante. En ce qui concernait la sorcière, le mystère restait entier, mais il serait sans doute aisé de rassembler les pièces du puzzle une fois qu'il aurait confondu les criminels.

Finalement, tout avait été beaucoup plus facile qu'il ne s'y attendait. Il aurait dû fouiller le bûcher dès sa première visite. Il jeta le bout d'armoiries en l'air et le rattrapa en riant. Puis il le mit précieusement dans sa poche et monta sur son cheval en chantonnant.

Il n'était pas question qu'il aille faire un rapport à Russell avec ce fragment d'information, mais il avait déjà hâte de voir la tête de son supérieur et de monsieur l'évêque lorsqu'il les convoquerait pour leur dévoiler les coupables. Rirait bien qui rirait le dernier.

C'était l'aboutissement de ses ambitions qui se profilait devant lui. À lui les colonies!

J'avais eu beau argumenter, cajoler, supplier, Brodick était aussi têtu que son cheval. Quelle belle paire! Je n'échapperais pas au sort qu'il me réservait. Il avait bien l'intention de me laisser chez son cousin pendant qu'il partirait parcourir les terres d'Écosse.

Après un moment, je finis par me raisonner. Qu'y avait-il de si urgent, après tout? Si Bridget avait su attendre des années, elle pouvait patienter encore quelques semaines. Il n'y avait que mon impatience pour me faire trépigner d'impuissance.

Le périple était somme toute agréable. Nous ne rencontrâmes pas d'obstacle majeur. Ni Anglais, ni Turcs, ni autre apocalypse du genre. J'aimais la proximité de nos corps et le pas cadencé du cheval. J'aimais la présence tranquille de Brodick et la solidité de son bras autour de moi.

Durant ces longues journées de chevauchée, nous eûmes d'interminables discussions sur tout et sur rien. J'appris ainsi qu'il avait perdu ses parents en bas âge et qu'il avait été recueilli par le meilleur ami de son père. Qu'il n'y avait en fait aucun lien de sang entre lui et son frère et sa sœur. Je lui parlai de mes fonctions de guérisseuse à Glenmuick et le fis rire avec quelques anecdotes savoureuses. Brodick m'écoutait toujours avec attention et posait beaucoup de questions.

Ce jour-là, un trop rare soleil brillait sur la région. Ses rayons nous réchauffaient et nous rendaient presque euphoriques. Le mois de mai nous offrait enfin l'espoir d'un été.

Tandis que, comme isolés du monde, nous traversions un boisé parsemé de pins et de très vieux ifs, Brodick écarta mes cheveux de sa main libre et effleura ma nuque avec son nez, puis ses lèvres. De délicieux frissons me parcoururent. Je découvris avec plaisir que cette partie de mon anatomie était une zone très sensible. Ses caresses avaient un effet monstre sur tout mon corps. Mes seins se tendirent sous mon corsage, mon souffle s'accéléra et mes yeux se fermèrent d'eux-mêmes.

Son bras serpenta de nouveau autour de ma taille, mais ses doigts s'arrêtèrent sur mon abdomen. Son pouce me caressa un moment, juste sous les seins, et je me raidis. Il mésinterpréta ma réaction et retira sa main.

– Pardon. C'est trop tôt, je sais.

Je repris sa main et la replaçai à l'endroit exact où elle avait été quelques secondes plus tôt.

– N'arrête pas.

Encouragé, il referma sa paume sur mon sein et en excita la pointe avec ses doigts. Je renversai la tête sur son épaule et me cambrai, poussant mes courbes dans sa main. Il enfouit son visage dans mon cou et je sentis sa langue faire son chemin jusqu'à l'angle de ma mâchoire. Quelle sensation délicieuse !

Le pas du cheval avait quelque chose d'érotique, et à chaque foulée, le bassin de Brodick se frottait au mien. Son membre était dressé contre moi. Sa main lâcha mon sein et retroussa ma jupe pour s'insérer en dessous. Je retins mon souffle. L'excitation gonflait déjà mon sexe, et les effleurements de ses doigts, d'abord furtifs, me firent soupirer de plaisir. Cet homme savait comment plaire à une femme !

Il fit glisser sa main et appuya sa paume contre ce petit point de mon corps le plus sensible. Ce simple contact me coupa le souffle et l'univers sembla un instant rester en suspens tandis que les sensations déferlaient sur moi. Puis il bougea de nouveau et ses doigts experts commencèrent une friction rythmique.

Lentement, au gré de ses envies, il me fit monter au sommet de l'excitation. Je pouvais sentir ma propre humidité trahir mon désir. Son majeur se glissa en moi, exerça sur la paroi de mon intimité une pression qui me fit gémir et se retira. Puis il recommença son petit jeu en s'arrêtant sur le point culminant de ma féminité avant de replonger à l'intérieur de moi. J'aurais voulu pouvoir fermer mes cuisses sur sa main, les presser ensemble et me soulager ainsi.

Mon dos contre son torse, je me sentais tendue comme la corde d'un arc. Il jouait avec moi, s'arrêtant lorsqu'il sentait que j'étais au bord de l'explosion. Sa respiration était saccadée et il pressa son érection contre mes fesses. Sa main délaissa mon entrejambe pour s'enfoncer dans mon décolleté, et ma propre moiteur enroba mon mamelon tandis que Brodick le pinçait entre ses doigts. Je ne réussis pas à retenir une plainte rauque, et il me mordit tendrement la nuque.

– Brodick... arrête le cheval.

Il eut un rire suave.

– Oh non, *banshee*!

Je glissai une main entre nos deux corps et refermai mes doigts sur son membre. Il émit un son étouffé. Je tournai la tête et pris sa bouche. J'étais plutôt mal à l'aise dans cette position, mais j'étais si excitée que j'aurais accepté bien d'autres contorsions pour qu'il continue de me toucher.

Il remit sa main sous ma jupe et, cette fois, il accéléra le rythme. Mon cœur était dans ma gorge et j'avais peine à respirer. Je savais que le moment de la délivrance était proche. Je voulais qu'il me donne cet orgasme, mais je voulais aussi faire durer le moment. Je ne souhaitais pas être la seule à en profiter. Je voulais le voir avoir du plaisir. Mais il n'eut pas pitié de moi lorsque je lui demandai de nouveau d'arrêter le cheval.

Qu'il me prenne sur le sol, contre un arbre, je m'en moquais. Mais je voulais qu'il ressente cette merveilleuse libération, cet instant d'ultime communion. Avec moi. Avant que je puisse formuler une parole, le raz de marée me frappa de plein fouet et je connus la jouissance dans ses bras.

Tandis que je redescendais de mon nuage, encore dans une brume de désir, Brodick resserra ses bras autour de moi. Je ne fus pas certaine de bien entendre ce qu'il dit puisque mon cœur battait encore la chamade dans mes propres oreilles.

Cela ressemblait à « … que je ressens pour toi ».

Chapitre XII

Morituri te salutant

Glasgow.
Ville bourgeoise et ouvrière.

Nous y pénétrâmes en marchant devant Haras. J'étais suspendue aux lèvres de Brodick qui m'abreuvait de renseignements au sujet de cette cité.

La Clyde River y coulait paisiblement, permettant à la ville de profiter d'une localisation enviable pour le commerce maritime. Le textile, tels le lin et le coton, profitait grandement à l'économie de la région, de même que le tabac. Comme pour sa jumelle Édimbourg, l'essor de la cité avait été si rapide que la pollution envahissait les rues, et les maladies emportaient souvent les jeunes enfants. Après l'épidémie de peste de 1646, la population était vulnérable, et les politiciens commençaient à s'intéresser de façon plus pointue à l'ouverture de certaines écoles de médecine.

Glasgow avait également un côté historique plus tragique. Le jour de Noël 1745, c'est là qu'étaient entrés Charles-Édouard Stuart et son armée en loques. Les hommes de clans, dont Brodick MacIntosh et son frère Lachlan, avaient paradé, épuisés et affamés, jusqu'à la Croix de Glasgow où le Jeune Prétendant avait exigé qu'on nourrisse ses hommes, qu'on leur donne de quoi s'habiller et se chausser parce qu'ils avaient usé leurs bottes durant la campagne contre les Britanniques.

Les yeux emplis de fantômes du passé, Brodick tira son cheval jusqu'à l'intersection menant au *tolbooth* et leva son regard sur le clocher haut de cinq étages. Ce qu'on appelait la Croix de Glasgow n'était en fait que cette tour de la prison locale qui s'élevait vers un rare ciel bleu.

J'avançais silencieusement à ses côtés tandis qu'il se remémorait à haute voix ces glacials jours d'hiver où ils avaient campé sur un domaine privé pendant que les généraux planifiaient la prochaine bataille. Puis, le 3 janvier 1746, l'armée s'était remise en marche. Stirling. Falkirk. Culloden.

J'observai le visage hanté du grand gaillard à qui tout semblait relatif. Manifestement, la guerre l'avait marqué plus qu'il ne voulait bien le laisser croire. Il ne fallait pas s'étonner qu'il haïsse autant les Anglais, surtout après ce qu'il m'avait raconté lorsque nous étions enfermés dans la cabane. Brodick MacIntosh avait dû endurcir son cœur et son âme, car il avait vu mourir frères d'armes et amis sur les champs de bataille de l'Écosse.

Nous nous arrêtâmes bientôt devant une haute maison de pierres. D'immenses fenêtres ornaient la façade et un escalier menait à la porte principale. De la fumée s'élevait des larges cheminées installées sur le toit. La résidence était coincée entre deux autres bâtiments sensiblement identiques, et une allée permettait de se rendre aux écuries, dans l'arrière-cour.

Après avoir confié Haras au garçon d'écurie, nous fûmes conduits vers une large bibliothèque où un homme aux cheveux grisonnants étudiait des piles de paperasse en marmonnant. Au premier coup d'œil, il était évident que lui et Brodick étaient parents. L'homme leva un regard surpris lorsque l'employée de maison frappa discrètement sur le cadre de la porte et son visage s'illumina aussitôt qu'il reconnut son cousin.

– *Mo charaid dubh!* s'exclama-t-il en se levant pour contourner le large secrétaire.

– *A Euan, ciamar a tha thu*[1] ? dit Brodick en lui faisant l'accolade et en lui tapant dans le dos.

Je ne pus m'empêcher de sourire devant leur plaisir mutuel à se retrouver. Euan était de taille moyenne, mais il possédait les mêmes traits virils que son cousin. Lui et Brodick échangèrent encore quelques politesses, puis il tourna vers moi un regard interrogateur, quoique bienveillant.

– Et qui nous amènes-tu là ? dit-il en remettant ses lunettes sur son nez pour m'observer.

– Euan, je te présente Isla. J'apprécierais que tu la prennes sous ta protection, car je dois partir pour quelques jours.

Le cousin de Brodick prit une expression sévère.

– Ma protection ? L'histoire serait-elle en train de se répéter ? Puis-je me permettre de te rappeler ce qui est arrivé à Aimili durant son séjour ici ?

Je savais qu'Aimili était l'épouse de Lachlan. Celle dont, selon Brimstone, Brodick avait été amoureux. Qu'avait-il bien pu se passer lorsqu'elle avait séjourné chez Euan ? J'espérais que Brodick allait satisfaire ma curiosité, mais il demanda plutôt :

– Est-ce que Blunt est toujours à Glasgow ?

– Je ne sais pas. C'est une grande ville, Brodick.

– *Aye*, je me dépêcherai donc de repartir si tu acceptes de garder Isla sous ton toit.

– Oui, bien sûr, tu peux compter sur moi.

Brodick se tourna vers moi et me prit par les épaules. Un pli barrait son front.

1. « Ô Euan, comment vas-tu ? » en gaélique.

– Je t'ai déjà parlé du colonel Blunt. Il hait les jacobites et se fait un devoir de les traquer. C'est pourquoi je ne peux pas rester longtemps, mais je reviendrai te chercher dès que le courrier sera livré. Ensuite, je t'emmènerai à Menzies. Fais-moi plaisir, essaie d'être encore ici à mon retour !

Je n'eus pas le temps de prononcer une parole. Euan donnait déjà des ordres pour qu'on me montre ma chambre et Brodick me sourit chaleureusement en m'enjoignant de suivre la jeune employée de maison. Bien que je n'appréciais guère d'être ainsi exclue, je m'exécutai en silence et m'engageai dans un grand escalier qui menait aux étages supérieurs.

Qu'allais-je faire dans cette chambre ? Je n'avais même pas de bagage à y déposer. Aucun vêtement à accrocher à part ma cape. Avec un peu d'anxiété, je me demandai comment j'allais occuper mes journées sans MacIntosh. J'espérais qu'on allait me faire travailler, comme l'avait déjà mentionné Brodick.

Quelque chose d'autre me dérangeait. Quelque chose qui me rongeait sans que je sache l'identifier vraiment. Était-ce le départ de Brodick qui me contrariait ? Oui, sans aucun doute. J'avais passé les dernières semaines en contact si étroit avec lui que je ressentais un grand vide à l'idée qu'il s'éloigne. Sans moi. Pourquoi cette réaction ? Qu'était-il donc pour moi ?

Je me tournai dans l'escalier pour apercevoir sa silhouette disparaître dans le bureau de son cousin. Allais-je pouvoir lui parler avant son départ ou allait-il partir sans un au revoir ?

Brodick et son cousin s'enfermèrent dans le bureau pour fumer et boire un scotch.

Euan ne tarda pas à demander :

– Qui est cette femme pour toi, Brodick ? Et pourquoi diable aurait-elle besoin de ma protection ?

Le géant se gratta la tête en regardant à travers l'immense fenêtre. Visiblement, il aurait préféré éviter le sujet. Comment résumer une aventure aussi compliquée ? Comment mettre Euan en garde contre un Turc et un Highlander sans en dévoiler plus que nécessaire ? Prendre sous son toit une prétendue sorcière pourchassée par des hommes dangereux était risqué. Euan allait être fou de rage. Mais il ne serait pas tranquille s'il ne savait pas Isla en sécurité, et elle ne le serait pas s'il ne disait pas la vérité à son cousin. Il choisit donc de raconter le plus crédible de l'histoire, riant à l'occasion de l'expression de plus en plus ahurie de Euan, se disant qu'il avait bien fait d'omettre les visions, la prophétie, leur nuit passionnée et l'étrange lien qui se tissait peu à peu entre eux. Euan fut ému par le massacre de Glenmuick, choqué par l'agression de Brimstone et pleura de rire quand Brodick raconta l'épisode de la fuite à cheval avortée. Lorsqu'il se tut, plutôt que de s'emporter, Euan le considéra gravement en tirant sur son cigare.

– Il semble que tu aies enfin trouvé la femme qui te convient, *a dubh*.

L'autre leva les sourcils, surpris. Euan reprit :

– Ne représente-t-elle pas un perpétuel défi ? Elle est forte, têtue et t'en fait voir de toutes les couleurs, non ? Et elle est jolie, en plus !

MacIntosh eut un maigre sourire.

– Elle est intéressante, concéda-t-il. Étrange, opiniâtre…

… *sensuelle, fascinante,* ajouta son esprit.

Euan renversa la tête et rit de bon cœur. Les MacIntosh étaient vraiment des hommes aveugles, incapables de reconnaître l'amour même s'il leur passait sous le nez. Lui-même avait mis trop longtemps à prendre conscience de ses sentiments pour Bertha, son épouse des douze dernières années. À cause de cela, ils n'avaient pas eu d'enfants.

– Ne fais pas l'idiot, MacIntosh. Lorsque la bonne personne passe dans notre vie, elle n'y reste jamais longtemps, à moins qu'on sache la saisir et l'y garder. Si tu pars, comment peux-tu être certain qu'elle sera encore ici à ton retour ?

Brodick hocha la tête, songeur. La vérité, c'est qu'il avait une peur bleue d'envisager qu'elle puisse partir sans lui. De ne trouver à son retour qu'une chambre vide. Mais elle ne gagnerait jamais sa confiance s'il ne lui laissait pas cette liberté, et elle n'apprendrait jamais à faire confiance si elle se sentait constamment épiée.

– C'est loin d'être une certitude, finit-il par répondre. Mais je n'ai pas le choix. Je ne peux qu'espérer qu'elle m'attendra pour aller à Menzies Castle.

– Qu'y a-t-il de si important là-bas ?

– Nous croyons que la personne qu'Isla recherche a travaillé à Menzies. Elle y est peut-être encore.

Euan expira longuement.

– J'ai récemment fait affaire avec le laird. C'est un homme coriace et reconnu pour son intransigeance. Comment comptes-tu pénétrer sur ses terres ?

– Je n'ai pas encore réfléchi à ce détail, reconnut Brodick.

Son cousin se fit pensif, puis il afficha soudain un large sourire.

– J'ai peut-être une solution ! Le bal annuel de Menzies a lieu dans trois quinzaines. J'ai reçu des invitations, mais Bertha n'a pas envie d'y aller. Vous pourriez prendre notre place !

Brodick le dévisagea.

– Un bal ? As-tu perdu l'esprit ? Je n'ai aucunement l'intention d'aller me pavaner en habit ridicule en prétendant être un riche bourgeois.

– Attention à tes paroles, je pourrais m'en formaliser, répliqua Euan.

– Désolé, cousin, dit MacIntosh. Nous trouverons un autre moyen. De toute façon, je ne pourrais pas payer les tenues de bal et autres fantaisies.

L'aîné fronça les sourcils devant la réaction inattendue de son cadet.

– Voyons, quelle mouche te pique ? Je te donne un accès facile à Menzies Castle et tu refuses ?

Brodick se leva pour marcher jusqu'à la fenêtre.

– Je n'ai pas tes finances, Euan, et avant que tu ne le proposes, je n'accepterai pas la charité.

Le marchand se leva à son tour et fit quelques pas.

– Ce n'est qu'une question d'argent, alors ?

– D'honneur.

Euan réfléchit un moment. Brodick avait toujours été fier de gagner sa vie. Il se débrouillait depuis son plus jeune âge, même si son pécule semblait toujours friser la sécheresse.

– Je peux aisément fournir le tissu dont vous aurez besoin. Les entrepôts débordent, pour l'amour du ciel ! Comment peux-tu refuser de me laisser te rendre ce service ? Ou alors, pourquoi ne pas demander à ma nièce Angélique si elle a une robe de bal ? Isla et elle ont à peu près la même taille, si je ne m'abuse !

L'autre resta silencieux.

– J'essaie seulement de t'aider, insista Euan.

Brodick grimaça. Il avait horreur de dépendre des autres, mais s'entêter ne lui apporterait rien. Euan avait parfaitement raison. Le bal était la meilleure façon d'entrer à Menzies pour y rechercher Bridget Tavish. Même si l'idée d'aller parader dans une salle de bal ne l'enchantait guère, c'était l'occasion d'en finir une fois pour toutes avec les lubies d'Isla. Du moins l'espérait-il.

– *Aye*. Demandons à Angélique.

Euan eut un sourire resplendissant comme le soleil sur les lochs. Il reprit place à son bureau et fouilla rapidement dans une succession de tiroirs pour s'assurer qu'il avait bien gardé les deux invitations. Lorsqu'il les dénicha enfin au milieu d'une pile de papiers, il remarqua une autre enveloppe qu'il reconnut immédiatement.

– Où ai-je la tête? fit-il, la mine radieuse. Viens t'asseoir! J'ai reçu une lettre pour toi! Elle vient d'Amérique.

Brodick la prit en souriant et la soupesa un instant. Il reconnaissait l'écriture de Lachlan. Il recevait toujours avec plaisir des nouvelles de sa famille, qui était maintenant installée en Nouvelle-Écosse avec de nombreux émigrés écossais et français. Il ouvrit la missive et la parcourut avec émotion.

– De mauvaises nouvelles? s'enquit Euan devant son froncement de sourcils.

– Le climat est rude et la menace de la guerre plane toujours au-dessus d'eux.

– Et ton père?

La voix de Brodick se brisa.

– Il se morfond.

L'Écossais déposa la lettre et s'essuya discrètement les yeux. Dieu que sa famille lui manquait! Refusant de laisser son cousin le voir pleurer, il se leva d'un bond et se dirigea vers la porte.

– Je vais faire mes adieux à Isla, dit-il en sortant.

En refermant le panneau de bois derrière lui, il entendit son cousin crier:

– Rappelle-toi ce qui est arrivé à ton frère la dernière fois qu'il s'est trompé de chambre sous mon toit!

Comment pourrait-il oublier? Lachlan avait fini marié.

Glenmuick était devenu ma terre d'adoption, ma maison, à partir du moment où ma mère s'était évaporée dans la nature en me laissant derrière elle. Soudainement orpheline, j'avais été prise sous l'aile de mon oncle qui avait fait de moi sa fille. Il m'avait apporté l'amour et l'éducation nécessaires, avait répondu à tous mes besoins, jusqu'à ce qu'il laisse sa vie à Culloden.

Mon oncle Alban croyait aux ambitions de Charles-Édouard Stuart. Il était un jacobite pur et dur et rien n'aurait pu l'empêcher de se rallier à la cause du Jeune Prétendant. Dès l'arrivée de celui-ci en sol écossais, il avait rejoint le soulèvement. J'avais alors atteint mes dix-huit ans et, après avoir refusé de me joindre à l'armée pour assister les médecins, j'avais pris en charge la maisonnée tout en gardant mes occupations de guérisseuse dans le village qui m'avait vue grandir.

Après le départ de mon oncle, les journées s'étaient suivies en une succession rapide de soins, de visites aux patients, de lessive et de toutes les activités domestiques que l'on pouvait imaginer. Un seul homme de notre bourgade était revenu du champ de bataille, et tout en faisant mon deuil, j'avais appris à vivre seule et à m'acquitter des tâches tant masculines que féminines qu'exigeait la tenue d'une maison. Fendre le bois, réparer le toit, poser des collets, plus rien ne m'était étranger.

L'autonomie et l'indépendance faisaient partie de moi. J'avais l'habitude d'aller et venir à ma guise, ne rendant de comptes à personne. De tout faire moi-même et d'organiser mon horaire à ma convenance. Voilà pourquoi il m'était si pénible d'attendre le bon vouloir de Brodick et de devoir patienter dans une ville, une maison et une famille étrangères. Voilà pourquoi j'étais partie à la découverte de Mary King's Close sans lui, que j'avais tenté de gagner Menzies Castle toute seule et que, encore une fois, je me retrouvais en train de ravaler mon impatience. Je détestais avoir le sentiment de dépendre de MacIntosh. Je ne voulais pas être ici. J'allais mourir d'ennui!

Lorsque Brodick avait quitté la résidence de son cousin, quelques heures plus tôt, je m'étais mordu la lèvre pour ne pas le supplier de m'emmener avec lui. Pas seulement parce que sa proximité allait me manquer, mais parce que je ne savais pas comment j'allais me rendre utile, ici. Tout occupée à assimiler le métier de soignante, à prendre soin de mon oncle Alban et à gérer les tâches qui me revenaient, je n'avais jamais appris la broderie et le petit point. Je savais raccommoder des vêtements et recoudre des boutons, ça oui, mais j'ignorais comment manier la dentelle et autres tissus délicats. J'étais bien meilleure pour recoudre les plaies. Mais avec cet horrible pentagramme sur mon bras, offrir mes services aux religieuses dans un hôpital était désormais hors de question.

Je me retournai dans mon lit et fixai à travers la fenêtre la faible lueur du soleil qui persistait encore au loin. L'horloge venait de sonner les onze coups, en bas, et il ne ferait noir que quelques heures avant que l'astre ne réapparaisse vers quatre heures trente du matin.

Tout en regardant la silhouette d'un arbre se balancer doucement au gré du vent, je me demandai que faire. Sans la présence charismatique de Brodick pour me troubler, je pouvais mieux réfléchir.

Je n'avais jamais eu d'autre ambition que de rester à Glenmuick et d'aider les miens. Maintenant que je n'avais plus de village, plus d'amis, je devais reconstruire ma vie. Et je devais décider par où commencer. D'abord, il me fallait découvrir le but de cette chasse au trésor pour en finir avec cette aventure. Ensuite, je pourrais aspirer à une vie plus normale.

Qu'attendais-je exactement d'une vie « normale » ? Un mariage et des enfants ? Saurais-je les élever en n'ayant pas eu de modèle maternel ? Les souvenirs que je gardais de ma mère étaient ceux d'une femme enterrée sous les livres à faire des recettes étranges à l'odeur écœurante.

Ma mère… J'avais volontairement évité de m'attarder à la pensée qu'elle était peut-être encore vivante, tant cette révélation me bouleversait. S'il était vrai qu'elle était toujours sur cette terre, comment avait-elle pu me laisser pour morte dans cette malle et disparaître ainsi ? Et puis, comment Süleyman la connaissait-il ? Quel était le lien entre eux deux ? Plus je réfléchissais, plus les questions se bousculaient dans mon cerveau.

Je secouai la tête et me levai pour ajouter quelques bûches dans l'âtre. Tout en fixant les braises, je me demandai si ma vie ne devait être qu'une longue quête. Après celle-ci, allais-je avoir le courage de me mettre à la recherche de cette figure maternelle que j'avais si longtemps reléguée aux oubliettes ? J'avais tant de questions à lui poser, mais pour l'instant, je ne pouvais les adresser qu'à la nuit.

De retour dans mon lit, je soupirai d'aise, bien au chaud sous l'édredon. Je fermai les paupières, décidée à dormir, lorsque l'image de Brodick s'imposa dans mon esprit. Après m'avoir fait promettre d'être ici à son retour, il m'avait longuement tenue contre lui avant de m'embrasser chastement sur le front. J'avais été un peu déçue de cet adieu formel, je préférais l'homme passionné et impulsif que je connaissais.

J'avais ensuite été entraînée dans les bavardages de la maîtresse de maison, une femme ronde aux traits rieurs. Elle était d'une beauté renversante et les regards qu'elle échangeait souvent avec Euan étaient attendrissants. J'étais fort reconnaissante à mes hôtes de m'offrir le gîte et la protection promise à Brodick, mais je n'étais toujours pas à l'aise. Je ne savais pas si j'arriverais à rester ici dans l'attente du retour de leur cousin.

Alors que mes pensées ralentissaient et que je sombrais dans un semblant de sommeil, un coup de feu éclata à l'extérieur, juste sous ma fenêtre, et je sursautai violemment. Des cris s'élevèrent et je me précipitai vers la croisée, le cœur battant à tout rompre.

Il gisait là, étendu sur le pavé, ses cheveux cachant son visage. Entre toutes, j'aurais reconnu cette silhouette féline aux muscles puissants. Je connaissais ces bottes hautes, cette tunique masculine, cette taille impressionnante. Je le vis bouger une jambe dans un effort pour se relever, mais il retomba dans une mare sombre et poisseuse qui n'était autre que son propre sang.

– Brodick! m'écriai-je en m'élançant vers la porte de ma chambre.

Je dévalai l'escalier aussi vite que mes pieds nus me le permettaient. J'entendis Euan hurler derrière moi de ne pas ouvrir la porte. Trop tard, j'étais déjà sur le pavé, les genoux dans la marée rougeâtre.

Brodick me fixait avec l'angoisse d'un petit garçon. Il respirait rapidement par la bouche en essayant tant bien que mal de gérer la douleur. Je n'arrivais pas à voir où il était touché, alors je me mis à le tâter sans scrupules. D'abord sa tête, puis ses épaules, son torse et son abdomen. Ses bras et son dos. J'examinai ses jambes, et à la hauteur de la cuisse gauche, ma main fut enveloppée d'un liquide visqueux à l'odeur de fer. Il se raidit de douleur lorsque je touchai la blessure. À la quantité de sang qu'il perdait, je mesurai à quel point sa vie ne tenait plus qu'à un fil.

– Non! Non, non, non, non! criai-je, désemparée.

Il était en train de se vider de son sang! Euan et un homme que je ne connaissais pas arrivèrent alors derrière moi, armés jusqu'aux dents.

– J'ai besoin de votre ceinture! Vite! lançai-je au cousin de Brodick.

Celui-ci ne discuta pas. Toujours aux aguets, il se défit de sa ceinture de cuir et me la remit. Je me hâtai d'en faire un garrot.

– Il faut le déplacer immédiatement! ordonnai-je. Je ne peux pas être efficace dans cette pénombre!

L'urgence dut s'entendre dans ma voix. Euan héla aussitôt des hommes dans la rue, attirés par le tumulte. Je criai :

– Dépêchez-vous ! Si l'artère fémorale est touchée, il n'a que quelques minutes devant lui !

Je ravalai la bile qui me montait dans la gorge à l'idée que Brodick soit mortellement atteint. Cela ne pouvait être vrai ! Que faisait-il ici ? N'était-il pas parti depuis des heures ? Je criai des ordres à Bertha pour qu'elle m'apporte ciseaux et linges propres.

– Bertha ! Fais quérir le Dr Thomas ! Vite ! beugla Euan en dirigeant les hommes vers une chambre d'invités du premier étage.

Une fois qu'il fut alité, j'enlevai la haute botte de cuir de MacIntosh et entrepris de couper le pantalon qui collait à ses jambes avec les ciseaux de couture qu'une jeune employée m'avait apportés. J'ordonnai à Euan d'allumer toutes les lampes disponibles afin de me permettre de bien voir. Je ne distinguais pas grand-chose avec tout ce sang, alors je resserrai le garrot et parvins à trouver la plaie. Je fronçai les sourcils.

– Ce n'est pas une blessure par balle ! C'est une coupure par arme blanche !

– Vous en êtes certaine ? demanda Euan, troublé. Qui a tiré le coup de feu, alors ?

– Je l'ignore, dis-je distraitement.

J'étais soulagée de constater la nature de la blessure. Si Brodick avait été blessé par balle, la chair aurait été déchiquetée et l'artère aurait été trop endommagée pour cicatriser. Dans le cas présent, la plaie était franche et nette, et si l'artère n'était que partiellement touchée, il y avait peut-être une chance de sauver sa vie et sa jambe. J'étudiai minutieusement l'endroit exact de la blessure. Je finis par déduire que ce n'était pas l'artère principale qui était atteinte, mais l'une de ses branches.

– Brodick ? Tu m'entends ?

Il ouvrit brièvement les yeux au son de ma voix et murmura quelque chose d'incompréhensible. Je le fis répéter. Avec un énorme effort de volonté, il soupira :

– *Gabh mi uisge beatha pailt*[2].

Il n'y avait pas grand-chose à faire à part nettoyer la plaie avec minutie et appliquer un bandage propre en espérant que l'hémorragie cesserait d'elle-même. Je ne pourrais pas laisser le garrot en place plus de deux heures, et j'espérais que ce serait suffisant pour arrêter le saignement. Dans le cas contraire, lorsque je desserrerais la ceinture, il y aurait un déversement de sang plus important et l'état de mon patient se détériorerait rapidement.

Brodick sombra dans l'inconscience et ne m'opposa pas de résistance lorsque je me mis à nettoyer la lésion. La tâche était relativement simple. Ce qui m'inquiétait était que son cerveau manque de sang et qu'il en subisse des séquelles irréversibles. Après avoir bandé la blessure, je soupirai. J'avais fait tout ce qui était en mon pouvoir, il ne restait qu'à prier.

– Brodick ?

Il semblait dormir paisiblement, mais je savais que son sommeil était trop profond. Euan me pressa l'épaule et nous observâmes le géant un long moment sans rien dire. Cet homme inébranlable, si solide, si vivant, je ne pouvais supporter de le voir ainsi, vulnérable et charcuté.

– Isla… croyez-vous qu'il va s'en tirer ?

– Je l'ignore. Si l'hémorragie perdure ou que la plaie s'infecte, cela pourrait lui être fatal.

– Pourquoi le médecin n'est-il pas encore là ? grinça Euan.

Je pinçai les lèvres. J'espérais qu'il ne s'agirait pas d'un de ces charlatans qui essaierait de lui faire une saignée. Il

---

2. « Donnez-moi beaucoup de whisky » en gaélique.

n'avait assurément pas besoin de cela! Euan et Bertha sortirent silencieusement, laissant le jeune homme à mes soins. Je savais que le propriétaire des lieux allait mener son enquête pour connaître les circonstances entourant cette tragédie. Pour l'instant, je n'avais pas envie de savoir ce qui avait pu se passer. Tout ce que je désirais, c'était voir ces yeux d'encre s'ouvrir et ce petit sourire narquois retrousser le coin de ses lèvres trop pâles.

J'approchai un fauteuil du lit et m'étirai. C'était mon tour de le veiller, comme il l'avait fait pour moi à l'auberge. Il était blême à faire peur et sa main était froide lorsque je la pris entre les miennes. Il avait perdu beaucoup trop de sang.

Depuis le coup de feu, j'avais agi avec mon calme habituel et fonctionné machinalement comme je le faisais avec tous mes patients. Mais maintenant, assise là à côté de son corps inerte, je réalisai pleinement que je l'avais peut-être déjà perdu.

Une larme roula sur ma joue et je l'essuyai avec rage. Toutes ces années à prodiguer des soins à tout un chacun, et à quoi cela me servait-il en fin de compte? Une deuxième larme m'échappa, puis une autre. Je portai sa main à ma joue et embrassai sa paume en ravalant mes sanglots.

– Reste avec moi, Brodick, suppliai-je en tendant la main pour écarter une mèche collée à son front.

L'idée qu'il ne me toucherait peut-être plus jamais, qu'il ne se moquerait plus de moi ou qu'il ne m'observerait plus avec ce regard de panthère à l'affût de sa proie m'était insupportable. Il gisait là, entre la vie et la mort, et je ne pouvais rien faire de plus pour lui.

Rien.

Mue par une envie folle d'être près de lui, je grimpai sur le lit et me collai à son corps. Je me moquais de ma chemise presque indécente maculée de sang, des lampes qui flamboyaient tout autour ou de la bienséance. Je n'avais que faire des convenances et de ce que penseraient Euan et le médecin lorsque celui-ci finirait par arriver. C'était moi qui avais tenté de sauver la vie de cet homme et j'allais me permettre de profiter de sa présence comme bon me semblait.

Je berçai sa tête contre ma poitrine, la gorge nouée. Il était si froid! Allait-il partir alors que je le serrais tout contre moi? J'enveloppai ses épaules de mes bras, comme un châle tissé d'amour, et me mis à sangloter sans retenue.

Harriot était affreusement distrait depuis des jours.

Il avait passé les journées précédentes à tourner et retourner les événements dans sa tête. Plus le temps passait, plus il se disait que la rescapée de Glenmuick ne serait jamais retrouvée, et cette pensée l'agaçait.

Non pas qu'il lui veuille du mal. Il savait toutefois que certains de ses pairs avaient des idées bien arrêtées sur ce qui devait advenir d'une sorcière vivant dans leur communauté. La loi interdisait désormais à quiconque de brûler les ensorceleuses, mais cela ne signifiait pas pour autant que les représentants du clergé ne pouvaient pas la châtier si elle était reconnue coupable d'actes de sorcellerie qui allaient à l'encontre de la religion.

L'Église considérait comme relevant de la sorcellerie tout acte de magie qui faisait appel à des pouvoirs surnaturels. Elle avait combattu cette forme d'hérésie depuis des années et avait peut-être baissé sa garde lorsque la loi avait été changée neuf ans après la mort de Janet Horne. L'évêque ne savait que trop bien que ces exécutions avaient souvent pu être faites de façon partiale sous de fausses accusations. Toutefois, cela ne voulait pas dire que le clergé devait dorénavant fermer les yeux sur les personnes suspectes. Dans ce cas-ci, la jeune femme avait été retrouvée vivante sur un bûcher, marquée d'un pentagramme, et elle semblait leur échapper un peu plus chaque jour.

Il ressentait personnellement des émotions ambivalentes à l'égard de cette femme. Elle le fascinait et l'effrayait tout à la fois. Possédait-elle réellement des pouvoirs? Le clergé pourrait-il vraiment faire la preuve de ses activités démoniaques? Et si elle était pure comme un agneau de Dieu? Il lui serait difficile de convaincre de son innocence si sa filiation avec Janet Horne était établie…

Tout en arpentant son bureau, l'évêque pensa à la vieille femme condamnée deux décennies plus tôt à Dornoch. Avant de périr par les flammes, elle avait énoncé une terrible prophétie. Si la fille de Glenmuick était bien sa descendante, avait-elle entendu parler de la malédiction?

En proie à une migraine lancinante, Harriot regagna son fauteuil. À cause de toute cette histoire, il ne dormait plus la nuit. Il devait être fixé une fois pour toutes sur l'identité de la jeune femme et sur sa vraie nature. Il ne pouvait plus se permettre d'attendre que Brimstone la ramène hypothétiquement d'Édimbourg. C'est pour cette raison que, quelques jours auparavant, il avait lancé un avis de recherche dans tous les diocèses d'Écosse.

L'aube se leva, et avec elle, la douleur dans mon cœur.

J'ouvris les yeux après m'être assoupie un instant, la joue contre la tête de Brodick. Je m'empressai de prendre son pouls, me fustigeant d'avoir cédé au sommeil. Et s'il était parti pendant que je dormais? L'affolement me serra la poitrine un moment, puis je perçus des battements dans son cou, faibles mais réguliers.

Je me redressai et caressai son front moite.

– Pourquoi es-tu revenu hier soir, MacIntosh ? Que faisais-tu là, dehors ?

En disant ces mots, je réalisai à quel point j'étais en colère. Contre Brodick, d'abord, pour avoir changé ses plans. Sans doute que rien de tout cela ne serait arrivé s'il avait été loin d'ici comme prévu. Contre moi, ensuite, pour avoir souhaité son retour. Et si je l'avais contraint à revenir en envoyant des messages contradictoires dans l'univers ? Avais-je ce pouvoir d'attraction qu'on attribuait à certaines sorcières ? Malgré mon refus de le reconnaître, est-ce que je possédais certains dons qui faisaient de moi un être dangereux ? J'étais aussi furieuse contre le médecin qui n'était pas encore passé. Je n'osais imaginer ce qui serait advenu de Brodick si je n'avais pas été là. Et j'en voulais à la personne qui avait tenté de provoquer la mort d'un homme aussi bon et dévoué. Qui avait bien pu s'en prendre à lui ainsi ? Brimstone ? Süleyman ? Un parfait étranger qui avait vu l'opportunité de s'enrichir de quelques pièces ? Seul Brodick connaissait la vérité, et il ne pourrait peut-être jamais l'énoncer.

Je bâillai et me frottai les yeux de fatigue. J'avais tant pleuré que mes paupières étaient gonflées, et mes épaules étaient encore secouées de hoquets involontaires. Au cœur de la nuit, j'avais réalisé à quel point cet être à la fois irritant et posé était important pour moi. Pouvait-il y avoir une histoire entre nous ? Une femme comme moi pouvait-elle convenir à un guerrier comme lui ? D'ici peu, la question ne se poserait sans doute même plus.

Je ne pouvais rester ainsi à réfléchir sans arrêt, c'était trop pénible. J'avais besoin d'être active et de sentir que j'aurais tout fait en mon pouvoir pour l'aider. J'allai donc passer ma robe en vitesse et revins auprès de lui pour me mettre à l'ouvrage.

Je retirai sa botte droite et la rangeai près de l'autre, dans un coin de la chambre. Je coupai ce qui restait de son pantalon en prenant soin de couvrir sa nudité avec une serviette, puis j'entrepris de lui enlever sa tunique. Ses membres étaient terriblement lourds dans l'inconscience, mais j'étais persévérante, et après plusieurs minutes à forcer et à grogner, je réussis à le dévêtir.

J'allai remplir le broc d'eau chaude et me mis à le laver avec soin. Il y avait du sang partout, et même si je n'étais pas assez forte pour enlever l'édredon souillé sous lui, je parvins quand même à nettoyer sa cuisse. Le bandage était imbibé de sang, mais le garrot avait fait son travail et j'avais pu le retirer de façon sécuritaire durant la nuit.

En le lavant, j'observai librement ce corps solide qui m'avait aimée. Sa peau de bronze, les poils foncés qui descendaient en triangle jusqu'à son membre, ses pectoraux et ses biceps si puissants. Il avait un physique de guerrier, et pourtant il m'avait caressée avec tant de douceur. J'aimais ses mains. Elles étaient belles, avec de longs doigts qui avaient joué une symphonie enivrante sur ma peau. Un frisson me parcourut l'échine lorsque je m'arrêtai à revivre ce moment.

Lorsqu'il fut lavé, j'entrepris de changer le pansement sur sa cuisse. Il gronda un peu dans son sommeil, mais ne bougea pas. Munie d'une savonnette et d'un blaireau réclamés à la femme de chambre, je me mis ensuite à le raser. Son visage était détendu. Brodick ne se rasait pas souvent, et la plupart du temps, je l'avais vu avec ce duvet noir qui couvrait ses joues. Ce matin, j'avais l'impression de le découvrir. Sous sa barbe, il y avait une fossette à l'angle de sa bouche. Que n'aurais-je pas donné pour la voir lorsqu'il souriait !

Je passai un peigne dans ses cheveux en bataille et le couvris d'un drap immaculé. Il avait l'air d'un petit garçon, vulnérable et anéanti par un tout petit trou dans sa chair. Je déposai un baiser sur son front et retins les larmes qui menaçaient de nouveau de déborder. Je ne devais pas céder à l'angoisse. C'était anticiper l'avenir. Je me fis la promesse de prendre les choses comme elles arriveraient, un moment à la fois, et d'être là pour lui à chaque instant.

Me détournant, je ramassai le linge qui jonchait le sol et le pliai méticuleusement. Je le donnerais à Bertha pour qu'elle le fasse laver. Je jetai le pantalon dans la corbeille et vidai l'eau savonneuse par la fenêtre. Dehors, il faisait un temps magnifique qui contrastait avec mon humeur maussade. Je laissai la fenêtre ouverte pour faire entrer un peu d'air frais. Le chant des oiseaux m'apaisa quelque peu. Lorsque tout fut en ordre, je décidai qu'il était temps de préparer un cataplasme de consoude et de souci pour parer tout risque d'infection, mais je n'osais pas quitter le chevet de mon patient. Où étaient donc Euan et Bertha? Pourquoi n'étaient-ils pas venus s'enquérir de l'état de leur cousin?

Jetant un coup d'œil à Brodick, je déterminai que son état était relativement stable et que je pouvais le laisser seul quelques minutes. Je passai la tête dans l'embrasure de la porte et tendis l'oreille. La maison était silencieuse. Aucun son ne provenait de la salle à manger ni du salon. Je m'engageai dans l'escalier et me dirigeai vers la cuisine où je savais pouvoir trouver du coton et des herbes pour confectionner la compresse.

Lorsque je passai devant la porte close du bureau de Euan, j'entendis des voix étouffées à l'intérieur. Je ne sais pour quelle raison je me figeai, l'oreille tendue. Peut-être à cause d'un éclat de voix particulier qui me fit trembler.

– Cette femme est la progéniture du démon et vous l'accueillez sous votre toit sans même poser de questions!

Je ne connaissais pas cette voix, mais elle appartenait certainement à un homme d'un âge vénérable. Je retins mon souffle, attendant la réponse de MacIntosh.

– Sorcière ou non, elle a sauvé la vie de mon cousin. Sans elle, il serait mort dans les minutes suivant l'attaque. Le médecin n'est même pas venu parce qu'il était trop saoul pour passer le seuil de son cabinet !

Ignorant l'argument de Euan, le vieil homme persista :

– Dans la même soirée, j'apprends que l'évêché d'Aberdeen a lancé un avis de recherche national concernant une jeune femme marquée d'un pentagramme et que vous, Euan, mon ami, vous abritez une inconnue répondant à ce signalement dans votre propre maison !

J'écarquillai les yeux. Quelle était cette histoire ? L'Église était à mes trousses, à présent ? L'image du bûcher me traversa l'esprit et un frisson me secoua les épaules.

– Duncan, fit Euan d'une voix plate, vous savez à quel point je vous estime. Vous représentez le clergé de Glasgow avec fidélité et discernement depuis des années maintenant. Il est temps d'exercer cette intelligence. Je vous en conjure, laissez cette fille tranquille.

Seul un silence pesant fit écho à la plaidoirie de MacIntosh. Celui-ci reprit :

– Qui vous a rapporté sa présence ici ?

– L'un des hommes qui ont aidé à transporter votre cousin hier soir. Un voisin à vous, sans doute. Il a dit qu'elle était à moitié nue dans la rue et que son bras était marqué du pentagramme.

– Comment était-il au courant qu'Harriot la recherchait ?

– Il ne le savait pas. Il est venu à moi dans le seul but de dénoncer la sorcière.

Euan n'avait sans doute pas manqué de voir le pentacle lui aussi. Tout occupée à vouloir sauver Brodick, je n'avais même pas pensé à le dissimuler. Je ne regrettais pas cette négligence, mais appréhendais ce qui allait m'arriver à présent. La voix de Bertha s'éleva, douce et posée :

– Avez-vous la moindre idée de la raison pour laquelle l'évêque Harriot veut voir cette jeune femme ?

– *Och, nay.* Le ton de la missive était impératif, mais aucune raison n'a été invoquée. Cependant, il me paraît clair qu'on parle ici de sorcellerie, ne cherchons pas midi à quatorze heures !

Euan émit un grondement qui ressemblait tellement au son que faisait parfois Brodick que je frissonnai de nouveau.

– Je ne peux pas... Je ne *veux* pas la laisser partir avec vous, malgré tout le respect que je vous dois, Duncan !

– Et pourquoi pas ?

Euan se racla la gorge.

– Eh bien, d'abord, elle est la seule qui s'y connaisse assez pour éviter à Brodick de mourir. Ensuite, j'ai donné ma parole à mon cousin que je la protégerais tant qu'il ne serait pas en mesure de le faire. Manifestement, il n'est pas en état de s'acquitter de cette tâche, *ergo*, la fille ne bouge pas d'ici.

Des pas se firent entendre dans l'escalier et je me dépêchai de gagner la cuisine avant qu'on ne me surprenne à écouter aux portes. J'étais secouée. Après avoir été battue et liée à un bûcher, pourchassée et faite prisonnière par les Turcs, attaquée par Brimstone, voilà que le clergé se mettait de la partie. Je ne me faisais aucune illusion sur la raison de cet avis de recherche : l'inquisition, la chasse aux sorcières.

Tandis que je broyais les feuilles de consoude et les pétales de souci de façon machinale, mon cerveau fonctionnait à plein régime. Que devais-je faire ? Je pouvais toujours sortir par-derrière et m'enfuir, mais je ne voulais pas partir sans savoir ce qu'il adviendrait de MacIntosh. Je pouvais aussi m'en remettre à Euan, mais comment pourrait-il me protéger si ce fameux Duncan décidait de revenir avec des renforts ? Bertha m'avait brièvement raconté ce qui était arrivé à Aimili durant son séjour ici : l'armée anglaise avait enfoncé la porte et l'avait mise aux fers. Euan n'avait rien pu faire. Je comprenais maintenant pourquoi celui-ci avait dit à Brodick que l'histoire se répétait.

Devais-je faire preuve d'abnégation et me rendre moi-même ? Pouvais-je renoncer à ma quête et aller à Aberdeen pour rencontrer ce fameux Harriot ? Non. C'était hors de question. Cela revenait à se jeter dans la gueule du loup. On me condamnerait pour hérésie sans autre forme de procès, j'en étais certaine ! En proie à un soudain sentiment de vulnérabilité, je me dépêchai de ramasser le cataplasme que je venais de confectionner et retournai m'enfermer dans la chambre avec Brodick. Je poussai même l'audace jusqu'à tirer le verrou.

J'appliquai prestement la compresse sur la lésion et replaçai le bandage par-dessus. Je remontai le drap sur sa poitrine et touchai son front. Je fronçai les sourcils. N'était-il pas un peu trop chaud ? Je trempai un linge propre dans l'eau tiède et le déposai sur son front. Puis je me recroquevillai dans le fauteuil, les genoux sous le menton, et je me mis à trembler. Jusqu'à présent, j'avais réussi à me tirer relativement facilement des situations périlleuses qui s'imposaient à moi les unes après les autres, mais ma chance finirait bien par tourner. Pourquoi étais-je la proie d'autant de gens ?

Le fait que, depuis le massacre de Glenmuick, les menaces affluaient sans relâche me forçait à reconsidérer mon assurance d'être une jeune femme normale. Si tel était le cas, ne serais-je pas en train de vivre le quotidien dans mon village sans me soucier d'avoir des mercenaires, des mécréants ou des hommes de Dieu à mes trousses ? Qui étais-je donc pour m'être attiré autant d'ennemis sans rien faire en si peu de temps ?

Bien sûr, je savais que je n'étais pas tout à fait comme les autres. Depuis que j'étais allée à Mary King's Close, les voix se manifestaient même le jour, je ne pouvais plus mettre mes visions sur le compte d'un sommeil agité. Les voix me menaient toujours un peu plus loin dans l'exécution de l'augure. Je les détestais, mais elles me guidaient.

Brodick émit soudain un gémissement et tourna la tête, faisant tomber le linge de son front. Je me levai et touchai ses joues et son cou. Il faisait de la fièvre. C'était mauvais signe! Si le sang qui lui restait s'empoisonnait, il allait mourir.

Lorsque mes doigts effleurèrent son front, ses paupières papillonnèrent et s'ouvrirent lentement. Il était visiblement perdu. Bientôt, son regard s'arrêta sur mon visage et il m'offrit un sourire incertain. Ma main glissa le long de sa joue et il tourna la tête vers la caresse. Je ne savais que lui dire, prise entre l'envie de le noyer sous des paroles rassurantes et de le sermonner d'avoir changé ses plans et d'être revenu à Glasgow.

– Ma jambe…, souffla-t-il en s'agitant.

Je l'immobilisai, les mains sur ses épaules.

– Tout va bien, Brodick. Une branche de l'artère fémorale a été touchée. Tu as perdu beaucoup de sang. Il faut rester immobile pour ne pas que le saignement reprenne.

À son expression perplexe, je réalisai que je lui avais lancé trop d'informations et qu'il ne pouvait pas toutes les assimiler.

– Reste tranquille, résumai-je.

D'une main, il repoussa le drap qui le couvrait et se dénuda jusqu'au nombril. Il avait trop chaud et avait peine à garder les yeux ouverts. Je pris place à ses côtés, sur le lit, et laissai machinalement mes doigts caresser la peau de son torse et de son ventre.

– Je suis là. Je prendrai soin de toi, promis-je.

Il fronça les sourcils, confus. La sueur perla sur son front et il émit un son entre la protestation et le sanglot. Il était très faible et je pouvais concevoir que, pour un Highlander de son gabarit, ce n'était pas une sensation agréable. Je remis un linge sur son front et en plaçai quelques autres sur son torse. Il se raidit et tenta de les retirer.

– Non, Brodick. C'est pour faire baisser la fièvre, tentai-je de le raisonner en saisissant ses poignets.

Il me repoussa fortement, heurtant au passage la vasque et le broc qui reposaient sur la table de chevet. Les articles de porcelaine se fracassèrent au sol dans un vacarme assourdissant. Me rendant à l'évidence que je ne le calmerais pas seule, je me précipitai vers la porte et me battis un instant avec le verrou avant de passer la tête dans l'embrasure.

– Euan !

Euan et Bertha étaient déjà dans l'escalier, sans doute alertés par le bruit. Quand ils entrèrent dans la chambre, Brodick tentait de s'asseoir, arrachant son pansement et dévoilant sa nudité. Euan le cloua dans son lit, une main sur chaque épaule, et lorsque Brodick lui griffa le bras droit, il le menaça tant et si bien de tous les châtiments du monde que Brodick abdiqua, secoué de tremblements. Tandis que Euan le maintenait encore un peu, je caressai son front et ses cheveux en faisant des « shhhh » rassurants, comme pour apaiser un enfant.

Je plaçai mon autre main sur sa tempe pour évaluer sa température corporelle. Il était brûlant et les frissons s'amplifiaient. Voulant bien faire, Bertha le couvrit d'un épais édredon, sans doute autant pour le réchauffer que pour camoufler sa nudité. Brodick se recroquevilla sous la couette.

Je saisis fermement les extrémités de la couverture et l'écartai d'un mouvement sec. Il protesta faiblement et sembla se ramasser encore davantage sur lui-même.

– Qu'est-ce que vous faites ? interrogea la femme, incrédule.

Je lui tendis la couette.

– Mettez-la hors de sa portée pour le moment. La fièvre doit descendre, ou elle va l'emporter. J'ai besoin d'eau fraîche en grande quantité.

Lorsque Bertha revint avec une grande marmite d'eau, aidée par la femme de chambre qui ouvrit de grands yeux en voyant le corps nu du Highlander, j'y plongeai un drap dont je recouvris Brodick, qui s'arqua de surprise et voulut repousser la cape glacée.

– Il faut le maintenir, Euan ! criai-je en évitant de justesse l'immense poing qui s'agitait aveuglément. Brodick ! Je ne vais pas te faire de mal. Tu as beaucoup de fièvre, je veux t'aider, mais tu dois coopérer ! Cesse de te débattre !

Après un instant, Brodick commença à s'apaiser. Son corps s'accoutuma peu à peu au linceul froid qui collait à lui comme une seconde peau. Je demandai à Bertha de trouver de l'alcool et de préparer un bouillon selon mes instructions. Puis je me remis à parler au Highlander. Même s'il gardait les yeux clos, je sentais qu'il écoutait ma voix. Je voulais lui donner une raison de s'accrocher.

MacIntosh avait arraché son pansement, mais Dieu merci, la blessure saignait peu. J'allais toutefois devoir la désinfecter avec l'alcool et je savais que le calme difficilement acquis n'y résisterait pas. Après quelques efforts pour déplier ce grand corps pelotonné, je retirai le drap mouillé puis versai le whisky sur la plaie, ce qui tira un horrible hurlement à Brodick.

Au terme de plus d'une heure d'alternance entre le drap mouillé et le whisky, dont je versais parfois quelques gouttes entre ses lèvres, la fièvre baissa assez pour que je puisse lui fournir une mince couverture. Ses muscles saillaient tant ses membres étaient contractés par le froid.

Le bouillon que j'avais demandé à Bertha de préparer avait eu le temps de refroidir un peu et je lui fis boire une gorgée de cette potion immonde à base d'herbes. Il recracha aussitôt le liquide sur moi, suppliant qu'on le laisse tranquille, mais je ne me laissai pas démonter. Je l'obligeai à avaler en lui pinçant le nez et répétai mon geste jusqu'à ce que le bol soit vide.

Brodick continua de délirer un moment, prononçant des paroles inintelligibles et s'agitant de façon intermittente.

Puis ses tremblements s'estompèrent graduellement, et bien que toujours chaud, le malade finit par sombrer dans un sommeil paisible, happé par le néant.

Je me tournai alors vers Euan, qui me remercia d'un signe de tête. Il était resté là à m'aider et à m'observer en silence depuis le début des opérations.

– Il n'est pas tiré d'affaire, dis-je doucement. Il faudra probablement répéter tout cela dans quelques heures, quand la fièvre reprendra le dessus. Allez prendre du repos, Euan. Et je vous en prie, ne croyez pas tout ce que l'on raconte sur moi.

CHAPITRE XIII

Vade retro

Guthrie se frotta les yeux en soupirant, puis il referma le lourd volume qu'il était en train de consulter.

Personne ne semblait connaître les armoiries qu'il cherchait à identifier. Il avait épluché presque tous les ouvrages de la bibliothèque nationale d'Édimbourg sur le sujet, il avait interrogé des experts susceptibles de les reconnaître, mais il avait l'impression de se heurter à un mur à chaque fois. Le blason restait insaisissable.

Était-il possible que cet emblème ait été créé spécifiquement pour un groupe anonyme afin de permettre à ses membres de se reconnaître entre eux tout en gardant les non-initiés dans l'ignorance ? Le but des armoiries était pourtant bien d'identifier un clan ou une famille. Pourquoi quelqu'un voudrait-il posséder un emblème si c'était pour le cacher ?

Guthrie empocha les deux blasons : le complet, qu'il avait arraché de l'épée, et le morceau qu'il avait trouvé sous le bûcher. Il n'avait pas l'intention d'abandonner ses recherches, mais le bibliothécaire lui avait déjà signifié par deux fois que l'édifice allait fermer ses portes dans quelques minutes. Il quitta donc l'atmosphère sombre et pesante de la bibliothèque pour se retrouver dans le crépuscule de la capitale. Il avait besoin de boire.

Il pénétra dans la taverne la plus proche et quelques clients s'écartèrent devant son uniforme du Black Watch. Il avait demandé quelques jours à son supérieur, invoquant des motifs personnels, et s'était rendu à Édimbourg en pensant qu'il aurait besoin de peu de temps pour identifier ce foutu blason. Hélas! Ce ne serait pas aussi facile qu'il l'avait cru.

Il prit place à une table en retrait en rongeant son frein. Non loin de lui, un ivrogne racontait de nouveau comment il avait survécu à la bataille de Culloden, comme il l'avait fait la veille et l'avant-veille. Cet homme passait sa vie à ressasser le passé et Guthrie secoua la tête de dégoût. Il sirota lentement la grande chope d'ale[1] qu'une serveuse lui avait apportée et se mit à observer les gens autour de lui. À cette heure, il y avait une meute de prostituées au milieu des clients. Elles étaient moches, pour la plupart, mais son regard s'arrêta sur une jeune rousse flamboyante à la poitrine plantureuse. Se sentant observée, elle tourna la tête vers lui et lui sourit. Il lui fit un signe de la tête et elle s'approcha en balançant les hanches. Il y avait près de huit cents prostituées à Édimbourg, et Guthrie n'avait pas l'intention de se rendre dans l'un des nombreux bordels de la ville, alors il plaça des pièces sur la table et se leva, suivi par la jeune femme qui venait d'empocher son dû.

Une fois dans la chambre qu'il louait non loin de là, Guthrie s'empressa de caresser le buste généreux qui s'offrait à lui. La jeune femme avait des seins fermes et de gros mamelons qui se dressèrent sous ses caresses. Il défit sa braguette et laissa tomber son pantalon, puis il renversa la putain sur la table la plus proche, retroussa ses jupes et la prit par-derrière. Il n'avait pas connu de femmes depuis un moment et avait presque oublié à quel point la sensation était jouissive. Cette fille ne travaillait sûrement pas depuis longtemps, car son

1. Bière anglaise aromatisée au moyen de fruits plutôt que de houblon.

sexe était un étau où il s'enfonçait avec force. Il la saisit par les cheveux et tira sa tête en arrière. La jeune femme émit alors un son qui l'excita davantage. Il ralentit toutefois la cadence pour ne pas jouir tout de suite et, de sa main libre, il se remit à tâter la poitrine de la fille. Trop tôt, il sentit son sperme gicler et il fut saisi par un orgasme qui le laissa pantelant.

Après avoir repris son souffle, Mac se retourna et remonta son pantalon. Le blason de l'épée tomba alors de sa poche et roula sur le sol jusqu'aux pieds de la prostituée. Elle le ramassa et l'étudia, sourcils froncés.

– Ne touchez pas à ça ! grogna Guthrie d'un ton menaçant en le lui enlevant des mains.

Elle remonta son corsage et rajusta ses jupes.

– Je ne savais pas que le Black Watch s'acoquinait avec les malfrats de la compagnie Tassel, maintenant.

Guthrie redressa subitement la tête.

– La compagnie Tassel ?

– Oui. Ne me dites pas que vous n'êtes pas au courant de leurs activités ! Ils sèment la terreur depuis des mois dans tous les Highlands en se vantant de promouvoir la vieille alliance entre la France et l'Écosse. Ce sont des sanguinaires !

Mac assimila les paroles de la fille et la congédia en la gratifiant d'une pièce supplémentaire. Lorsqu'elle fut partie, il s'affala sur le lit, étudiant le blason avec encore plus d'intérêt qu'avant. La compagnie Tassel... S'il s'agissait de mercenaires, il pouvait affirmer avec certitude qu'ils étaient les auteurs du massacre de Glenmuick. Toutefois, les mercenaires n'attaquaient généralement pas au hasard. Qu'est-ce qui les avait poussés vers ce minuscule village ?

Ou plutôt, qui ?

Le soir était tombé sur Glasgow lorsque je m'éveillai après avoir somnolé un moment dans mon fauteuil. Je m'approchai de mon patient endormi. Il était étendu sur le dos, les lèvres entrouvertes, des mèches couleur charbon barrant son front moite. Il semblait détendu, les mains posées sur son ventre, la respiration régulière. Je touchai sa tempe pour jauger sa température, et il tourna instinctivement la tête vers moi. La lumière tomba sur la cicatrice qui balafrait la beauté masculine de ce visage aux pommettes hautes et à la mâchoire volontaire. Une épaule dépassait de la couverture que j'avais maternellement étendue sur son corps frissonnant après la troisième séance de compresses froides. Au fil des soins, Brodick s'était montré de moins en moins rétif, jusqu'à s'endormir d'épuisement en grelottant.

J'avançai le bras pour recouvrir l'épaule dénudée lorsqu'une immense main me saisit soudainement le poignet. Je sursautai violemment. Les longs doigts de Brodick s'enroulèrent autour de mon avant-bras comme un lierre. Sa paume était chaude.

– Merci, souffla-t-il avant de refermer les yeux.

Sa main se détendit sur mon bras et je refoulai l'émotion qui gonflait dans ma poitrine. Trois petits coups furent alors frappés à la porte et Euan se présenta dans l'embrasure. Je le rejoignis dans le corridor.

– Comment va-t-il? s'enquit l'homme en roulant les manches de sa chemise.

– Stable, pour l'instant. Il est plus fort que je ne le croyais.

Euan ricana.

– Il a l'esprit de contradiction très prononcé. On peut toujours être certain qu'il fera le contraire de ce qui est attendu. Au point d'éviter de mourir même si tel semble être son destin!

Je souris. Il était vrai que Brodick était têtu, et en cet instant, j'en étais reconnaissante. Sans cette volonté bien à lui, il aurait lâché prise depuis longtemps.

L'expression de Euan se fit soudain plus grave.

– Merci, Isla. Sans vous…

– Ne me remerciez pas. Il est… important pour moi.

Dans un geste paternel, le cousin de Brodick me pressa le bras avec un sourire bienveillant.

– Je sais.

Quelque peu gênée par cette soudaine familiarité, je fis bifurquer la conversation.

– Avez-vous appris l'identité de l'agresseur ?

– Pas encore. Tout ce que je sais, c'est que Brodick venait de laisser Haras aux écuries. Quand il est sorti de la cour arrière, quelqu'un l'attendait.

– Et le coup de feu ?

– C'est Brodick qui l'a tiré. S'il ne l'avait pas fait, nous l'aurions trouvé vidé de son sang le lendemain.

Il y eut un instant de silence, puis Euan reprit la parole :

– Reposez-vous, Isla. Vous êtes blême.

L'homme se détourna et descendit quelques marches avant que je ne le rappelle. J'eus peine à formuler la question qui me brûlait les lèvres, mais je ne pouvais pas vivre dans l'incertitude plus longtemps.

– Allez-vous me livrer au clergé ?

Il ne sembla pas s'étonner outre mesure que je soulève une telle question. Il se contenta de me fixer avec intensité.

– Je n'ai aucune raison de le faire. Je ne vous ai pas vue utiliser la magie pour guérir mon cousin, je n'ai pas entendu de sortilèges sortir de votre bouche. Vous semblez être très compétente comme guérisseuse, et je ne crois pas que votre marque fasse de vous une ensorceleuse.

J'exhalai un souffle que je n'avais pas eu conscience de retenir. En partie rassurée, je ne pus m'empêcher de remarquer :

– Mais les gens savent… Vos voisins ont vu la brûlure…

– Laissez-moi m'occuper de ce petit détail, Isla. Pour le reste, je ne vous demande que deux choses: couvrez cette marque et prenez soin de Brodick.

Sans plus se soucier de ce « petit détail », il continua son chemin en sifflotant et me laissa là, à essuyer mes larmes de reconnaissance.

À un certain moment, des voix flottèrent autour de Brodick, et dans son sommeil, il eut la vision de trois petits corps sans vie. Il s'agita un peu, mais une main fraîche vint caresser sa joue et des murmures l'accompagnèrent. Ses pensées convergèrent vers une étendue de bruyère où, petit garçon, il jouait à se cacher d'une femme qu'il n'arrivait pas à voir clairement, mais qui appelait parfois son prénom en riant. Puis il se retrouva dans un autre champ où des hommes le recherchaient avec des torches. Il ne trouvait plus Isla et une grande anxiété le saisit. De nouveau, la main le toucha et l'image dans sa tête changea, comme actionnée par le contact de cette paume réconfortante sur son front. Il se vit lui-même, sans cicatrice au visage ni ressentiment dans le cœur, taquinant son frère et son père. Quelque part dans ce brouillard de pensées, la douleur sourdait dans son corps, comme si tous les chardons d'Écosse s'étaient réfugiés dans sa cuisse. Mais la main lui caressa le bras et quelques mots rassurants furent chuchotés à son oreille. Apaisé, il sombra enfin dans un sommeil profond ou les songes ne l'accompagnèrent pas.

Süleyman avait perdu la trace de Brimstone, et lorsqu'il était revenu à Édimbourg, Isla et son garde du corps s'étaient déjà envolés. Comment avait-il pu la persuader de partir alors qu'elle était dans un tel état ? Comment avait-il osé la forcer à prendre la fuite après ce qu'elle avait vécu ce jour-là ? Elle lui avait paru si minuscule et vulnérable, blottie dans les bras du minotaure.

Il se doutait que les deux jeunes gens allaient se rendre à Menzies Castle. Isla ferait tout en son pouvoir pour interroger Bridget Tavish et réaliser cette ridicule prophétie. Il soupçonnait désormais qu'elle ne pourrait sans doute rien lui apporter de tangible tant qu'elle n'aurait pas parcouru les étapes de l'augure une à une.

Avant de retourner dans les Highlands, Süleyman avait des comptes à régler avec la sorcière. Elle avait encore utilisé sa magie sur Isla, il en avait été témoin ! Il se rendit donc de nouveau chez Élisabeth. Une fois à destination, il s'étonna de ne pas entendre la mule qui accueillait habituellement son arrivée par des braiments hystériques. Il descendit prestement de sa monture pour pénétrer dans la chaumière, mais se heurta à une porte close. Les lieux étaient déserts. Où diable était la vieille ?

Il était possible qu'elle soit simplement allée cueillir les plantes qui lui étaient utiles pour ses enchantements grotesques, mais il en doutait. Il avait déjà eu l'occasion de constater qu'Élisabeth laissait sa porte ouverte lorsqu'elle sortait pour si peu de temps.

Un sentiment d'effroi s'infiltra peu à peu dans sa poitrine et il regarda autour de lui. Avait-elle suivi Isla ? Se rendait-elle à Menzies Castle ? Il ne pouvait pas rester dans l'incertitude. Décidé à suivre sa trace, il siffla ses hommes, et après s'être rapidement consultés, ils obliquèrent vers le nord en direction d'Aberfeldy pour rejoindre le château des Menzies.

Je passai des heures et des jours à veiller Brodick, refusant de quitter son chevet plus de quelques minutes à la fois pour subvenir à mes besoins personnels. Il avait de brèves périodes d'éveil, mais en général, il restait endormi, son corps immense ayant besoin de cet état de léthargie pour se rétablir.

Parfois, j'osais m'approcher et le toucher. Je voulais qu'il sente ma présence, qu'il sache qu'il avait une raison de rester. J'ignorais si j'aurais pris cette liberté avec lui s'il avait été pleinement conscient, mais c'était ma façon de communiquer avec lui de mon monde au sien.

Un soir, Brodick trouva la force de se tourner sur le côté dans son sommeil. Sa peau restait moite, mais elle avait perdu l'inquiétante teinte cireuse des derniers jours. Ses cheveux étaient éparpillés autour de lui comme une aura sombre et quelques mèches folles tombaient sur ses yeux clos, masquant la dentelle de cils noirs.

Plus les jours passaient, plus j'étais confiante en l'avenir. Le pire était derrière nous. J'avais toutefois pensé le perdre à maintes reprises et je savais que, tant que je vivrais, je garderais dans le cœur ce sentiment de désespoir qui m'avait arraché tant de larmes. J'avais fait beaucoup trop de deuils récemment. Mon esprit et mon corps n'auraient pu en supporter plus. Avec le temps, je sentais une certitude s'installer en moi, un calme bienfaisant qui me faisait voir que j'avais peut-être trouvé ma place. Mon seul questionnement était de savoir s'il en serait de même pour lui.

Bientôt, Brodick nous fit l'honneur de s'éveiller plusieurs heures par jour. Bien qu'il fut encore faible, la fièvre était tombée pour de bon. Par acquit de conscience, je continuais à surveiller la plaie avec l'œil critique d'un inspecteur, mais celle-ci semblait cicatriser de façon satisfaisante. Durant les rares instants où je quittais son chevet, son cousin venait lui faire la conversation. Dès que je réapparaissais, les deux hommes interrompaient leur discussion, comme si de rien n'était. Je n'aimais guère cette impression qu'on me cachait des choses, mais je n'osais pas trop questionner Brodick qui semblait se rembrunir à chaque fois que je le cuisinais à propos de l'attaque.

– Tu peux au moins me dire si cette tragique histoire est en lien avec moi, lançai-je un jour, exaspérée par son silence. Je dois savoir…

Mais il s'entêtait à faire semblant de s'assoupir ou à m'ignorer. Bientôt, il se mit à marcher avec une canne, et l'intimité à laquelle je m'étais habituée fut chose du passé. De nombreux visiteurs se présentèrent, Brodick passa de plus en plus de temps enfermé dans le bureau de Euan à fumer et à boire, et bien que je continuais de lui prodiguer des soins, c'était désormais sous le chaperonnage de l'un ou l'autre des maîtres de maison. Le soir, je retournais seule dans mon grand lit, désœuvrée. Son souffle me manquait.

Puisque Brodick avait dormi durant la majeure partie de sa convalescence, il n'avait pas été exposé à ma détresse et à la proximité que j'avais vécue avec lui. Dans sa perception des choses, nous nous étions dit au revoir à son départ de chez Euan, puis il s'était éveillé quelques jours plus tard, avec moi endormie dans le fauteuil près du lit. Sans plus. Il ne savait pas à quel point j'avais failli défaillir de peine, ni combien mes nouveaux sentiments pour lui me laissaient perplexe. À ses yeux, rien n'avait changé.

Pour moi, rien n'était plus pareil.

Par une fin de journée pluvieuse, j'aidai Bertha à terminer les préparatifs d'un souper familial auquel étaient conviés sa nièce et son époux. Lorsque le carillon de l'entrée résonna, la maîtresse de maison se précipita vers la porte et accueillit ses invités avec des exclamations de joie.

– Euan, ils sont là ! cria-t-elle.

Brodick et son cousin sortirent du bureau, et je m'avançai à leur suite pour découvrir une femme magnifique aux cheveux sombres qui risquait d'exploser d'un instant à l'autre tant son ventre était tendu. Elle était accompagnée d'un homme grand et svelte à l'allure princière.

– Angélique, Oliver! *Fàilte!* lança Euan en donnant une chaleureuse accolade à chacun d'eux.

Ledit Oliver se tourna ensuite vers MacIntosh.

– Brodick! fit-il en lui serrant fermement la main.

Visiblement, ces deux-là se connaissaient bien. Brodick tendit un bras en me signifiant d'approcher, ce que je fis en souriant.

– Isla, voici Angélique, la nièce de Bertha et de Euan. Et Oliver, son époux, qui est un ancien lieutenant de l'armée britannique.

– Oh? fis-je, surprise de constater que Brodick pouvait avoir une attitude cordiale envers un soldat anglais.

– C'était dans une autre vie, me précisa Oliver avec son plus charmant sourire.

Il avait une élégance indéniable, le regard brillant et le port de tête des militaires. Sa femme était aussi grande que moi et devait être très svelte en temps normal.

– Il paraît que nous avons failli vous perdre, Brodick? Je suis heureuse de vous voir sur vos deux jambes, déclara Angélique.

– Moi aussi, ma chère, je suis heureux de vous voir sur pied malgré l'ampleur que vous avez prise depuis notre dernière rencontre, rétorqua Brodick sur un ton taquin.

Tout le monde rit de bon cœur, puis Bertha nous invita à passer à table. Ce fut un repas faste qui se déroula en toute bonne humeur. Les discussions passèrent de la grossesse avancée d'Angélique aux tactiques de retrait des troupes anglaises qui regagnaient peu à peu l'Angleterre après avoir mis l'Écosse à feu et à sang depuis la bataille de Culloden. Je me contentai généralement d'écouter, ne mettant mon grain de sel que de temps à autre. À la fin du repas, nous passâmes au salon où Euan servit aux hommes son meilleur scotch. Brodick prit place près de moi sur le canapé, humant le parfum de bois et de fumée qui s'élevait de son verre. J'aimais le voir aussi détendu. Il avait nonchalamment posé son bras sur le dossier du canapé, et lorsqu'il souriait, de petites rides se creusaient au coin de ses yeux. Angélique lui demanda soudain :

– Croyez-vous être en mesure de danser au bal ? Vous vous devez d'être un cavalier exemplaire pour Isla.

Intriguée, je levai la tête. Brodick se tendit perceptiblement et m'observa du coin de l'œil, jaugeant ma réaction.

– Quel bal ? m'enquis-je.

Angélique dévisagea les deux MacIntosh avec une expression incrédule.

– Vous ne lui avez rien dit ?

Consciente d'avoir commis une bévue, elle se tut. Un silence inconfortable s'étira durant lequel je fixai Brodick et Euan.

– Allez-vous me répondre ? Quel bal ?

– Le bal annuel de Menzies Castle, *mo chridhe*[2].

Je sentis le rouge me monter aux joues.

– J'aimerais qu'on m'explique.

Gêné, Euan se racla la gorge.

– Passons donc dans mon bureau.

Sans plus attendre, je me levai et passai sous le nez des deux hommes, droite comme la justice. Je pris place dans un fauteuil situé devant le bureau de Euan. Je patientai le temps que Brodick se soit péniblement assis à mes côtés en s'appuyant lourdement sur sa canne, puis je leur lançai un regard courroucé. Brodick posa une main sur la mienne.

– Euan a en sa possession des invitations pour le bal de Menzies Castle.

---

2. « Mon cœur » en gaélique. Prononcé « mo cri ».

Je retirai ma main.

– Bien. Et pourquoi aucun d'entre vous n'a-t-il jugé bon de m'en informer ? Pourquoi la nièce de Euan est-elle au courant et pas moi ? Ne suis-je pas la première concernée ?

Euan me lança un regard contrit.

– Nous voulions d'abord voir si Brodick serait en état de faire le voyage avant d'envisager de l'envoyer valser à Menz...

– Et vous avez jugé que j'étais incapable de comprendre cela ?

Brodick tendit une main apaisante vers moi.

– Ce n'est pas tout, *mo leannan*[3]. Je t'en prie, laisse-nous le temps de régler certaines choses avant de t'en dire plus.

C'était la deuxième fois en l'espace de quelques minutes qu'il m'adressait un terme affectueux, alors qu'il ne l'avait jamais fait auparavant. Qu'il essaie de m'amadouer ainsi n'augurait rien de bon et je sentis la nervosité me gagner. Qu'avait-il de si terrible à régler ?

– Non ! Je veux savoir. Maintenant !

Les deux hommes échangèrent un regard résigné. Brodick reprit ma main et, cette fois, il la serra entre les siennes, s'assurant que je ne bougerais pas.

– Te souviens-tu de cette femme que nous avons aperçue à Culross juste avant d'être faits prisonniers dans l'abbaye ?

– *Aye*, bien sûr. C'est elle qui nous a enfermés.

Brodick acquiesça et caressa mes phalanges distraitement avec ses pouces.

– Cette même femme était ici, le soir où j'ai été attaqué.

– Quoi ?

Il hésita un peu avant de continuer, comme s'il cherchait ses mots.

– Elle a agi comme un appât. Quand je suis arrivé devant la maison, elle était là, enveloppée dans une vieille cape

3. « Ma chérie » en gaélique. Prononcé « mo liananne ».

mitée. Elle m'a demandé si je te connaissais. Je n'ai pas voulu répondre et deux hommes ont surgi derrière moi. Nous nous sommes battus un moment jusqu'à ce que l'un d'eux m'atteigne avec son poignard. Puis ils ont fui. J'ai tiré un coup de feu avec l'arme que je leur avais soustraite, mais ils étaient déjà hors d'atteinte.

– Avant d'aller plus loin dans cette histoire, j'aimerais que tu me dises enfin pourquoi tu es revenu ici, Brodick.

Il eut un rire sec.

– Nous en parlerons à un autre moment, si tu le veux bien. Revenons à cette femme.

Il toucha sa cicatrice du bout des doigts. Il faisait cela quand il était nerveux ou qu'il réfléchissait intensément. Je haussai les sourcils pour l'encourager à poursuivre.

– Eh bien, cette femme… Isla, elle te ressemble à s'y méprendre.

– Nous ne sommes plus au temps de l'Inquisition, messieurs. Même si certains signes semblent indiquer que cette femme puisse être une véritable ensorceleuse, nous ne pouvons pas la juger avant de l'avoir interrogée. J'ai déjà lancé un avis de recherche, il nous faut maintenant attendre.

On aurait pu entendre voler une mouche dans le bureau lorsque Harriot termina sa tirade. L'un des hommes de Dieu se tourna vers lui.

– Les accusations qui pèsent sur cette enfant sont très graves. Le présent conseil ne peut pas faire son procès sans éléments solides. Messieurs, quelles preuves avons-nous qu'elle soit une sorcière ?

L'un des prêtres consulta les documents devant lui.

– Selon certains habitants des bourgs voisins, cette femme était une guérisseuse accomplie démontrant un degré d'émancipation féminine tout à fait hors de propos. Elle sortait souvent la nuit et se rendait dans la maison d'hommes où nous pouvons supposer qu'elle s'adonnait à une sexualité débridée. On dit qu'elle utilisait la magie et des potions pour guérir les maladies les plus immondes. De plus, elle a été brûlée, nous avons un témoin crédible qui a vu la marque lorsqu'elle a été déliée du bûcher. Je vois ici toutes les raisons de croire que cette femme est coupable.

Des murmures se firent entendre autour de la table.

– Monseigneur, nous ignorons toujours qui a marqué cette fille et s'il faut y accorder la moindre importance, intervint un autre prêtre. Il s'agit peut-être d'un pur méfait ! Il faut donner à cette femme une chance de s'expliquer.

– La population est inquiète, commenta un autre membre du clergé. Il devient difficile de leur faire comprendre pourquoi Dieu a permis une telle catastrophe dans notre diocèse.

Harriot s'adossa à son siège, les sourcils froncés. Comment cette histoire allait-elle finir ? Il avait conscience que les choses seraient sûrement allées plus vite si l'enquête n'avait pas été retirée à Guthrie, mais il estimait que cela avait été la bonne décision à prendre.

Il se frotta les yeux, épuisé. Toute cette affaire lui avait tiré beaucoup d'énergie, alors que sa santé était déclinante. L'idée que cette jeune femme soit véritablement la fille d'Élisabeth Horne le minait davantage de jour en jour. Il ne savait pas comment agir en son âme et conscience.

Tandis que les membres du clergé organisaient la recherche et la capture de la fille, une certitude s'installa soudain dans l'esprit d'Harriot.

Il allait être le premier à l'interroger. Il devait absolument lui parler.

Je restai coite durant quelques secondes avant d'arriver à articuler quoi que ce soit.

– Donc… si je comprends bien, Brodick, tu es en train de me dire que ma *mère* est responsable de tout cela ?

J'étais incrédule. D'abord, j'apprenais d'un pur étranger que ma mère était vivante. Ensuite, on prétendait qu'elle avait voulu la mort d'un homme auquel j'étais attachée.

– Nous ne sommes certains de rien, Isla, intervint Euan, mais le fait que votre mère ait demandé à Brodick s'il vous connaissait au moment de l'embuscade nous amène à croire que c'est vous qu'elle cherchait à attaquer.

Je me levai et fis quelques pas.

– Comment pouvez-vous insinuer que ma mère me voudrait du mal ?

Brodick me lança un regard éloquent.

– Ne t'a-t-elle pas enfermée dans une malle et laissée pour morte ?

Je tordis une mèche de mes cheveux et fis le tour de la pièce nerveusement.

– Isla, ta mère ne…

– Tais-toi ! criai-je.

Je n'étais pas en colère contre lui. Enfin, pas vraiment. Je savais que la question qu'il avait soulevée était pertinente, mais une partie de moi refusait de l'admettre. J'étais perdue.

– Enfin, cela n'a aucun sens ! Pourquoi ma mère seraitelle ici ? Comment ? Je…

– Nous ne connaissons pas encore le fin mot de cette histoire, Isla. Et comme Brodick est recherché par Blunt et vous par l'Église, nous ne pouvons pas alerter les autorités. Alors, tant que nous n'aurons pas la certitude que les environs sont sécuritaires pour vous, nous ne voulons pas prendre le risque de vous envoyer dans la nature. Y compris au bal.

Je pris trois longues inspirations avant de revenir m'asseoir. Mes mains tremblaient.

– Brodick, tu as dit que Süleyman connaissait ma mère. Est-ce que c'est lui qui t'a attaqué ?

– *Nay*, ils étaient beaucoup plus costauds.

Je pris le temps de réfléchir.

– Pouvons-nous envisager de trouver le Turc ? Peut-être connaît-il les motivations de ma mère et les vraies raisons de sa présence ici ? Peut-être est-elle encore dans le coin à attendre que j'apparaisse sur le pas de la porte ? Et si je sortais pour l'attendre ? Elle me parlera, à moi !

– NON !

Je sursautai. La réaction des deux hommes avait été simultanée. Brodick s'emporta, abattant son poing sur le bureau de Euan.

– As-tu perdu l'esprit ? Comment peux-tu penser une seule seconde qu'ils te laisseraient l'opportunité d'une conversation ? S'ils ont presque réussi à me tuer, que crois-tu qu'ils feraient de toi ? Dis-moi, Isla ?

Je clignai des yeux, abasourdie de le voir tellement en colère. Un peu trop fort, je protestai :

– Tu veux que nous restions enfermés ici comme des rats parce qu'une vieille femme rôde aux alentours ? C'est ma mère, Brodick ! Je ne quitterai pas Glasgow sans lui avoir parlé !

– C'est hors de question, je...

– La décision ne t'appartient pas ! Je veux lui parler.

Mon ton était sans appel. Nous nous affrontâmes dans un duel de regards. Aucun de nous n'allait lâcher prise. Il n'imaginait pas à quel point j'avais besoin d'obtenir des réponses à mes questions, combien je voulais qu'elle m'explique pourquoi elle m'avait abandonnée. Me voyait-elle encore comme une abomination ? Je voulais l'entendre de sa propre bouche !

Je me relevai, incapable de rester immobile. Arpenter la pièce m'aidait à réfléchir. Brodick reprit la parole le premier, mais je ne saisis pas ses mots. Sa voix se modulait étrangement, comme si un millier de grillons stridulaient en même temps. Des ombres se mirent à danser dans mon champ visuel.

Non ! Pas ça !

Je me raidis. Depuis le début, j'avais laissé ces visions m'effrayer et me contrôler. Cette fois, je voulais essayer de les vaincre, ou du moins de les contrôler à mon tour. Les yeux fixés sur Brodick, je levai la main pour l'interrompre. Puis je tournai la tête et tendis l'oreille, à l'écoute des murmures qui s'élevaient.

Habituellement, les voix s'accordaient pour scander la même litanie. Elles répétaient la même chose encore et encore, jusqu'à ce que la voix-mère prenne la relève. Cette fois, c'est une cacophonie qui vint me vriller le cerveau, comme si les voix voulaient toutes passer leur message de façon urgente et prioritaire. Je tentai de toutes les écouter en isolant chacune d'elles, mais l'effort était gigantesque, et je me mis à trembler de façon incontrôlable. Tout ce que je parvins à entendre fut : « partir », « mourir », « fuir », « trop tard ! »

Leur charabia se mit à tourbillonner dans mon crâne et je me saisis la tête à deux mains. Je leur avais permis d'entrer en ne sachant pas comment les faire sortir. Je leur avais donné l'occasion de se laisser apprivoiser, et j'étais prise à mon propre jeu. Ces voix allaient me fendre la tête !

Je tâchai de me ressaisir. Il me fallait rester calme et découvrir le moyen de les faire taire. Je devais me réfugier à l'intérieur de moi-même, trouver la fenêtre ouverte qui leur permettait d'entrer et la fermer hermétiquement. Faisant fi de leurs murmures paniqués, je me concentrai sur les pupilles de Brodick, qui fit quelques pas vers moi sans jamais rompre le contact visuel. Il n'essaya pas de me sortir de cette transe. Il semblait lire la détermination sur mes traits. Je fixai mon attention sur son visage si masculin, sa cicatrice, la fossette au coin de sa bouche, et je sentis tout à coup une vague d'apaisement me submerger. Je compris que, d'une certaine façon, j'arrivais à absorber sa force et à la diffuser à l'intérieur de moi pour en faire une sorte de bouclier.

Les voix reculèrent, protestant contre cette attaque, mais je n'étais pas encore parvenue à les chasser tout à fait. Avec un effort démesuré, je levai la main et agrippai celle de MacIntosh. J'eus l'impression qu'une onde électrique me parcourait et sentis les voix faiblir encore un peu plus. Mobilisant tout ce qui me restait de volonté pour les expulser une fois pour toutes, j'émis une plainte rauque et fermai complètement la lucarne entrouverte dans mon esprit.

Vidée de mon énergie, de mon air, je titubai jusqu'au fauteuil où je m'écroulai, ayant vaguement conscience que, debout derrière son bureau, Euan me dévisageait comme s'il m'était poussé des cornes. J'avais des sueurs froides et une forte envie de vomir, mais je me battis contre la nausée et me concentrai sur Brodick, qui avait tiré son siège devant le mien.

– Dis-moi, murmura-t-il.

Mes dents claquaient autant que si j'avais été immergée dans de l'eau glacée. J'articulai péniblement, mais lentement, pour bien me faire comprendre.

– Il faut partir. Maintenant !

Il acquiesça du chef puis pencha la tête de côté pour mieux m'étudier.

– Tu t'es montrée très forte.

– M... maintenant, Brodick.

Il se tourna vers son cousin et annonça :

– Euan, fais préparer Haras. Nous partons sur-le-champ.

– C'est hors de question, tu n'es pas encore en état de voyager. Je ne te laisserai pas partir sur de simples suppositions !

– Je prendrai soin de lui, dis-je sur un ton qui parut monotone à mes propres oreilles.

Euan nous étudia tous les deux comme si nous étions tombés sur la tête. Il dut voir la détermination dans l'expression de son cousin, car il soupira profondément et secoua la tête en signe d'abdication. Puis il sortit une enveloppe de son bureau et l'offrit à Brodick.

– Voici les invitations pour Menzies, ainsi qu'une somme d'argent pour les dépenses nécessaires.

Devant le regard menaçant de Brodick, il ajouta :

– Ce n'est qu'un prêt. Tu me le rendras plus tard.

Depuis le salon, la voix de Bertha résonna soudain :

– Euan ! Euan ! Il y a des gens avec des torches qui attendent devant la maison.

Euan et Brodick sortirent en toute hâte, me laissant seule. Les choses se précipitaient. Il fallait s'en aller ! Les jambes tremblantes, je me rendis à la cuisine pour rassembler en vitesse de quoi refaire les bandages de Brodick. J'empochai également une petite paire de ciseaux et un couteau aiguisé. En retournant vers le salon, je croisai les MacIntosh qui arrivaient avec Oliver. Brodick me saisit immédiatement par le bras et m'entraîna avec eux. Tout en marchant le long d'un étroit corridor, il m'expliqua rapidement :

– La populace se regroupe. Ils réclament la sorcière.

J'eus un hoquet d'horreur. Était-ce mon destin de finir sur un bûcher ? Oliver interrompit mes pensées lugubres :

– Je vais sortir par l'arrière et seller Haras. Je l'amènerai à la porte. Angélique est montée avec Bertha pour vous trouver de quoi être au chaud.

Sans plus attendre, il se faufila par la porte et courut jusqu'à l'écurie. Personne n'avait encore pénétré dans la cour arrière, et il put atteindre son but sans encombre. Brodick s'adressa à Euan :

– Le problème reste entier : il n'y a qu'une sortie, et les gens vont peut-être nous empêcher de la franchir. S'ils veulent vraiment Isla, ils pourraient nous désarçonner et l'emmener. Vous allez devoir faire diversion.

Ses paroles eurent sur moi l'effet d'une douche froide. Le simple fait d'imaginer une foule m'agrippant de toutes parts, tirant sur mes vêtements pour s'emparer de moi me donnait des haut-le-cœur. J'avais confiance en Brodick, mais je savais qu'avec sa blessure, ses réflexes étaient moins aiguisés.

Angélique apparut dans le corridor avec ma cape qu'elle passa autour de mes épaules, l'attachant comme si j'étais une petite fille. Puis elle me passa une sacoche en bandoulière.

– Il y a là-dedans de quoi vous changer et vous nourrir pour un petit moment. Éloignez-vous d'ici au plus vite!

Mue par un instinct étrange, je la serrai dans mes bras en guise de remerciement tandis que Brodick faisait l'accolade à son cousin.

– Ne t'en fais pas pour nous, dit-il en lui assenant une grande tape dans le dos.

Oliver revint rapidement avec Haras. En grimaçant de douleur, Brodick prit place le premier sur le dos de la bête, puis en silence, il me hissa derrière lui. Il saisit mes bras et les passa autour de sa taille.

– Quoi qu'il arrive, ne me lâche surtout pas! m'ordonna-t-il.

Je fermai les poings sur sa veste et collai ma joue à son dos en guise de réponse. Il laissa à Oliver le temps de partir en éclaireur. Celui-ci atteignit le coin arrière de la résidence et jeta un coup d'œil dans l'allée menant vers la sortie. Il nous fit signe d'avancer, et Brodick encouragea sa bête d'un claquement de langue. Après quelques foulées, il retint l'animal, qui se mit à piétiner le sol d'impatience. Oliver courut jusqu'à la grille et évalua la situation durant deux longues minutes avant de revenir vers nous.

– Il y a de plus en plus de monde avec des torches et autres armes. Restez ici jusqu'à ce que j'ouvre la grille. Ensuite, il faudra lancer Haras au galop pour éviter qu'on vous agrippe. Bonne chance, Brodick.

Après avoir échangé une poignée de main chaleureuse avec MacIntosh et m'avoir adressé un sourire encourageant, il regagna la grille. Le plus silencieusement possible, il en tira le loquet, puis il fit pivoter la barrière qui se mit à grincer, ne manquant pas d'attirer l'attention des badauds. Une fois la grille grande ouverte, Oliver alla au-devant de la foule. Brodick posa alors une main rassurante sur les miennes, toujours cramponnées à lui, puis éperonna Haras qui fit un bond en avant avec un hennissement de contentement.

Mon cœur battait la chamade et j'eus envie de fermer les yeux pour ne pas voir cette masse hostile. Mais je me devais d'être alerte et je m'obligeai à regarder par-dessus l'épaule de MacIntosh. Il y avait là des gens de tout acabit : hommes et femmes, jeunes et vieux, gros et petits. Certains avaient des épées, des fourches, des flambeaux. Un homme scandait *La légende de Sawney Bean*[4].

Lancés au galop, nous pûmes traverser une partie de la foule, mais trois hommes se postèrent devant Haras en agitant des torches. La bête se cabra brusquement et je me sentis glisser. Des mains s'agrippèrent à mes jupes et à mes bras, à ma cape et à ma sacoche, tout comme je l'avais imaginé. L'écho des paroles de Brodick résonna dans ma tête : « Quoi qu'il arrive, ne me lâche surtout pas. »

Je raidis les muscles de mes bras et resserrai mon étreinte autour de lui tandis qu'il luttait pour reprendre le contrôle de sa bête. Les mains sur moi tentaient de me faire tomber et

---

4. Chef d'un clan écossais de quarante-huit membres, Alexander Bean fut exécuté avec sa famille pour meurtre et cannibalisme au XVIe siècle. (Source : Wikipédia)

je sentais qu'elles n'allaient pas tarder à gagner la bataille. Brodick cria un ordre sec en gaélique et sa monture pivota. Il envoya un coup de pied à la figure de l'un des hommes, mais cela n'empêcha pas la foule de se masser un peu plus autour de nous. À l'instant où, terrifiée, j'allais lâcher la veste de Brodick et être emportée par la multitude, des coups de feu éclatèrent en provenance de chez Euan. Oliver, près de la grille, et Euan, sur les marches avant, venaient de tirer une salve en guise d'avertissement.

Surpris, les gens s'éparpillèrent un peu. Assenant à la volée coups de bottes et d'épée, Brodick réussit à faire avancer son animal. Les femmes reculèrent, impressionnées par l'arme qui fendait l'air. Les hommes, eux, étaient plus hargneux et menaçants. Après un moment, la foule finit par se resserrer autour de nous, et de nouveaux coups de feu furent tirés. Cette fois, un homme fut atteint au bras par Oliver.

– Dispersez-vous, ordonna-t-il d'une voix ferme.

Certains obéirent, et Brodick réussit à lancer sa monture juste au moment où un homme armé d'une fourche criait :

– Laissez-nous l'enfermer comme l'autre *banshee* qui rôdait dans le quartier depuis des jours !

Mac Guthrie cavala sans relâche d'Édimbourg à Aberdeen et mit pied à terre en pleine nuit devant la résidence de son supérieur. C'est avec vigueur qu'il martela la porte de son poing jusqu'à ce qu'un Russell fripé de sommeil et à l'air furibond apparaisse sur le seuil, son arme à la main.

– Guthrie ? dit-il en clignant des yeux pour s'assurer qu'il ne rêvait pas. Bon Dieu, j'espère que c'est important !

Russell s'effaça pour laisser entrer Mac et le suivit dans son bureau après avoir refermé la porte. Il leur versa un *dram* de whisky avant de s'asseoir lourdement. Il croisa les jambes, avala une gorgée du liquide ambré et regarda son subalterne faire les cent pas en silence.

Après un moment, Guthrie se mit à parler sans le regarder:

– William, j'ai un aveu à te faire.

Russell eut un rire sans joie.

– Tu me réveilles au milieu de la nuit pour te confesser?

– En quelque sorte.

– Parle, Dieu du ciel! s'emporta Russell.

Guthrie hocha la tête une fois.

– J'ai volontairement omis de te parler de quelque chose. À présent, je crois qu'il est temps que tu sois au courant.

L'œil de son supérieur s'alluma, sa curiosité piquée par le ton mystérieux de Mac.

– En retournant fouiller les ruines de Glenmuick, j'ai trouvé une pièce à conviction sous les décombres du bûcher. Il s'agissait d'un bout d'armoiries qui m'étaient inconnues, les mêmes que sur l'une des armes que j'ai prises à l'assassin en noir, le jour où nous avons été attaqués.

Russell se redressa. Mac poursuivit son exposé, expliquant sa visite à Édimbourg, ses recherches infructueuses, pour finalement en arriver à nommer la compagnie de brigands à qui appartenait ce blason. À ce stade du récit, William fulminait.

– Depuis quand les membres du Black Watch prennent-ils personnellement l'initiative de mener une enquête contre l'avis de leur supérieur? explosa-t-il.

– Je sais que j'ai fait une erreur, William, mais quelque chose me disait que je devais absolument résoudre cette affaire. Au-delà du fait que tu aies toutes les raisons de me réprimander, nous avons maintenant une bonne idée de l'identité des assassins de Glenmuick, mais je ne peux pas entreprendre une chasse à l'homme tout seul. Si ce groupe de mercenaires est aussi dangereux que l'a prétendu la fille à Édimbourg... il faut intervenir dès maintenant!

William Russell fit un geste de la main pour indiquer à Guthrie de prendre un siège.

– Écoute, Mac, je ne peux pas t'assigner des hommes sans d'abord consulter mes pairs. Je...

– C'est n'importe quoi! l'interrompit Guthrie en élevant la voix. William, montre que tu as des couilles, pour une fois! Cesse de t'en référer aux autres pour prendre des décisions, comme cet évêque dont tu sembles suivre les avis un peu trop docilement!

La porte du bureau grinça et la femme de Russell apparut dans l'embrasure, enveloppée dans une couverture.

– Tout va bien ici? s'enquit-elle, l'air inquiet.

– Tout va bien, chérie, rendors-toi, la rassura William en lui faisant signe de refermer la porte.

Une fois la dame partie, les deux hommes s'affrontèrent du regard.

– Mac, bien que l'évêque n'ait en principe aucune autorité sur le Black Watch, tu dois comprendre que c'est un homme sage et respecté. Et surtout, il est très influent. Voilà pourquoi je juge que...

– C'est un religieux! Il ne connaît rien à notre mandat! Comment peux-tu le laisser influencer tes décisions de la sorte?

Le supérieur de Guthrie leva une main autoritaire pour le faire taire.

– Assez, Mac. Je ferai semblant de ne pas avoir entendu que tu remettais mon autorité en question. Tout ce que je peux te proposer pour l'instant, c'est d'infiltrer dès demain les clubs de gentlemen de la région. Si ça ne suffit pas, tu retourneras également à Édimbourg et à Glasgow, voire à Inverness, s'il le faut. Tu dois en apprendre le plus possible sur cette compagnie Tassel de façon anonyme avant que nous puissions justifier une enquête en bonne et due forme. Quand tu auras des noms ou des preuves, nous pourrons intercepter les suspects et les inculper.

Guthrie se renfrogna. Il était de nature impulsive, et il aurait voulu agir sur-le-champ. Toutefois, il savait en son for intérieur que Russell avait raison. Il se devait de suivre les ordres à la lettre s'il voulait regagner la confiance de son supérieur et mériter la place tant convoitée dans les colonies.

Il se leva sans dire un mot et claqua les talons avant de se retirer. Il serait les oreilles de cette ville, il apprendrait discrètement tout ce qu'il y avait à savoir sur ce groupe d'assassins. Il serait le premier à venger la mort de ses hommes et des villageois innocents. Et il allait enfin apprendre ce que la fille du bûcher avait de si particulier.

Certains hommes à cheval se mirent à notre poursuite et il ne fut pas aisé de les distancer. Toutefois, Haras était un étalon entraîné aux longues chevauchées et Brodick parvint à semer tous nos poursuivants après plusieurs détours. La noirceur et le brouillard nous permirent de creuser l'écart et nous ne bifurquâmes vers le nord qu'une fois qu'il fut certain que personne ne nous suivait plus. Brodick s'arrêta pour permettre à son cheval de se désaltérer au bord d'un ruisseau et j'en profitai pour couvrir la bête d'une couverture.

La nuit était fraîche, mais restait confortable. Les animaux nocturnes s'animaient dans la campagne écossaise. Les grenouilles projetaient leur chant comme une ode à la beauté des Highlands. Quelques oiseaux pépiaient discrètement. Même une chouette nous gratifia de son hululement. J'inspirai une bouffée d'air frais et me tournai vers mon compagnon, soulagée d'avoir échappé à la foule en colère.

Je constatai que MacIntosh était épuisé et qu'il souffrait. Je le fis asseoir contre le tronc d'un gros arbre, mais j'eus beau insister pour examiner sa plaie, il refusa catégoriquement de se déculotter dans de telles circonstances. De toute façon, je n'y aurais rien vu. Je tirai une couverture de ses sacoches et il m'attira dans ses bras, entre ses jambes, avant de nous envelopper chaudement. Nous profitâmes d'un instant de calme avant que je ne rompe le silence d'une voix douce.

– Nous avons des choses à nous dire, je crois.

Il posa son menton sur le sommet de ma tête.

– *Aye*.

– Par quoi veux-tu commencer ?

Il eut un haussement d'épaules indifférent.

– Très bien, je me lance, alors. Dans le bureau de Euan, je t'ai demandé pourquoi tu étais revenu, ce soir-là. Vas-tu m'expliquer ?

Il grogna.

– Dois-je vraiment répondre à cette question ?

J'opinai de la tête. Il prit le temps de mettre de l'ordre dans ses idées et de choisir ses mots avant de resserrer ses bras autour de moi.

– Je suis revenu pour toi. Plus je m'éloignais de chez Euan, plus j'avais la certitude que tu n'y serais plus lorsque je reviendrais. J'ai pris le temps de bien réfléchir à ce que cela signifiait pour moi. J'avais besoin d'être certain.

– Certain de quoi ?

– Isla… je t'ai déjà dit que tu étais importante pour moi. Mais si je te disais que mes sentiments ont un peu évolué ?

Je me tordis le cou pour le fixer, bouche bée. Il eut un sourire en coin.

– Je ne voulais pas faire une déclaration devant Euan, tu comprends ?

Il était revenu pour moi ? Les émotions se bousculèrent dans ma poitrine et je dus respirer un grand coup. Il me trouvait étrange et singulière, mais il m'aimait! La gorge serrée, je répondis:

– J'ai vraiment cru te perdre, Brodick. Et j'ai réalisé que tu étais tout pour moi. Mais ma place est-elle à tes côtés? Je ne suis qu'une menace pour toi. Je te mets sans cesse dans des situations périlleuses qui te forcent à risquer ta vie. Ai-je le droit de t'imposer cette existence?

Il frotta sa joue contre la mienne.

– Est-ce que tu m'aimes? demanda-t-il avec une simplicité désarmante.

– *Aye*, répondis-je avec un sourire.

– Dis-le.

J'hésitai un court instant, gênée.

– *Tha gaol agam ort*[5].

Il eut une exclamation satisfaite.

– Bien! C'est tout ce que nous avons besoin de savoir pour le moment. Pour le reste, nous aviserons.

Je secouai la tête.

– Cela semble si simple pour toi. Mais pour moi, c'est plus compliqué. Regarde dans quel état tu es à cause de moi! Je ne sais pas si je peux vivre avec la certitude d'être un danger perpétuel pour toi. J'ai déjà trop compté sur toi. J'ai abusé de ta bonté.

Il se gratta le front.

– Tu n'as rien fait de tel. Tout ce que j'ai fait, c'est parce que je le voulais bien. Je t'en prie, ne nous lançons pas dans un débat inutile. Je n'ai pas envie de me battre avec toi. J'ai seulement envie de te serrer dans mes bras. Baisse ta garde, *banshee.* Le plus dur est de se laisser apprivoiser.

– Brodick… nos mondes sont tellement différents!

Il me retourna dans ses bras et prit un peu rudement mes lèvres, comme pour faire taire mes objections. Mes mains

5. « Mon amour est sur toi » en gaélique.

caressèrent ses épaules et je soupirai en le sentant enfoncer ses doigts dans mes cheveux. Il était à mes yeux cette lueur que les marins cherchent pour retrouver le port dans une tempête. Il était mon phare. Je caressai sa nuque, ses bras, son dos. Sa proximité était enivrante et il ne m'avait pas touchée depuis si longtemps ! Je me sentis vivante et un soupir m'échappa. J'aurais voulu qu'il me prenne là, sur le sol, mais je savais qu'il était encore trop tôt. Je ne compromettrais jamais sa guérison.

– Un jour à la fois, Isla, susurra-t-il contre ma bouche pour clore une fois pour toutes le sujet.

J'acquiesçai.

– Brodick ? fis-je après un instant.

– *Aye, mo chridhe...*

– Ils ont pris ma mère.

Il caressa mes cheveux.

– Je sais, murmura-t-il, rassurant. Je sais.

– Je ne veux pas retourner là-bas. Mais puis-je la laisser mourir ?

Il repoussa une mèche de mon front en souriant doucement.

– Isla, tu dois apprendre à ne pas porter le poids du monde sur tes épaules. Ils ne peuvent pas la tuer sans contrevenir à la loi. Je comprends que tu nourrisses des sentiments mitigés envers cette femme, mais ne te ronge pas de culpabilité pour elle. Elle n'est ta mère que de sang.

Nous nous considérâmes un instant. L'éclat de la lune se reflétait dans ses prunelles sombres. Il me fit comprendre d'un simple regard que je valais mieux que ce qu'on m'avait laissé croire et que, pour lui, je ne serais jamais un fardeau. La fatigue s'abattit sur moi tout d'un coup, et il me fit signe de reprendre ma position initiale. Je me réfugiai dans l'écrin de ses bras, prenant garde de ne pas toucher sa blessure.

– Tu as mal ? demandai-je.

– Juste un peu, *aye*.

Il remua sa jambe pour se mettre à l'aise.

– Dis-moi, les voix que tu entends, ce sont elles qui t'ont prévenue pour l'émeute qui se préparait ?

Je soupirai. Je n'avais jamais essayé de lui décrire ce qui se passait dans ces cauchemars éveillés, et ce n'était pas chose aisée.

– Comment t'expliquer ? En général, il y a deux types de voix. En bruit de fond, il y a les murmures. Des centaines d'entités qui chuchotent la même chose de façon désorganisée. Puis il y a celle que j'appelle la voix-mère. La plus terrifiante et la plus monstrueuse voix qu'on puisse imaginer. Elle vient toujours de très près, juste là, comme toi, derrière mon épaule. Je ne sais plus comment bouger quand elle est présente. Je ne peux pas me couvrir les oreilles ou me retourner. Elle me pétrifie. Pourtant, c'est toujours elle qui me dicte l'étape suivante.

– Tu as dit « en général ». Aujourd'hui, c'était différent ?

– Aujourd'hui, les murmures étaient fébriles et chacun d'eux me soufflait un terme différent. Fuir. Partir. Mourir.

– Et la voix-mère, qu'a-t-elle dit ?

Je haussai les épaules.

– C'est ce que je ne m'explique pas. Je ne l'ai pas entendue. J'ai voulu lui ouvrir mon esprit, mais elle n'est pas venue.

– Comment as-tu su quoi faire, alors, si elle ne t'a pas parlé ?

– J'ai suivi mon instinct. Je ne me suis pas arrêtée aux mots, mais au message.

Brodick caressa mon bras. Mes paupières se faisaient lourdes.

– Tu as bien fait, dit-il.

Juste avant de m'endormir contre lui, je murmurai :

– Brodick ?

– Mmmm ?

– Il fait noir et je n'ai pas peur.

Il posa un baiser sur ma tempe avec un doux rire masculin.

– Tu n'es plus seule.

Tandis qu'il veillait paisiblement, à l'affût de la moindre menace, aucun rêve, aucune vision ne vint polluer mon esprit. Pour la première fois depuis des lustres, je dormis comme un bébé.

J'avais trouvé ma rédemption.

Chapitre XIV

Alea jacta est

Menzies Castle, Perthshire
Juillet 1748

Le château du clan Menzies était un monument spectaculaire.

Bâti au XVIe siècle, il était imposant et carré, à mi-chemin entre la forteresse et le manoir. Quelques tourelles adoucissaient sa redoutable structure de cinq étages. En ce soir de bal, toutes les fenêtres et les lucarnes étaient illuminées et de nombreux couples se baladaient dans les jardins bordés de lanternes.

Penchée à la vitre de la voiture, je buvais le paysage des yeux, comme une enfant devant un étalage de friandises. Je me tournai vers Brodick et lui souris avec candeur. Il répondit par une moue distraite, et son regard se fit de nouveau absent lorsqu'il revint vers le bâtiment dressé devant nous. Je savais que cet endroit évoquait pour lui un soulèvement qu'il aurait préféré oublier. Dans ses prunelles, je vis défiler des rangs d'hommes en guenilles, souvenir d'une armée fantôme aujourd'hui décimée. Ce soir, Brodick MacIntosh se sentait plutôt comme un soldat de plomb, avec une jambe raide et le cœur lourd.

Il avait été très clair: il ne venait à ce bal que parce que c'était le moyen le plus rapide de trouver Bridget Tavish et d'en finir avec cette histoire. Il détestait les mondanités, il redoutait les conversations pompeuses et il abhorrait de se faire passer pour quelqu'un qu'il n'était pas. Il m'avait également dit craindre la présence de l'armée anglaise au bal.

– Le chef du clan Menzies a toujours eu une allégeance connue pour les Britanniques, m'avait-il expliqué.

– Vraiment? m'étais-je étonnée. Tu m'avais pourtant dit qu'il vous avait accueillis deux nuits sur son domaine avec Bonnie Prince Charlie peu avant Culloden!

– C'est vrai. J'imagine qu'il l'a fait parce que sa femme était une Stuart. Toujours est-il que, quatre jours plus tard, il recevait Cumberland[1] et son armée. Je ne serais donc pas surpris d'être entouré d'Anglais ce soir.

J'avais protesté haut et fort. Si cette aventure devait mettre sa vie en péril, j'y renonçais sur-le-champ. Il m'avait alors poussée vers le carrosse avec un sourire amusé. Ce soir, il était Euan MacIntosh, marchand de textile, et j'étais son épouse, Bertha.

Je glissai sur la banquette pour me rapprocher de lui et lui serrai la main d'excitation. C'était mon premier bal. Jamais je n'avais porté une toilette aussi exquise. Je me sentais comme une reine. Surtout, je ne me lassais pas de regarder mon cavalier. Vêtu d'une culotte et d'un justaucorps d'un bleu profond cousus de bordures dorées, il portait l'habit avec une grâce naturelle. On ne voyait de la chemise blanche qu'il portait en dessous que le jabot de dentelle à son cou et les manches qui dépassaient du justaucorps. Des bas de soie blanche et des souliers à boucles complétaient sa tenue. Il

1. Duc de Cumberland, dit «le boucher». À la tête de l'armée anglaise, il donna l'ordre de ne pas faire de quartier après la bataille de Culloden.

était rasé de près et un ruban de velours du même bleu que son habit retenait sa chevelure d'ébène sur sa nuque.

Je le trouvais particulièrement séduisant avec sa cicatrice qui lui donnait un air mystérieux et sa culotte qui moulait ses cuisses musclées. Nous n'avions pas refait l'amour depuis cette nuit magique à Édimbourg, mais en route pour Aberfeldy, nous nous étions plusieurs fois caressés au bord d'un feu ou sur la rive d'un loch. Il me touchait avec révérence, et j'aimais caresser son membre dressé, le découvrir et l'apprivoiser. J'apprenais lentement à décoder ses réactions à certains contacts. Je savais dorénavant qu'une inspiration rapide de sa part était synonyme de pur plaisir, qu'il aimait les effleurements à l'intérieur des cuisses et qu'il grondait comme un animal juste avant de jouir. J'appréciais ces moments d'intimité et je retirais une grande satisfaction à exciter son plaisir. Pour ma part, je jouissais du velours de sa langue sur ma poitrine, de ses frôlements sur ma nuque et de la friction de ses doigts entre mes cuisses. Je découvrais un nouveau degré d'extase à chaque fois et, à la simple pensée de nos ébats, je sentais parfois mes seins se gonfler contre mon corsage, comme en cet instant précis.

Nous n'étions pas revenus sur nos déclarations de ce fameux soir où nous avions fui la foule glaswégienne, mais depuis, nous nous touchions plus librement. Je me sentais plus à l'aise de caresser son dos ou sa joue, de prendre sa main, tout comme il se permettait de m'embrasser goulûment dès que l'envie se manifestait. Et elle se manifestait souvent !

– Cesse de gigoter, *banshee*. Qu'est-ce qui t'arrive ?

Brutalement arrachée à mes pensées, je sentis mes pommettes s'enflammer et fus reconnaissante à la pénombre de camoufler ma gêne. Bientôt, la voiture s'immobilisa devant l'entrée illuminée de lanternes et Brodick en descendit le premier avant de me tendre la main et de m'aider à fouler le sol des Menzies avec grâce. Je ne manquai pas de remarquer le regard appréciateur qu'il me lança en m'adressant un demi-sourire.

Je portais une robe de velours lilas au corsage ajusté avec des manches longues et un décolleté carré. Des motifs floraux s'intriquaient dans le tissu et la jupe à crinoline s'ouvrait en deux pans sur un rideau de taffetas de même couleur. La jupe faisait presque deux fois la largeur de mes épaules. Un collier de perles ornait mon cou et une coiffe de velours du même pastel que ma robe parait ma tête d'une oreille à l'autre. À l'arrière, mes cheveux tombaient en boucles souples et parfumées.

Mon cavalier m'offrit son bras et me guida le long d'une courte allée menant à la salle de bal. Il tendit les cartons d'invitation au majordome qui annonça solennellement : « Euan et Bertha MacIntosh. » Je sentis Brodick se raidir un peu, mais il continua à marcher pour pénétrer dans la pièce.

Je m'étais attendue à une vaste salle de bal et fus surprise par la taille modeste de l'endroit. Le haut plafond de plâtre était garni de fioritures, et la pièce était longue et étroite. Des moulures aux motifs celtiques ornaient le haut des cloisons et un grand chandelier pendait sur de longues chaînes afin d'éclairer les lieux de sa lumière chaude. Les invités s'entassaient dans tous les coins et des valets circulaient avec des rafraîchissements et des bouchées. Sur les murs étaient accrochés divers tableaux représentant les aïeuls du clan Menzies et un grand foyer perçait l'une des parois. Sur le mur opposé, de grandes arches s'élevaient pour offrir une alcôve devant de grandes fenêtres donnant sur la nuit. Des sièges avaient été placés le long des murs pour que les invités puissent s'asseoir à un moment ou à un autre de la soirée. Dans un coin, un orchestre se préparait à jouer. Au fond, une porte semblait s'ouvrir sur un vaste salon.

Les robes chatoyantes des femmes rivalisaient de couleurs et d'étoffes opulentes. Les hommes, quant à eux, étaient vêtus d'habits allant du bourgogne au vert forêt, et plusieurs d'entre eux portaient des masques de velours ou de satin dissimulant leurs traits. Certains uniformes officiels de l'armée anglaise se démarquaient parmi la foule. Je m'étonnai que, seulement deux années après Culloden, les gens puissent encore s'adonner à des fêtes aussi luxueuses.

– MacIntosh !

La voix tonitruante me fit sursauter et je sentis Brodick se crisper, mais il afficha le plus cordial des sourires et se tourna vers l'homme qui venait vers lui d'un pas assuré. Il était trapu avec des cheveux bouclés poivre et sel, et paradait dans un costume splendide attirant le regard par sa couleur très pâle, sa cravate d'un rouge écarlate et sa coupe extravagante.

– Quel plaisir de vous rencontrer enfin ! Je ne vous imaginais pas si jeune et si grand ! Ma foi, les tapisseries que vous avez fait venir sont d'une qualité surprenante, je suis plus que satisfait !

– Menzies, je suppose ? fit Brodick en tendant la main.

– *Aye, aye!* Buvez, mangez, amusez-vous. Nous parlerons affaires plus tard ! brailla le maître des lieux.

Puis il se tourna vers moi et s'inclina sur ma main.

– Madame MacIntosh, votre beauté n'a d'égale que votre grâce ! Vous me ferez l'honneur d'une danse, n'est-ce pas ?

Je jetai un coup d'œil affolé à Brodick avant de me recomposer une expression radieuse et de faire une révérence.

– Avec joie, monsieur.

À peine eus-je soufflé ces trois mots que l'homme repartait déjà à la rencontre de nouveaux arrivants. Brodick m'adressa un sourire moqueur.

Mon regard erra un instant sur les employés qui déambulaient dans la pièce et je me fis songeuse.

– Comment allons-nous trouver Bridget, à supposer qu'elle soit toujours ici ? demandai-je à voix couverte en me rapprochant de mon cavalier.

Il s'inclina devant une femme qui le saluait gaiement avant de me répondre.

– Elle travaille soit dans les cuisines, soit comme femme de chambre. Commençons par faire acte de présence ici, puis nous sortirons « prendre l'air ».

Je hochai la tête pour lui signifier mon accord lorsque, soudain, les gens se mirent en place pour un menuet. Brodick se courba devant moi, m'invitant à prendre place, et je sentis alors ma bouche s'assécher.

– Je ne sais pas très bien danser, dis-je d'une voix paniquée.

Son sourire s'élargit.

– Il faut jouer le jeu, Isla. Jusqu'au bout.

Je lui offris un rictus crispé et le suivis sur le plancher de danse.

– Je ne connais que les quelques pas que mon amie Sorcha m'a appris lorsque j'étais plus jeune, dis-je à son dos. Je vais te faire honte !

Prenant place devant moi, il s'inclina de nouveau en murmurant :

– Laisse-toi guider.

Les hommes formèrent une ligne et les femmes leur firent face. Les premiers accords de violons et de clavecin retentirent, et les danseurs firent la révérence. Je serrai les dents en un sourire forcé et enchaînai la suite de petits pas rapides avec nervosité. Bientôt, la main de Brodick vint chercher la mienne et je me sentis un peu plus calme. Il pressa mes doigts avant de me lâcher de nouveau. Brodick devait escamoter certains mouvements à cause de sa jambe, mais il le faisait avec parcimonie. Les figures s'exécutaient rapidement et je devais jeter des coups d'œil furtifs aux autres femmes afin de m'assurer de ne pas me fourvoyer. Nous nous croisâmes, fîmes de nouveau la révérence, nous touchâmes du bout des doigts et nous séparâmes une fois de plus, non sans qu'il ait murmuré: « Tu te débrouilles très bien. »

C'est avec soulagement que j'entendis enfin les notes mourir et que j'exécutai une dernière courbette devant MacIntosh. Nous quittâmes le plancher et il m'escorta près d'une fenêtre ouverte où je pus reprendre un semblant de contenance. Mon malaise semblait grandement l'amuser, mais il s'efforça d'adopter un air sobre en s'adressant à moi.

– Tu es pâle. Je crois qu'un rafraîchissement serait de circonstance.

Je n'osai mentionner que le corset sous ma robe était de plus en plus inconfortable. Engoncée dans ce carcan, je sentais que ma respiration était entravée à la suite de cette danse et j'avais l'impression qu'une barre rigide me traversait le dos. Je n'avais jamais porté de corset de toute ma vie et je savais que je n'aurais pas supporté d'en revêtir un tous les jours comme ces dames de la cour. Le résultat était magnifique, j'avais la taille fine, le dos droit, les seins en évidence, mais je commençais à ressentir de l'irritation sur ma peau. J'avais effectivement besoin d'un remontant.

Brodick disparut dans la foule et je déclinai plusieurs invitations à danser. Je parcourus l'assistance du regard, étudiant particulièrement les domestiques, me demandant à chaque fois que mes yeux se posaient sur une femme s'il pouvait s'agir de Bridget Tavish. Mais elles étaient toutes trop jeunes, selon moi. Perdue dans mes pensées, je ne portai que peu d'attention à l'homme qui passa devant moi, jusqu'à ce qu'il me prenne la main et s'incline.

Surprise, je le détaillai. Tout de noir vêtu, il arborait un masque sombre qui cachait partiellement son visage. Ses cheveux étaient tirés en arrière et une barbe de quelques jours couvrait ses joues. Il avait un maintien qui m'était familier.

Lorsqu'il leva enfin le regard sur moi, je me figeai. Ces yeux d'une couleur unique ne pouvaient appartenir qu'à un seul homme.

– Süleyman !

Je retirai ma main de la sienne et fis un pas en arrière.

– Que faites-vous ici ?

– Vous me voyez heureux de vous trouver aussi resplendissante, *hanimefendi*. La dernière fois, vous étiez…

– Répondez à ma question, le coupai-je en tentant de ne pas trop élever la voix.

– Ne ruez pas dans les brancards, je ne vous veux aucun mal. Si tel avait été le cas, j'aurais eu l'occasion de m'en prendre à vous bien avant.

J'essayai d'évaluer son degré de sincérité, mais à cause de son masque, je ne parvins pas à lire son expression.

– Alors, pourquoi me suivez-vous ? Allez-vous finir par m'expliquer ce que vous attendez de moi ? Si c'est le médaillon que vous voulez, je vous le donnerai, je…

– Je n'ai plus besoin du médaillon. Disons simplement que certaines choses en rapport avec vos parents m'intéressent.

– Mes parents ? sifflai-je. Je n'ai pas de parents !

Quelques têtes se tournèrent vers moi. J'inspirai profondément avant de poursuivre sur un ton plus bas :

– Et même si j'en avais, en quoi cela vous concernerait-il ?

Je ne comprenais rien à la situation. Que pouvait-il y avoir de si important dans ma famille pour qu'il parcoure toutes ces lieues depuis la Turquie ? Qui était réellement cet homme ? Agacée par ces questions, je tentai de trouver la réponse dans son regard déstabilisant.

Qu'est-ce qui me troublait tant dans ces yeux exotiques ? Je n'arrivais pas à le définir, mais il y avait quelque chose d'énervant à plonger dans ce regard trop pâle.

– Nous devons parler, fit-il.

Parler ? En effet, j'estimais que cet homme me devait des explications après m'avoir poursuivie, kidnappée puis sauvée.

– Mais pas ici, ajouta-t-il en regardant autour de lui. Sortons.

Il fit mine de se diriger vers la sortie, mais constata en se retournant que je n'avais aucune intention de lui emboîter le pas.

– Me pensez-vous sotte au point de vous suivre après ce que vous m'avez fait subir lors de notre première rencontre ? Je ne quitterai pas ce lieu, monsieur.

– Je peux comprendre vos craintes, mais vous devez me faire confiance. Seule votre coopération m'importe, et je crois que vous bénéficierez des informations que je peux vous offrir.

Je continuai de le fixer sans broncher. Cet homme connaissait-il des secrets sur ma famille ? Et si ce n'était là qu'un stratagème pour m'attirer dehors en éveillant ma curiosité ? Après tout, ce n'était certainement pas un hasard s'il était venu à moi après que Brodick se fut éclipsé. Tous les doutes étaient permis, et je n'allais pas lui donner une chance de me faire disparaître.

– Si vous avez vraiment des informations importantes à me communiquer, vous le ferez dans cette pièce. La seule intimité que vous obtiendrez de moi est ce coin, là-bas, près du foyer.

Le regard de Süleyman se porta au-delà de mon épaule et je sentis la main de Brodick se glisser sur ma taille dans un geste possessif. La présence du Highlander ne troubla nullement le Turc qui, au contraire, parut amusé.

– Je sais que cet homme ne laissera rien vous arriver. Maintenant qu'il est là, accepterez-vous de me suivre un moment, *hanimefendi* ? Ce que j'ai à vous révéler changera votre vie à jamais.

Ce soir-là, le Queen Mary's Club était particulièrement enfumé et les conversations allaient bon train. La plupart des hommes étaient rassemblés dans le salon de jeu, tandis que d'autres se rassasiaient devant un dîner gargantuesque. Guthrie tirait sur son cigare en faisant mine d'être très intéressé par les propos d'un vieillard cadavérique qui l'ennuyait à mourir. Il tentait de discerner des bribes de chaque conversation, mais le vieil homme était décidément persistant.

Le regard de Guthrie erra dans la pièce. Des meubles de bon goût, aux teintes foncées, un peu écornés, parfois. Une moquette d'une laideur indicible. Des tableaux de nature morte et des rideaux sombres. Des cendriers comme centres de table. C'était une atmosphère implacablement masculine et l'odeur du tabac, de l'alcool et de la sueur flottait dans l'air.

Après quatre soirs d'infiltration infructueuse dans les clubs de gentlemen de la région d'Aberdeen, Guthrie commençait à penser qu'il perdait son temps. Bien qu'il ait pu constater que les langues avaient tendance à se délier avec l'alcool qui coulait à flots, personne n'avait abordé le sujet de la compagnie Tassel.

Il lui semblait toutefois impossible que personne ne soit au courant des agissements d'un groupe aussi organisé dans les environs d'Aberdeen. Quelqu'un savait forcément quelque chose, mais la loi du silence prévalait. La plupart de ces hommes avaient assez de sens commun pour éviter un tel sujet en public, sachant très bien que les rumeurs se répandaient comme une traînée de poudre dans ce genre de cercles.

Les clubs de gentlemen répondaient au besoin des hommes de la haute société de se réunir dans un endroit où ils partageaient des intérêts communs à l'abri de la présence des femmes. On y parlait affaires, politique, littérature, le plus souvent en jouant aux cartes, en fumant, en buvant ou en se restaurant.

N'entrait pas qui veut dans ces clubs huppés : riches marchands, membres de l'armée ou gens de bonne famille. Guthrie avait dû se forger une fausse identité : il était Josh MacNab, marchand de tabac prospère de Glasgow en voyage d'affaires à Aberdeen. Il s'était fait inviter au Queen Mary's par un homme un peu éméché qu'il avait rencontré dans une taverne non loin de là. Il savait que, à la moindre enquête, sa couverture pouvait tomber, mais il espérait avoir le temps de rassembler quelques informations avant de disparaître.

Il allait se lever pour rentrer encore une fois bredouille lorsque quatre hommes entrèrent dans l'établissement et s'installèrent dans un coin. Il ne les avait jamais vus auparavant. Somme toute, ils n'avaient rien de remarquable. L'un d'entre eux, cheveux gris et barbe taillée, était certainement dans la cinquantaine. Deux se situaient au début de la trentaine et le dernier était très jeune. Ils étaient tous vêtus de façon sobre et formelle, et ils discutaient à voix basse en sirotant un scotch.

Guthrie reporta son attention sur le vieil homme qui se scandalisait qu'un certain lord d'Édimbourg ait laissé sa fille épouser un Anglais, mais il ne put empêcher son regard de revenir aux quatre nouveaux arrivants. Il remarqua que personne n'allait vers eux ; à part le serveur, nul ne leur adressait la parole ou ne croisait même leur regard. Étrange…

Intrigué, Guthrie interrompit le monologue du vieillard :

– Qui sont ces hommes qui viennent d'arriver ?

L'autre, à moitié aveugle, mit un moment à ajuster sa vue sur le groupe en question.

– Oh ! Stuart Lennox et ses fils. De la bien mauvaise graine, si vous voulez mon avis.

– Que voulez-vous dire ?

Le vieillard pinça les lèvres en hochant la tête.

– Pillages, agressions. Ce sont des gens très désagréables.

Guthrie fronça les sourcils.

– Pourquoi sont-ils toujours admis dans ce club, alors ? N'est-il point réservé aux nobles gens ?

Son interlocuteur tiqua.

– Un droit acquis, mon bon monsieur. Le père de Stuart Lennox était laird. Son arrière-grand-père fut un membre fondateur de cet établissement. Ce n'est pas faute d'avoir essayé de les expulser. Ce sont des filous et des brigands !

Mac se frotta la mâchoire, songeur. L'idée était sans doute tirée par les cheveux, mais s'il parvenait à se mêler à eux ? Est-ce que les malfrats du coin pouvaient être au courant des agissements d'une bande d'assassins ? Pouvaient-ils en faire partie ? Est-ce que la réponse pouvait être aussi simple ?

Faute d'avoir d'autres pistes à suivre, Guthrie se leva et alla à la rencontre de Stuart Lennox sous le regard horrifié du vieillard livide.

Son regard rivé sur le Turc, Brodick se prononça :

– Süleyman peut attendre. Nous allons d'abord trouver Bridget avant que les domestiques ne commencent à se retirer pour la nuit.

Brodick avait raison, et je ressentis une étincelle de ressentiment à l'égard de Süleyman pour avoir planté en moi ce germe de curiosité à propos de ma famille. Cet homme étrange savait-il des choses sur moi que j'ignorais ? Cette possibilité m'irritait plus que je ne voulais bien l'admettre. Le pire, c'est qu'il m'avait donné envie de mettre Bridget de côté et de l'interroger sur ce qu'il savait de mes racines.

Le Turc allait-il accepter de patienter ? Serait-il toujours là lorsque nous serions prêts à l'entendre ? Il eut un sourire frondeur et il se pencha un peu vers moi.

– Et si je vous disais que je sais où trouver Bridget ? murmura-t-il en levant un sourcil sous le masque.

J'inspirai, troublée par son regard.

– Enlevez donc cette chose de votre visage que je puisse vous voir, dis-je un peu sèchement.

Il s'exécuta, faisant glisser le masque dans ses cheveux de jais. Il avait des traits virils, une peau impeccable et des sourcils à l'arc élégant. Des cils épais bordaient ses yeux, donnant l'impression qu'il portait du khôl. Il dégageait assurance et charisme, à tel point que les femmes le dévisageaient, attendant sans doute un sourire de sa part. Moi, je ne voyais en lui que menaces et manigances. Je ne décelais que des paradoxes et je ne comprenais pas son intérêt pour moi. Selon Brodick, il avait été presque tendre avec moi lorsqu'il m'avait sauvée dans Mary King's Close, et il l'avait menacé de représailles s'il touchait à un seul de mes cheveux. Je ne pouvais pas m'expliquer son comportement. Je ne voyais qu'un homme dangereux.

– Où est-elle ? interrogea Brodick de but en blanc. Lui avez-vous déjà parlé ?

Süleyman leva son regard sur lui durant une seconde, puis revint à moi. Il semblait attendre quelque chose de ma part. Ses belles lèvres se tordirent en un demi-sourire et il se redressa.

– S'il vous plaît, Süleyman, répondez, implorai-je. Qu'on en finisse.

Était-ce la lassitude dans mon expression, le soupir dans ma voix ? Toujours est-il que le sourire moqueur du Turc s'effaça. Il me dévisagea un long moment avant d'acquiescer du menton. Pour lui, toute cette aventure ne semblait être qu'un jeu. Pour moi, c'était un véritable calvaire. Quand cela s'arrêterait-il ? Qu'avais-je à gagner ?

– Très bien, dit-il. Venez.

Süleyman pivota sur ses talons et s'éloigna à grandes enjambées. Brodick juste derrière moi, je sortis de la salle de bal et m'enfonçai dans la nuit à sa suite. Une douce brise faisait bruisser les feuilles des arbres et un quartier de lune éclairait les immenses jardins entourant Menzies. Des grillons stridulaient autour de nous et des lanternes étaient allumées le long des sentiers dessinés à travers les pelouses. Mis à part le fait que je faillis me casser la figure en marchant dans les allées avec mes talons, l'ambiance dans les jardins était magique et le parfum du soir, enivrant.

Brodick était étrangement silencieux, et je tournai légèrement la tête pour lui jeter un regard en coin. Il était sur ses gardes, la mâchoire crispée, à l'affût du danger. Il ne faisait pas plus confiance à Süleyman que moi, et il soupçonnait certainement que ses hommes étaient embusqués quelque part parmi les massifs. Sa main flottait au-dessus de sa hanche, comme s'il y avait là une arme qu'il pouvait dégainer. Il me donnait l'impression d'être un solide rocher à travers les remous d'une rivière au printemps.

J'eus du mal à suivre Süleyman, car ses habits sombres disparaissaient dans la nuit à intervalles réguliers. Il finit par s'arrêter sur le seuil d'une cabane de pierre délabrée dont le toit de chaume s'était effondré depuis belle lurette. Prudente, je m'immobilisai à bonne distance de lui.

Et s'il nous avait leurrés ?

– Approchez, n'ayez crainte, dit-il doucement.

Je n'avais guère envie d'avancer, mais je savais que de me tenir en retrait ne m'apporterait rien, car Süleyman n'allait rien révéler si je ne coopérais pas. Brodick avait à la main son *sgian dubh* et son regard était mauvais. Il me murmura :

– Si quoi que ce soit d'imprévu devait survenir, cours vers le château.

Je retins mon souffle lorsqu'une silhouette noire se profila près de Süleyman. Je crus d'abord que ses hommes se montraient, mais je réalisai après quelques secondes que l'ombre était seule et qu'elle se tenait à une certaine distance de lui, comme si elle le craignait. Elle était enveloppée dans une cape d'une couleur indéfinissable dont le capuchon plongeait son visage dans l'obscurité, nous empêchant de discerner quelque trait que ce soit. Hésitante, je fis deux pas dans sa direction, une main à moitié tendue.

– Bridget ?

Une main blanche sortit de la fente de la cape et retira le capuchon, dévoilant une chevelure sombre striée de blanc. Sous la lumière blafarde de la lune, les traits de la femme paraissaient fatigués, mais malgré son âge, elle demeurait d'une beauté étonnante. Elle avait des yeux en amande, des pommettes saillantes et des lèvres charnues. Elle semblait être une personne calme et posée, et son visage exprimait une tristesse infinie. Ses yeux s'écarquillèrent un peu lorsqu'elle me dévisagea.

– Êtes-vous Bridget ? insistai-je.

Elle hocha la tête une fois avant de murmurer :

– Tu es le portrait de ta mère.

J'eus un rire sec. Tous les gens ici présents avaient vu ma mère. Mais pas moi.

– Pourquoi m'a-t-on guidée vers vous, Bridget ? Qu'avez-vous à m'apporter ?

Elle soupira.

– Pour avancer, il faut connaître son histoire, et la tienne est bien singulière. Il me revient de te la raconter…

Brodick posa une main rassurante au creux de mon dos. Sans prononcer une parole, il me fit sentir que je n'étais pas seule et qu'il m'épaulerait à travers cette étape importante.

– Pourquoi vous ? demandai-je.

Elle répondit par une autre question :

– Sais-tu qui t'a envoyée à moi ?

Je tiquai. Je n'allais certainement pas dire à cette femme que des voix dans ma tête m'avaient dicté la route jusqu'à elle ! Avant que j'aie pu inventer un mensonge, elle sourit pour la première fois et murmura en pointant un index sur sa tempe :

– Je sais.

Je vis Süleyman m'adresser un regard entendu. La femme reprit :

– C'est ta mère qui t'a guidée jusqu'à moi. Tu possèdes les mêmes dons qu'elle.

– Je n'ai aucun don et je ne crois pas en ces histoires de sorcellerie !

Même à mes propres oreilles, ma voix semblait incertaine. Il est vrai que je ne savais pas comment expliquer ces phénomènes qui m'assaillaient depuis des semaines. Peut-être avais-je été blessée fortement à la tête le jour de l'attaque à Glenmuick ? En tout cas, si cette femme insinuait que ma mère réussissait à établir un lien mental avec moi, elle ne parviendrait pas à me convaincre. Non, ça, je n'y croirais jamais !

– Ta mère est venue à moi après t'avoir quittée pour que, un jour, je puisse te raconter ce qui s'est vraiment passé. Tu jugeras après m'avoir entendue de ce que tu désires croire ou non.

Un lourd silence s'installa. Süleyman observait ce petit bout de femme, sourcils froncés, tandis que les prunelles de Brodick voyageaient entre elle et moi. Il demanda un moment à Bridget et me tira par la main jusqu'à ce que nous soyons hors de portée de voix.

– Je ne t'imposerai pas ma vision des choses, Isla, mais garde en tête que tu n'es pas obligée d'écouter ce que cette femme a à révéler.

Je me massai le front.

– J'ai besoin de savoir.

– Crois-tu vraiment qu'elle va te dire toute la vérité ? Son discours est déjà biaisé. Elle fera tout pour te faire voir ta mère comme une pauvre victime.

– Et si elle l'était, Brodick?

Je ne pus déterminer s'il me souriait par sympathie ou par amusement. Son expression se fit résignée et il caressa ma joue du bout des doigts.

– Va, *a Saorsanach*[2], entends ce que cette femme veut te dire et ne la laisse surtout pas t'atteindre.

Je levai mon visage vers lui et il m'embrassa doucement. Puis je retournai vers Bridget et Süleyman d'un pas déterminé.

– Je vous écoute.

Bridget parut déstabilisée par ma soudaine hardiesse et se tordit les mains, ne sachant visiblement pas par où commencer. Elle jeta un regard nerveux au Turc, qui la surplombait de toute sa taille, et sembla l'interroger silencieusement. Il secoua discrètement la tête.

– Vous ne lui avez pas dit? s'exclama-t-elle, incrédule.

– La bonne occasion ne s'est jamais présentée, répondit-il. Je comptais le faire ce soir.

– Eh bien, le moment semble opportun, dit Bridget avec ironie.

Je suivais l'échange avec intérêt, mon regard passant de l'un à l'autre. Süleyman avait effectivement mentionné avoir des choses à me révéler sur ma famille, mais la conversation semblait tout à coup prendre une tout autre dimension. Brodick gronda:

– Cessez de tergiverser et parlez, pour l'amour du ciel!

Bridget sembla se recroqueviller dans sa cape devant l'emportement du géant.

– Dites-moi, Süleyman, que devrais-je savoir? intervins-je, mes yeux cherchant les siens.

– Ce que je vais vous dire risque de vous affecter. Ne souhaitez-vous pas vous asseoir? fit-il en désignant un banc de pierre à une certaine distance.

---

2. « Ô Liberté » en gaélique.

– Non ! Ce que je veux, c'est que vous cessiez de faire tous ces mystères et que vous me disiez enfin la vérité !

Il hocha la tête et fit un pas vers moi.

– Très bien.

Il inspira par le nez avant de prononcer les mots qui allaient bouleverser toute mon existence :

– Isla, je suis votre frère.

Chapitre XV

Caritas in veritate

Ce soir-là, lorsque Brimstone Ross se présenta à l'évêché, il causa toute une commotion. Il se montra à la porte du bureau d'Harriot en sueur, en haillons et avec un comportement agressif déroutant.

– Que vous est-il donc arrivé, mon garçon ? Je ne vous attendais plus ! dit l'évêque en le recevant dans son antre.

Déjà, Brimstone faisait les cent pas sur la dispendieuse moquette avec ses bottes souillées. L'évêque hésita à refermer la porte derrière lui tant le jeune homme lui rappelait un lion en cage.

– Je n'ai pas pu donner de nouvelles avant. Cette furie m'a poignardé quand j'ai voulu l'interroger. Il y avait des hommes avec elle qui m'ont poursuivi jusqu'à ce que je n'aie d'autre option que de me jeter dans le Nor'loch pour sauver ma peau. Bon Dieu, c'est une mare de déchets humains !

Harriot retint une grimace de dégoût à la mention de l'eau stagnante du loch bordant Édimbourg.

– Ma blessure s'est infectée, monseigneur. J'ai mis des semaines à trouver assez de force pour voyager. J'ai besoin d'aide.

La voix de Brimstone n'était plus qu'un grondement sauvage.

– Bien sûr, mon garçon. Je ne vous laisserai pas repartir dans cet état.

L'évêque actionna une clochette et se tourna de nouveau vers Brimstone.

– C'est votre associé... Brodick... qui vous a poursuivi ainsi ?

– Non ! s'exclama Brim en grimaçant de douleur. Pour qui me prenez-vous ? J'ai attendu qu'il se soit éloigné d'elle avant d'intervenir !

– Alors, qui ?

La colère que le jeune homme tentait de refouler depuis le début de cette conversation explosa.

– Croyez-vous que j'aie pris le temps de bien les étudier, monseigneur ? Je ne sais pas qui ils étaient ni d'où ils sortaient. Tout ce qui m'importait était de fuir !

Brimstone grimaça de nouveau et porta la main à son épaule. Au même instant, Adhamh se présenta à la porte et s'inclina devant l'évêque.

– Trouvez un médecin pour cet homme, Adhamh, puis préparez-lui un repas chaud et une chambre.

– Bien, monseigneur.

L'évêque se retourna vers le jeune homme et prit un ton rassurant.

– Vous êtes entre de bonnes mains, mon fils. Bientôt, toute cette aventure sera derrière vous. Mais d'abord, j'ai besoin de comprendre. Vous dites que cette femme était protégée par un groupe d'hommes ?

– *Aye*.

L'évêque fronça les sourcils et prit place sur le coin de son bureau, lissant quelques plis de sa soutane.

– Croyez-vous que votre ami ait engagé ces hommes pour garder un œil sur elle ?

– *Nay*. Brodick s'est entiché de cette fille plus vite que le vent, mais il n'a pas les moyens d'engager qui que ce soit. Ses poches sont vides.

Brimstone omit évidemment de mentionner à Harriot que MacIntosh et lui-même donnaient dans la contrebande et que leur dernière opération avait avorté.

– Ces hommes peuvent-ils être les mêmes qui ont détruit Glenmuick ?

– Pourquoi la protégeraient-ils après l'avoir attachée à un bûcher ?

Harriot secoua la tête.

– C'est à en perdre son latin.

Un long silence s'installa entre les deux hommes. Décidément, le mystère ne cessait de s'épaissir autour de cette femme.

– Avez-vous parlé à MacIntosh ? demanda enfin le prélat. Vous a-t-il fourni quelques informations sur elle ?

– Rien, mis à part son prénom.

– Ah ? Cela pourra certainement nous être utile. Quel est-il ?

Brim pinça les lèvres au souvenir de la jeune garce qui lui avait enfoncé son propre couteau dans l'épaule.

– Elle s'appelle Isla.

Pendant un bref instant, je ne trouvai rien de mieux à faire que d'ouvrir et fermer la bouche comme un poisson hors de son bocal. Puis j'éclatai de rire. Quelle absurdité ! Süleyman me prenait-il vraiment pour une idiote ? Comment pouvais-je être parente avec un Turc ?

– Je sais que c'est difficile à croire, dit-il, mais laissez-moi vous expliquer.

La colère me foudroya soudain.

– M'expliquer ou vous moquer de moi ? Vous êtes abject de me laisser croire que vous possédez des informations sur ma famille et de mépriser ainsi ce que je peux ressentir. N'avez-vous pas de cœur ?

– Les mercenaires n'ont pas de cœur, maugréa Brodick derrière mon épaule.

Bridget intervint alors :

– Ce qu'il dit est vrai. Écoute-le si tu désires connaître tes origines.

Je lançai un regard courroucé à la femme, mais pinçai les lèvres en attendant que Süleyman poursuive. Il leva une main apaisante et s'approcha encore de moi. Je reculai malgré moi. Je ne pouvais supporter sa proximité. Je me sentis soudain dépassée par les événements et j'eus envie de rire et de pleurer à la fois. Il s'immobilisa.

– Allez-y, murmurai-je, expliquez-vous.

Lui-même avait l'air confus et appréhendait visiblement ma réaction. Il chercha ses mots un instant.

– Isla, savez-vous qui est votre père ?

Je le dévisageai. Personne ne m'avait jamais parlé de mon père. Avant que ma mère m'enferme dans cette malle et qu'elle disparaisse, il m'avait toujours paru naturel de ne vivre qu'avec elle. Ensuite, je m'étais considérée comme orpheline, et bien que la question m'ait parfois effleuré l'esprit, je ne m'y étais jamais attardée plus que cela.

– Non, dis-je simplement.

– Avant notre naissance, votre mère était une jeune Écossaise vivant paisiblement dans les Highlands et la mienne était serveuse dans une taverne du port de Constantinople[1]. Elles ont toutes les deux été violées par le même homme. Notre père.

---

1. Capitale de l'Empire ottoman. Aujourd'hui Istanbul, capitale de la Turquie.

Je cessai soudain de respirer.

– Quoi ? Qui ?

Je sentis la main de Brodick s'emparer de la mienne et je la serrai avec force.

– J'ignore son identité, fit le Turc, et c'est la raison de ma présence ici. J'ai besoin que vous m'aidiez à le retrouver.

J'examinai avec un regard nouveau les traits de Süleyman. Et je sus alors qu'il disait la vérité. Je compris pourquoi ses yeux trop pâles me dérangeaient tellement : ils étaient identiques aux miens, d'une couleur aigue-marine très rare. Son teint était plus clair que celui de ses hommes, bien qu'il ait la pilosité d'ébène des Turcs. Son visage avait la même forme que le mien. Il était mon frère.

Je frissonnai d'horreur. J'étais donc la progéniture d'une sorcière et d'un violeur ! Que pouvait-il ressortir de bon d'un tel mélange ? Je comprenais désormais pourquoi ma mère m'avait abandonnée.

– Comment pourrais-je vous aider, Süleyman ? Ma mère m'a laissée pour morte sans rien me dire à ce sujet. Je n'étais qu'une toute petite fille !

– Non, mon enfant, intervint Bridget, elle ne voulait pas te tuer. Au contraire, elle voulait te protéger.

J'écarquillai les yeux.

– C'est ici que mon récit à moi commence, poursuivit-elle. Ta mère, Élisabeth, vivait avec sa propre mère, Janet, lorsqu'elle fut violée. Malgré le déshonneur d'une grossesse non désirée, Élisabeth n'eut d'autre choix que de te porter et refusa de quitter son village pour se cacher de cette honte. Elle disait n'avoir rien fait de mal.

Le regard de Süleyman ne quittait pas mon visage. Bridget continua :

– Un jour de juin, alors que la grossesse d'Élisabeth était presque à terme, sa mère et elle furent arrêtées par le shérif adjoint.

– Arrêtées ?

– Oui. Pour sorcellerie. Dans un délai très court, elles furent toutes les deux reconnues coupables et condamnées au bûcher.

Me douter que ma mère était une sorcière sur la base de quelques souvenirs flous était une chose. Apprendre que ma mère et ma grand-mère avaient été formellement accusées d'hérésie en était une autre. Même dans le ventre de ma mère, j'avais frôlé le bûcher.

– Élisabeth réussit à fuir sa peine en feignant d'enfanter. Sa mère fut brûlée vive sur la place publique de Dornoch après avoir été enduite de goudron.

Les yeux fixés sur le vide, je chuchotai :

– Je suis la descendante de Janet Horne… La sorcière de Dornoch…

Qui n'avait pas entendu parler de la dernière sorcière à avoir été brûlée en sol écossais ? J'avais failli ne jamais naître, car j'étais issue d'une lignée maudite…

– *Aye*, tu es l'élue, fit Bridget.

– L'élue ? questionna Brodick.

La femme se tourna vers lui, visiblement toujours impressionnée par le Highlander.

– Que vous croyiez ou non à la prophétie que sa grand-mère a formulée au moment de mourir, il semble que seule cette enfant puisse mettre un terme à toute cette folie.

Souhaitant ramener la conversation vers un sujet qui m'intéressait au plus haut point, j'intervins :

– Vous avez dit que ma mère ne voulait pas me faire du mal…

Les traits de Bridget s'adoucirent alors que ceux de mon frère se durcirent.

– Oui, et tu vas pouvoir en juger par toi-même. J'ai connu ta mère dès mon plus jeune âge, mais j'ai quitté Dornoch pour suivre mon père dans les Trossachs. Après son évasion, Élisabeth se réfugia chez moi et c'est là que tu naquis. Un jour, nous apprîmes que l'homme qui l'avait condamnée était dans les environs. Il la recherchait. Nous décidâmes donc de nous fondre dans la masse et de nous réfugier à Édimbourg. Nous nous installâmes sur Mary King's Close pour t'élever. Tu étais une petite merveille et faisais la fierté de ta mère.

Je crus m'étrangler tant ma gorge se serra à ces paroles.

– Mais Élisabeth ne resta pas anonyme longtemps. Bientôt, les habitants du *close* se mirent à la craindre. Elle fut surprise plus d'une fois à invoquer des malheurs sur leur tête, elle était bizarre, et malheureusement, je crois que son esprit était de plus en plus troublé par des choses que je ne saurais expliquer. Elle m'effrayait aussi, parfois, mais elle était ma meilleure amie. Un jour, elle en vint à perdre le contrôle et tua l'un des marchands de la ruelle. Certains disent qu'elle lui jeta un sort. Je crois plutôt qu'elle se servit de sa dague. La colère des Édimbourgeois fut à son comble, ce jour-là, et je pris peur. Tous connaissaient l'histoire d'Alison Rough, cette femme qui avait tué le riche époux de sa fille en 1535 sur Craig's Close. Je redoutais que, comme elle, Élisabeth finisse au fond du Nor'loch, pieds et poings liés, alors nous arrangeâmes votre fuite à toutes les deux. Je refusai de la suivre, et encore une fois, ta mère dut prendre la route, seule, avec une enfant à charge.

« Cette fois, elle rejoignit Cromarty, le petit village portuaire. Elle ne me dit jamais comment elle avait réussi à trouver un toit pour vous deux, mais elle me fit parvenir des nouvelles à quelques reprises pour me dire que tu grandissais en beauté et en intelligence, que les choses allaient pour le mieux. Que je ne devais pas m'inquiéter pour vous deux. Quelques années plus tard, je reçus la visite de ta mère. Seule… Elle m'expliqua qu'elle s'était sentie épiée depuis un bon moment et que, un soir, alors que tu dormais, elle avait eu la certitude que la maison serait bientôt encerclée.

« Élisabeth vida alors la seule malle qu'elle possédait et t'allongea à l'intérieur en te rassurant. Tu avais peur, mais elle devait te cacher. Elle te dissimula sous les couvertures et referma le couvercle pour étouffer tes sanglots.

J'interrompis brusquement son récit :

– « Étouffer » est un mot on ne peut plus approprié pour décrire ce qui s'est passé ! Elle a fermé la malle à clé ! Elle m'a laissée suffoquer dans les étoffes ! Je me souviens très bien de son sourire à ce moment-là ! Je ne vous laisserai pas remplir mon esprit de doutes.

Bridget me parla sur un ton doucereux qui me déplut :

– Allons, tu n'avais pas cinq ans. Tes souvenirs sont certainement confus…

Je serrai les dents. Je n'allais pas débattre avec une femme qui n'était même pas présente ce jour-là. Je déviai plutôt la conversation :

– Mon oncle. Comment m'a-t-il trouvée ? Pourquoi était-il à Cromarty ce jour-là ?

– Ta mère l'a envoyé chercher lorsqu'elle a senti l'étau se resserrer encore une fois autour d'elle. Elle savait qu'elle ne pouvait plus t'offrir un environnement sécuritaire. À l'évidence, il est arrivé peu après sa disparition. Je ne sais pas précisément comment il t'a trouvée, mais je vois qu'il a bien pris soin de toi.

Je ne répondis rien. Je me mis à fixer le sol, ne parvenant pas à assimiler toutes les informations qui m'étaient lancées. Je n'arrivais pas à croire que ma mère m'ait enfermée dans ce coffre par amour. La nuit, j'entendais perpétuellement sa voix me dire et me redire que j'étais une enfant damnée. Comment pouvait-on tenir un tel discours à une enfant de quatre ans ? Jamais je ne croirais qu'elle m'aimait. C'est Brodick qui rompit le silence :

– Pour quelle raison Élisabeth nous a-t-elle guidés vers vous ? Que veut-elle ?

– Retrouver sa fille, bien sûr…

Je secouai la tête avec rage. Je n'y croyais pas une seule seconde.

– Mais avant, elle veut que la prophétie se réalise. Elle veut que le père de Süleyman et d'Isla soit montré sur la place publique.

– Pourquoi ne l'accuse-t-elle pas elle-même? Je n'ai pas besoin d'être mêlée à ça, ce n'est pas mon combat! m'écriai-je.

– Elle n'est pas crédible. Elle serait condamnée.

– N'a-t-elle pas conscience qu'il risque de m'arriver la même chose?

Bridget ne sut que me dire:

– Tout ira bien, car tu es l'élue.

Peu convaincue par sa réponse, je me tournai vers Süleyman.

– Et vous? Comment pouvez-vous connaître ma mère?

Il se passa une main fatiguée sur le visage en soupirant.

– C'est une autre longue histoire, *hanimefendi*. Je pense que ça suffit pour ce soir. Vous tremblez et je vous sens troublée.

– Je suis venue ici pour trouver cette femme en pensant qu'elle allait m'aider à y voir plus clair, qu'elle me dirait quoi faire ensuite. Tout ce qu'elle a fait, c'est me rendre plus confuse, et je n'ai aucune idée d'où je dois aller maintenant.

Bridget cligna des yeux à plusieurs reprises comme une chouette.

– Il vous faut trouver votre père, et vous devrez le faire ensemble, dit-elle en laissant son regard passer de Süleyman à moi.

Les questions se bousculaient à un rythme infernal dans ma tête.

– Pourquoi êtes-vous venu d'aussi loin pour trouver notre père, Süleyman? demandai-je.

Brodick intervint en me prenant doucement par le bras:

– Süleyman a raison, ça suffit pour ce soir.

– Non, m'insurgeai-je, je ne bougerai pas d'ici. Nous avons fait tout ce chemin pour entendre cette femme. Je ne partirai pas sans avoir eu toutes les réponses à mes questions !

Je réprimai un mouvement de recul lorsque Bridget s'approcha pour prendre mon visage entre ses mains.

– Ne vois-tu pas, mon enfant, que la prophétie se réalise d'elle-même sans que tu aies trop à t'en préoccuper ?

Je bafouillai :

– Qu… quoi ?

– « Je vois. Je sais. Vingt ans vont passer. La chair de ma chair sera damnée. Des vies elle va décimer », récita-t-elle. Tu ne l'as pas voulu, mais les gens de Glenmuick ont payé le prix de cette condamnation. « Dans la gueule de la pierre qui pleure, elle devra chercher. Elle y sera foudroyée », poursuivit-elle. *Mo aingeal*[2], as-tu, oui ou non, trouvé la pierre qui pleure ?

– Oui, dis-je, incertaine. Mais je n'ai pas été foudroyée. Il n'y avait aucun risque, aussi creux sous terre.

Bridget eut un rire cristallin.

– N'as-tu donc rien compris ? Il ne s'agit pas d'orage, mais de lui, fit-elle en désignant Brodick du menton.

Celui-ci écarquilla les yeux et me jeta un regard interrogateur. Je lui rendis sa question muette avant de me retourner vers Bridget.

– Je ne comprends pas, remarquai-je.

– Réfléchis. Quand as-tu éprouvé les premiers fourmillements d'attirance pour lui ? Quand as-tu senti ta peau grésiller à son contact pour la première fois ?

J'hésitais à révéler ces détails qui m'appartenaient intimement. Après une longue pause, je murmurai :

– Dans les tunnels sous l'abbaye.

---

2. « Mon ange » en gaélique.

C'était effectivement dans les grottes de Culross que j'avais ressenti la chimie entre nous, que j'avais eu envie qu'il m'embrasse. J'avais éprouvé du désir, c'est vrai, mais avais-je été foudroyée par l'amour ? Peut-être que oui. Probablement. Toutefois, pouvais-je accorder le moindre crédit aux lubies de cette femme ? La prophétie évoquait-elle vraiment mes sentiments pour Brodick ?

Bridget eut un sourire satisfait avant de réciter la suite de l'augure :

– « Son cœur lui sera arraché. » Récemment, as-tu eu l'impression qu'on t'arrachait ton cœur ? As-tu eu peur de le perdre ? fit-elle en désignant de nouveau Brodick.

Je me redressai, indignée.

– Il a failli mourir parce que ma mère l'a leurré et que deux brutes l'ont assailli par-derrière.

La femme ne sembla pas surprise.

– Elle a fait cela dans le seul but que l'augure se réalise. Elle s'en est prise à ton unique faiblesse. Que possèdes-tu d'autre qu'elle aurait pu t'enlever avec autant d'efficacité ? Élisabeth est têtue, *a gràdh*[3], et même si tu lui es précieuse, elle fera tout en son pouvoir pour mener cette folie à terme.

Elle pinça les lèvres avant de poursuivre :

– Va de l'avant, mon enfant, et n'oublie pas la mise en garde de la prophétie : « De tous, elle devra se méfier. » Quelqu'un te trahira.

J'eus un rire nerveux.

– Ne te moque pas, fit-elle d'un ton sec, avant de reprendre plus doucement : Mon rôle auprès de toi s'achève ici. Voilà maintenant des années que je n'ai pas eu de nouvelles d'Élisabeth, je ne saurais t'en dire plus, excepté ceci : la vérité est aussi mystérieuse que le mensonge, encore faut-il savoir regarder avec attention les gens qui sont en face de nous.

---

3. « Ma chère » en gaélique.

Sur ces paroles énigmatiques, elle se détourna et fila rapidement. Je ne tentai pas de la retenir. Je n'essayai pas de comprendre son charabia. De toute façon, j'en étais incapable. Je restai simplement là, immobile, les mains crispées sur la jupe de ma robe de bal, muette et abasourdie.

– Demain, nous irons prendre un verre et je vous expliquerai tout ce que je sais, dit Süleyman en s'adressant plus à Brodick qu'à moi. En attendant, rentrez. Vous n'avez plus rien à faire ici.

Les deux hommes convinrent d'un rendez-vous, puis mon frère s'avança vers moi :

– Vous êtes ma famille, à présent. Mon sang.

Il se pencha et posa un bref baiser sur mon front avant de s'éloigner à grands pas. Je le regardai partir sans cligner des yeux ou ouvrir la bouche. Je me sentais dans un état second et j'avais l'impression que mon esprit allait se fractionner d'une seconde à l'autre. Soudain, ma tête se mit à tourner et je fus prise d'un violent vertige. Brodick s'approcha derrière moi et enlaça délicatement ma taille pour me soutenir. En proie à la nausée, je m'appuyai contre lui, mon dos collé à son torse. Je peinais à respirer. Le corset m'étouffait.

– C'est normal de te sentir dépassée, *mo chridhe*. Ton esprit essaie tant bien que mal de naviguer à travers toutes les informations que tu as reçues ce soir.

Je secouai légèrement la tête, refoulant un haut-le-cœur. Je gardais la nouvelle pour moi depuis quelques jours, mais je ne pouvais plus le tenir dans l'ignorance. Il devait savoir.

– Ce n'est pas ce que tu crois, murmurai-je.

Je me retournai dans ses bras pour voir son visage.

– Brodick, je… j'attends un enfant.

Chapitre XVI

De nobis fabula narratur

Un silence de plomb régnait dans le carrosse sur le chemin du retour.

Brodick n'avait plus soufflé un seul mot depuis que je lui avais dit que j'étais enceinte. Il m'avait simplement prise par le coude pour me soutenir tandis que nous traversions la pelouse pour regagner le château des Menzies et quitter cet endroit au plus vite.

Pour ma part, je ressassais dans mon esprit tout ce qui avait été dit ce soir. J'avais un frère. Ma mère avait attenté à la vie de Brodick pour m'atteindre. La prophétie se réalisait malgré moi. Et la dernière phrase de Bridget me déstabilisait plus que tout: « La vérité est aussi mystérieuse que le mensonge, encore faut-il savoir regarder avec attention les gens qui sont en face de nous. » J'avais beau tourner et retourner cette parabole dans ma tête, je n'en saisissais pas le sens et je ne voyais pas comment j'allais pouvoir poursuivre ma quête avec ce seul indice.

Une autre avenue s'ouvrait à moi: m'associer à Süleyman pour rechercher notre père. Mais pourquoi, au fond? J'avais vécu toute ma vie sans lui accorder d'importance. Il était un violeur et un vaurien, pourquoi voudrais-je le connaître ? Et si Süleyman désirait uniquement venger sa mère, je ne voulais pas prendre part à ces représailles.

Je devais aussi tenir compte du fait que je n'étais plus seule. Un petit être grandissait maintenant dans mon ventre. Un petit garçon vigoureux comme son père ou une petite fille coquette qui ferait ma fierté. J'avais beaucoup réfléchi après avoir réalisé que je n'avais pas eu mes règles. Deux choses pouvaient arriver : Brodick allait accepter l'enfant et le reconnaître, voire le rendre légitime. Ou il allait partir, et je répéterais ainsi l'histoire de ma mère qui m'avait également élevée seule. D'une façon ou d'une autre, je devais accepter le fait que ma vie allait changer.

Je jetai un coup d'œil à MacIntosh. Il regardait par la vitre, les sourcils froncés, son profil à peine visible. Toute sa posture était fermée. Il était légèrement tourné vers la portière, les bras croisés sur la poitrine, et semblait complètement absent. Je ne l'en blâmais pas. Il devait absorber le choc de la nouvelle. Bien qu'il savait très bien qu'il prenait le risque de me mettre grosse en me faisant l'amour, à Édimbourg, je mesurais que l'annonce était inattendue et déstabilisante. J'étais impatiente de savoir ce qu'il allait dire lorsqu'il finirait par ouvrir la bouche, mais je ne voulais pas le brusquer.

Après ce qui me parut des siècles, l'attelage s'arrêta enfin devant l'auberge où nous logions depuis que nous étions arrivés à Aberfeldy quelques semaines plus tôt. Le cocher vint ouvrir la portière, et comme à son habitude, Brodick m'aida lui-même à descendre. Les baleines du corset s'enfonçaient dans ma peau, mes souliers me faisaient souffrir ; je n'avais qu'une envie, me glisser entre les draps et oublier cette horrible soirée. Je voulais cesser de réfléchir, arrêter de me poser des questions. Je n'aspirais qu'à dormir.

Sans attendre Brodick, qui payait le cocher, j'entrai dans l'auberge et me dirigeai vers l'escalier pour rejoindre notre chambre au deuxième étage. Une fois dans celle-ci, j'enlevai mes chaussures d'un coup de talon et m'assis sur le bord du lit en soupirant. Je retirai la coiffe qui ornait ma chevelure en me demandant pourquoi nous avions payé autant pour de tels habits, magnifiques mais inutiles puisque nous n'étions restés au bal que le temps d'un menuet.

Lorsque la porte s'ouvrit sur Brodick, je lui jetai un rapide coup d'œil, puis entrepris de délacer le corsage de ma robe. Je me glissai hors de mon écrin de velours et le posai délicatement sur le dossier d'un fauteuil. Je n'aurais sans doute jamais l'occasion de reporter une toilette aussi somptueuse. Je tournai la tête vers MacIntosh. Son élégance naturelle et son charisme semblaient multipliés par la coupe impeccable et la couleur de ses habits. J'eus soudain envie de me réfugier dans ses bras, mais je choisis plutôt de me détourner pour retirer mes bijoux.

Après un moment, je sentis sa présence derrière moi, et ses mains se mirent à délacer le corset. Ses doigts étaient agiles et je fus libérée en quelques instants. Je sentis mes côtes reprendre leur place et j'emplis mes poumons d'oxygène. J'allais le remercier lorsque ses bras serpentèrent autour de moi et que ses mains s'immobilisèrent sur mon ventre. Mes capacités respiratoires retrouvées se suspendirent à nouveau.

– Je suis désolé, souffla-t-il à mon oreille.

– Je désirais cette communion autant que toi, Brodick. Il y avait des risques et je dois maintenant en assumer les conséquences.

– Tu n'es pas seule. C'est aussi mon enfant.

Je fermai les paupières.

– Je ne t'obligerai jamais à me prendre en charge, Brodick. Si tu ne veux pas de lui, de nous, je me…

Il me retourna brusquement vers lui, me tenant par les bras. Il était furieux.

– Tu m'épouseras avant que cette grossesse ne soit visible, est-ce bien clair ?

Je me dégageai de sa poigne en frottant mes bras meurtris et me retournai pour me couvrir les yeux avec une main. J'étais épuisée, dépassée, à fleur de peau, et voilà que l'homme que j'aimais venait de m'offrir son nom.

– Je suis désolée aussi. Pour la grossesse, pour le bal, pour tout ce que tu n'as pas envie de faire et que tu dois effectuer à cause de moi… Je ne sais pas quoi te dire d'autre pour te convaincre que tu ne me dois rien. Je ne veux pas de ta pitié, je ne le supporterais pas !

Il prit mon visage entre ses mains et caressa mes pommettes avec ses pouces avant de m'embrasser tendrement. Puis il prit un peu de recul et nous eûmes l'une de ces conversations muettes qui nous caractérisaient.

– Si tu présumais que j'allais fuir à toutes jambes en te laissant derrière avec un bébé, c'était bien mal me connaître.

– Oh, mais je te connais, Brodick. Je connais ton sens de l'honneur. Mais je ne veux pas de toi si c'est seulement par obligation.

– Je te répète que personne ne m'a jamais obligé à faire quoi que ce soit contre mon gré. Si je ne voulais pas être ici avec toi, je serais déjà loin. Je n'ai pas grand-chose à t'offrir, si ce n'est mon nom…

Un lent sourire étira le coin de mes lèvres et je fis un signe affirmatif de la tête. Oui, j'avais envie d'être sa femme, pour le meilleur et sans doute pour le pire.

– Vous êtes magnifique, madame MacIntosh, souffla-t-il en souriant à son tour, ses yeux parcourant mon corps avec envie.

Je pris soudain conscience de mon allure : en chemise et en jupons, les traits tirés. Pourtant, il me désirait manifestement. Je glissai mes bras autour de son cou et levai mon visage vers le sien, quêtant un baiser du regard. Il ne se fit pas prier et me souleva de terre en m'écrasant contre son torse.

– Attention à ta jambe, murmurai-je contre sa bouche.

– Ma jambe va bien, rétorqua-t-il avec une caresse de la langue sur ma lèvre inférieure.

Je fus parcourue de frissons lorsqu'il prit ma bouche avec fougue. Puis il me laissa glisser contre lui jusqu'à ce que mes orteils touchent le sol et planta un baiser sonore sur mon nez.

– Il faut que tu dormes.

Dormir ? Alors qu'il venait de rallumer les braises au creux de mes entrailles ? C'était me sous-estimer ! Je lui tournai le dos et m'éloignai en balançant les hanches. Je me débarrassai de mes jupons d'un geste provocant. Puis je déboutonnai ma chemise et la fis glisser, juste assez pour dévoiler mes épaules et le haut de mon dos. J'entendis la soudaine irrégularité de son souffle et, avec un sourire satisfait, je laissai tomber l'étoffe au sol.

– Isla…, murmura-t-il.

Levant les bras au-dessus de ma tête, je retirai les deux peignes qui retenaient mes boucles en arrière. Mes cheveux cascadèrent le long de mon dos et je trouvai leur caresse agréable sur ma peau nue. Il ne restait que les fins bas de soie qui gainaient mes jambes. Je posai un pied sur le fauteuil et, me penchant légèrement en avant, je fis rouler le premier bas, présentant ma croupe à Brodick. Je répétai le manège pour l'autre jambe et jetai un coup d'œil coquin par-dessus mon épaule.

MacIntosh était immobile, une main posée sur son sexe qui tendait le tissu du pantalon moulant. Il me fixait avec son regard sauvage de panthère, la tête baissée et la respiration rapide. Il ressemblait à un prédateur prêt à bondir sur sa proie.

Je me retournai lentement, lui exposant mon corps. Ses prunelles voyagèrent de mes pieds au centre de ma féminité, puis de mon ventre jusqu'à mes seins qui se dressaient fièrement. Il plissa les yeux devant mon expression aguichante. Je sentais son désir, mais il exerçait un tel contrôle sur lui-même qu'il resta parfaitement immobile, mis à part sa main qui caressait doucement son membre à travers l'étoffe du pantalon. Je ne pouvais pas détourner mon attention de cette main provocante qui me titillait. Brodick avait vite compris mon jeu et était en train de le retourner à son avantage. Il me contemplait en se touchant, nous excitant tous les deux. J'avais envie que ce soit moi qui caresse son sexe, mais je ne voulais pas céder. Bien que je me sente un peu vulnérable, nue devant lui qui était encore vêtu comme un prince, je voulais continuer de jouer.

Je me mordis la lèvre et laissai mes mains remonter sur mes cuisses, mes hanches, puis mes seins où elles s'arrêtèrent un instant, captant l'attention de la panthère. Je les laissai glisser le long de mon ventre et mes doigts effleurèrent mon sexe, m'obligeant à fermer les yeux tant la sensation fut agréable. Je sentis mon ventre se liquéfier, et lorsque ma main repassa sur cette partie si sensible de mon anatomie, l'excitation grimpa. Mon souffle s'accéléra tandis que mon regard se fixait de nouveau sur les caresses que MacIntosh s'accordait. Jamais je n'aurais pu croire que de le contempler pouvait être aussi troublant.

Soudain, un grondement félin me parvint et Brodick fut sur moi. Ou plutôt, à genoux devant moi. Ses doigts saisirent mes fesses, et à ma grande stupeur, il approcha son visage de mon sexe. Par réflexe, je posai les mains sur ses épaules et un frisson d'extase me parcourut lorsque sa langue effleura la jonction de mes cuisses. Oh! Du velours! Chaud, doux, enveloppant. Je n'aurais jamais pensé que cela puisse être aussi bon! Il accentua la pression, et après quelques minutes de cette douce torture, j'étais tendue comme la corde d'un arc, sur la pointe des pieds, prête à exploser. Mais il se releva pour saisir ma tête entre ses mains et m'embrasser avec sauvagerie.

Sans quitter mes lèvres, Brodick me fit reculer jusqu'à ce que mes fesses touchent la console où étaient empilés nos effets personnels. Du bras, il en balaya la surface et me renversa sur le meuble. Surprise, je cambrai le dos pour me soustraire à ce contact froid, et Brodick rit doucement. Son regard bestial parcourut mon corps, puis il posa ses mains sur mes cuisses pour les écarter d'un mouvement ferme, avant de disparaître de nouveau entre mes jambes. Je retins mon souffle en enfouissant mes doigts dans ses cheveux, n'arrivant plus à penser logiquement ou à articuler un son intelligible. Je n'étais que réflexes et sensations. La caresse de sa bouche sur moi était délicieuse, à la limite de l'extase et du supportable, mais elle ne m'apporterait pas ce sentiment de plénitude dont j'avais tant besoin en cet instant, celui que j'avais déjà connu dans ses bras auparavant. J'avais envie de lui. Au plus profond de moi.

– Brodick, soufflai-je en tirant sur ses cheveux pour l'attirer à moi.

Il se releva et pressa son désir entre mes jambes tout en se débarrassant du justaucorps, puis du gilet. Il se pencha pour m'embrasser et le jabot de sa chemise me chatouilla les seins. Excitée, je me redressai pour glisser mes mains entre nous deux et défaire la braguette du pantalon. Tandis que je libérais son érection, sa chemise vola à travers la pièce. Il émit un son de plaisir lorsque j'enroulai mes mains autour de son membre.

Nous nous caressâmes de longs instants. Plongée dans la passion, je perdis le fil du temps. Ses mains me cherchèrent et me trouvèrent, ses doigts m'éveillèrent et m'émerveillèrent, j'oubliai qui j'étais. Enfin, il se défit de son pantalon et s'enfonça en moi, me faisant m'arquer de plaisir sur le meuble de bois. Brodick gémit en fermant les yeux et il n'eut qu'à accélérer le rythme pour que je me contracte, happée par la jouissance. Il se crispa à son tour avant de connaître l'extase, et lorsqu'il fut apaisé, nous restâmes immobiles plusieurs minutes, les membres entremêlés, à bout de souffle.

Après un moment, Brodick me souleva dans ses bras et me déposa dans le lit. Il me rejoignit et tira la couverture sur nos corps épuisés. Il murmura « *Oidhche mhath*[1] » à mon oreille et posa une main protectrice sur mon ventre avant de s'enrouler autour de moi comme un lierre. Je m'endormis dans sa chaleur, comblée.

Guthrie était satisfait du déroulement des choses. Il s'était peu à peu rapproché des Lennox, d'abord pour un *dram*, puis deux. Après quelques jours, on l'avait invité pour le dîner au club. Il gagnait leur confiance par étapes. Lorsque, un soir, l'un des fils avait sorti une poignée de monnaie de sa poche, Mac avait aperçu à travers les pièces l'éclat du signe familier de la compagnie Tassel. Il était bien sûr beaucoup trop tôt pour en faire mention ou pour poser des questions. L'épisode lui avait toutefois confirmé qu'il était sur la bonne voie et qu'il finirait par avoir quelques informations sur l'organisation criminelle.

Mac s'était alors demandé comment il pourrait s'infiltrer dans les combines des malfrats et s'était mis à se vanter discrètement d'activités suspectes et autres basses besognes. Pour prouver ses méfaits, il avait même exhibé le chapelet de l'évêque qu'il avait subtilisé à sa dernière visite dans le but d'appâter quiconque pourrait l'aider dans sa mission. Il s'était targué d'avoir envahi l'évêché d'Aberdeen une nuit de beuverie avec des copains et d'avoir détroussé un Harriot en robe de chambre.

1. « Bonne nuit » en gaélique.

Ce soir, les Lennox avaient donné rendez-vous à Guthrie près des quais. Il arpentait l'ombre des entrepôts, nerveux. Le bruit des vaguelettes frappant contre les coques et l'odeur du poisson emplissaient l'air. Mais toujours aucun signe de Stuart Lennox ou de ses fils.

Mac savait qu'il allait devoir faire ses preuves avant que les vauriens ne l'acceptent dans leur groupuscule. Sans doute était-ce d'ailleurs la raison de ce rendez-vous. Ils allaient lui lancer un défi, un genre de rite d'initiation, qu'il s'empresserait de relever. Ne sachant toutefois pas à quoi s'attendre, Mac restait vigilant. Il gardait la main sur sa hanche, prêt à dégainer une arme.

Un son le fit sursauter, et avant d'avoir pu réagir, il fut saisi par-derrière. Un bras s'enroula autour de sa gorge tandis qu'une autre personne, au moins, l'immobilisait. Il fut tiré ainsi jusqu'à la ruelle la plus proche. Il se débattit comme un diable en essayant d'atteindre son arme, en vain. Il fut violemment propulsé contre un mur et son front heurta la pierre de plein fouet. Il fut aussitôt aveuglé par son propre sang. On lui maintenait les bras dans le dos en une douloureuse torsion.

Dans cette enclave de pierre, l'écho des grognements masculins se répercutait sur les parois. L'odeur des déchets était écœurante, et dans les narines de Guthrie s'y mêlaient celles du sang, de la sueur et de l'alcool que dégageaient ses assaillants. Avec impuissance, il sentit qu'on le délestait de ses armes. Son pistolet et son poignard lui furent retirés. On fouilla même sa botte pour prendre le *sgian dubh*. Puis un bras pressa de nouveau sa tête contre le mur et il sentit la pierre écorcher sa joue.

Les pensées se bousculèrent dans l'esprit de Guthrie. Était-il agressé par de quelconques bandits ayant vu en lui, qui se trouvait seul près des quais en pleine nuit, une proie idéale ? Ou avait-il été piégé par Lennox et ses fils ? Comme il s'était montré imprudent et imbu de lui-même en pensant pouvoir se défendre seul contre plusieurs hommes! Allait-il mourir ce soir sans avoir su résoudre cette affaire?

Une voix hargneuse gronda à son oreille:

– Qui êtes-vous?

La voix lui était familière. Elle appartenait au benjamin des Lennox, Alexander.

– Vous savez qui je suis, bon sang!

Alexander le tira en arrière et le projeta de plus belle contre la paroi. Mac en eut le souffle coupé. Il cligna des paupières pour essayer de recouvrer sa vue.

– Ne me prenez pas pour un idiot! Dites-moi qui vous êtes!

Guthrie savait que la pire chose à faire en ce moment était d'avouer sa véritable identité. S'il cédait, il serait alors tué sans autre forme de procès. Il devait maintenir sa couverture malgré la douleur, ou tout était perdu.

– Josh MacNab! Josh… MacNa… b!

On le tira par les cheveux.

– Que voulez-vous, MacNab? Pourquoi tenez-vous tant à vous imposer? Quel motif se cache derrière votre intérêt pour ma famille?

– Je vous l'ai dit, fit Guthrie en crachant du sang. Ma vie… trop ennuyeuse.

– Vous exhibez des armes avec l'assurance d'un homme qui n'a pas à se cacher. Vous vous targuez de vos méfaits. Quel genre d'imbécile fait cela? Nous vous soupçonnons d'être à la solde des Anglais ou du Black Watch. Dites la vérité, fit Alexander en pointant le canon de son pistolet sur la tempe de Mac.

Celui-ci se mit à transpirer abondamment. Il s'était lui-même fourré dans le pétrin. Il savait que les Lennox n'avaient aucun scrupule. Comment allait-il se sortir de cette impasse, à présent?

Il ferma les yeux et attendit la fin.

Nous étions attablés devant un repas aux odeurs exquises, dans la salle commune de l'auberge. Brodick m'incitait à manger comme si le fait d'être enceinte devait me faire ingurgiter de la nourriture pour un régiment. Nous attendions Süleyman qui devait nous retrouver ici d'un instant à l'autre. Brodick restait méfiant à l'égard du Turc, mais allait tout de même lui donner le bénéfice du doute et entendre ce qu'il avait à dire.

Lorsque Süleyman fit son apparition, les clients se retournèrent pour dévisager cet étranger au teint basané. Il était vêtu de façon peu notoire, mais il ne passait pas inaperçu dans les petits villages d'Écosse où les gens n'avaient probablement jamais vu de peau si foncée. Pour ma part, même en le voyant ainsi à la lumière du jour, si beau et détendu, j'avais toujours de la difficulté à me faire à l'idée qu'il puisse être mon frère.

Alors qu'il prenait place à table, s'inclinant sur ma main et offrant un signe de tête cordial à Brodick, je me demandai avec quels yeux je devais le regarder. J'avais envie de l'aimer comme un frère, mais quelque chose en moi mettait un frein à cet enthousiasme. Étaient-ce les propos de Bridget qui me rendaient suspicieuse? «Quelqu'un te trahira.» Pouvais-je prendre cette femme au sérieux? Allais-je m'empêcher de vivre pour des paroles possiblement lancées en l'air?

À peine le Turc avait-il posé son poids sur la chaise que j'ouvris la conversation sans préambule:

– Allez-vous vraiment répondre à mes questions, Süleyman? Entre frère et sœur, ne nous devons-nous pas toute la vérité?

Il hésita avant d'acquiescer d'un mouvement de tête circonspect. Brodick posa sa main sur la mienne pour m'enjoindre à la prudence. La vérité était que j'avais tant de questions à poser que je ne savais pas dans quel ordre le faire.

– Pourquoi est-ce aussi important pour vous de retrouver... notre père? demandai-je de but en blanc.

Süleyman se frotta la nuque un instant avant de prendre la parole:

– Avant de répondre à cette question, je dois vous parler de ce que je suis. De qui je suis devenu.

Je me calai contre le dossier de ma chaise en haussant les sourcils.

– Je vous écoute.

Il me considéra avec un sourire amusé, puis se lança:

– Je suis né dans les bas-fonds de Constantinople. Dans les quartiers les plus mal famés, les plus dangereux. Ma mère mourut lorsque j'avais huit ans, et dès lors, je fus livré à moi-même. Je dus apprendre à me défendre, voire à voler pour pouvoir manger et à tuer pour rester en vie. Après avoir passé ma jeunesse dans les rues, je m'enrôlai à l'âge de seize ans comme soldat pour combattre la Russie. On me forma à capturer, à interroger, puis à tuer tout homme se mettant sur mon chemin. Sans remords. Sans une seule pensée pour les cadavres que je laissais derrière moi. Mais lorsque nous fûmes défaits à la bataille de Stavuchany, le 28 août 1739, je fus grièvement blessé et quittai les rangs de l'armée. Ne sachant que me battre, je m'engageai comme mercenaire à la solde du sultan Mahmud. C'est ainsi que je fis ma fortune.

J'observai d'abord mon frère avec compassion, mais au fur et à mesure que son récit avançait, mon expression se fit horrifiée, puis dure.

– Je me lassai vite de regarder la mort dans les yeux. Quelque chose au fond de moi se rebellait contre cette vie de sauvage. J'avais envie de vivre autrement. Mais une fois à la solde du sultan, on ne se retire pas aussi facilement. Mission après mission, il me fit monter les échelons. Bientôt, je fus à la tête du plus important contingent d'assassins que l'Empire ottoman ait connu. Le sultan m'offrait des richesses auxquelles je ne savais pas dire non après avoir mendié toute ma jeunesse. D'une main, il les exhibait devant mes yeux, de l'autre, il menaçait de me couper la tête à la moindre frasque. Ma vie dépendait de la volonté de ce tyran qui ne voulait certainement pas me voir partir avec ses secrets.

Je gigotai sur ma chaise, mal à l'aise. Je n'arrivais pas à concevoir une telle existence.

– Une partie de moi continuait à aspirer à autre chose. Durant de longues nuits à dormir dans le désert, je me surpris à avoir de profondes réflexions sur le but de mon existence. Sur ce que je souhaitais devenir comme être humain. Je me rendis compte que j'avais besoin d'apprendre à me connaître, à me respecter, et pour cela, je devais découvrir mes racines, mes origines. Sans ma mère, sans famille, le défi était de taille.

Puisque la conversation allait manifestement s'étirer, Brodick leva le bras et fit signe à la serveuse d'apporter de l'ale. Süleyman continua :

– La seule chose que je savais, c'est que ma mère avait travaillé dans une taverne de Constantinople avant ma naissance. C'est donc là que je commençai mes recherches, il y a de cela environ un an.

– Comment diable avez-vous atterri ici ? demanda Brodick en levant un sourcil interrogateur.

– J'y viens, un peu de patience, répondit Süleyman avant de poursuivre : À la taverne, personne ne se souvenait de Mahide, ma mère. J'allais abandonner lorsqu'un homme vint à moi, un soir, en disant l'avoir connue. Il se prénommait Ahmed et était un marin qui avait été amoureux d'elle en silence durant des années. Puis, un jour, il fut témoin malgré lui de… du viol.

Je baissai les yeux. J'étais passée si près de subir ce sort, à Édimbourg, et hier à peine, j'avais appris que j'étais le fruit de l'une de ces agressions.

– Ahmed tenta de s'interposer, mais l'agresseur était costaud, alors que lui-même commençait à prendre de l'âge et était chétif. Il fut battu à coups de pied et de poing et rampa chercher de l'aide, mais le temps qu'il y parvienne, le mal était fait. J'avais été conçu. D'après lui, le coupable était écossais.

Brodick grogna.

– C'est plutôt maigre comme information. Savez-vous combien il y a d'hommes en Écosse ?

Süleyman riposta sur le même ton :

– En tout cas, il y en a beaucoup moins qu'il y a quelques années.

Brodick serra les poings. Craignant que la conversation ne s'envenime, je décidai d'intervenir :

– Ahmed ne détenait-il aucun autre renseignement susceptible de vous aider dans votre quête ? Est-ce là tout ce qu'il vous a dit ?

Le regard de Süleyman s'adoucit lorsqu'il se posa de nouveau sur mon visage.

– Non, ce n'est pas tout, *hanimefendi*. Après le viol, Ahmed a posé des questions sur cet étranger pour apprendre qu'il faisait partie d'une délégation qui venait d'un village des Highlands. Il m'a dit que c'est là que je devais poursuivre mes recherches.

– Quel village ? demandai-je.

Mon frère se frotta à nouveau la nuque avant de me lancer d'un air contrit :

– Dornoch.

Je me redressai. Le village de ma grand-mère !

– À compter de ce jour, je n'avais plus qu'une idée en tête : fuir la Turquie et rejoindre l'Écosse. Je ressentais une rage sans nom à l'égard de l'homme qui m'avait donné la vie. Je voulais le faire payer pour avoir détruit la vie de ma mère et m'avoir condamné à une enfance aussi misérable pour quelques instants de plaisir. Je réussis à convaincre quelques hommes en qui j'avais une confiance absolue d'entreprendre le périple avec moi. Ce ne fut pas chose aisée, car ils craignaient tous le sultan. S'il apprenait ce que nous tramions, nous perdions tous la tête. Par chance, rien de tel ne se produisit et nous parvînmes à atteindre Dornoch sans encombre.

– Avez-vous appris quelque chose là-bas ?

– S'il y a une chose typique des Highlanders, c'est qu'ils sont extrêmement accueillants et chaleureux entre eux, mais lorsqu'un étranger comme moi vient fouiller dans leur passé, ils se referment comme des huîtres.

– C'est à se demander pourquoi, marmonna Brodick.

Je lui jetai un coup d'œil agacé tandis que Süleyman l'ignorait, pensif.

– Je ne suis pas un homme très pieux. Je ne crois ni aux génies, ni aux fantômes. Mais je peux affirmer sans me tromper qu'Élisabeth possède le pouvoir de communiquer à distance. Appelez-la sorcière si vous voulez, mais elle possède ce don.

Je retins mon souffle. Communiquer à distance ? Bridget disait-elle vrai ? Était-ce ce qui m'arrivait lorsque les voix se manifestaient ? Ma mère pouvait-elle véritablement et délibérément altérer le cours de mes pensées ? Pénétrer dans mon esprit comme dans une auberge ?

– Que voulez-vous dire ? chuchotai-je, choquée.

Brodick pressa ma main en gardant le silence.

– Le soir où je quittai Dornoch, sous le regard méfiant des villageois qui m'avaient affirmé ne rien savoir à propos de la délégation qui m'intéressait, je me réfugiai dans la forêt pour dormir et...

Il baissa les yeux.

– Et ?

– Je fis un horrible cauchemar. J'étais de nouveau dans le désert, sous un soleil de plomb. Je n'avais nulle part où me réfugier, rien pour me couvrir. De toute façon, j'étais incapable de bouger. Le vent soufflait et les tourbillons de sable m'étouffaient. Ils semblaient murmurer. Puis elle m'a parlé.

– Elle ?

– Oui, Élisabeth.

Son ton était interdit, comme si j'aurais dû savoir de qui il parlait.

– Ne vous guide-t-elle pas aussi, Isla ? Je croyais que...

Je me levai brusquement, renversant ma chaise. Toutes les têtes se tournèrent vers moi, mais je les ignorai. Toute mon attention était dirigée vers mon frère et ce qu'il venait de déclarer.

– La voix-mère, c'est elle ? Cet horrible timbre désincarné... c'est la voix d'Élisabeth ?

Süleyman hésita.

– Une version modifiée, sans doute. Je vous assure que sa voix n'a rien d'aussi démoniaque.

– Que vous a-t-elle dit ?

– Elle m'a dit où la trouver. Elle était à Culross. Je ne savais pas qui elle était ni pourquoi elle m'appelait. Lorsque j'ai franchi le seuil de sa demeure, deux nuits plus tard, elle m'a parlé de vous, son enfant. Ma sœur. Naturellement, je l'ai pressée de questions. Comment était-elle au courant de mon existence ? Qui était mon père ? Où se trouvait-il ? Mais j'eus beau la menacer de tous les maux, elle affirma préférer mourir plutôt que de me répondre et de me dévoiler le nom de mon géniteur. Selon elle, vous seule pouviez m'apporter la vérité. Elle a dit que je vous trouverais à Glenmuick et qu'il me fallait me dépêcher, car quelqu'un allait s'en prendre à vous. Je devais faire vite. Très vite.

Une fois rassise, le dos bien droit collé à ma chaise, je me massai les tempes. Plus Süleyman avançait dans son récit, plus j'étais confuse. Ses réponses ne faisaient que m'apporter plus d'interrogations.

– Elle savait ? gronda Brodick. Elle savait qu'un village entier serait exterminé et que sa propre fille serait battue ? N'y a-t-il rien qu'elle aurait pu faire pour empêcher tout cela ?

– Bridget l'a dit : cette femme n'arrêtera devant rien pour voir la prophétie accomplie. Quel que soit le prix à payer.

– Vous m'assurez encore aujourd'hui que vous n'avez rien à voir avec ce massacre, que ce n'est pas vous qui avez brûlé le bras d'Isla ? Avouez que c'est tout de même une drôle de coïncidence qu'un groupe de mercenaires turcs ait été dans les environs le jour de ces assassinats.

Süleyman se braqua.

– Et pour quelle raison aurais-je commis un acte aussi barbare ? Sachez que je ne tue ni les femmes, ni les enfants. Ni même les hommes innocents. Et surtout, je n'aurais jamais fait de mal à ma propre sœur.

Brodick insista :

– Où étiez-vous donc, alors, lorsque Isla était victime de ces chacals ? Manifestement, vous n'avez pas été assez rapide...

– Je suis effectivement arrivé trop tard. Je croyais plus ou moins aux inepties de cette vieille femme jusqu'à ce que je voie la colonne de fumée, au loin. Quand nous sommes finalement parvenus à Glenmuick, vous veniez sans doute de partir. Les traces de chevaux étaient encore fraîches et il fut facile de vous retracer jusqu'à l'auberge. Ma seule ambition était alors de faire parler Isla, coûte que coûte, à propos de mon père.

– Un pion dans votre stratégie, dit Brodick froidement.

Je fis un geste vers Süleyman et m'arrêtai juste avant de toucher sa main.

– Il n'est pas question ici de trouver un coupable, mais de comprendre dans quelle galère nous sommes. Je suis désolée, Süleyman, mais je ne peux pas vous aider. Comme je vous l'ai déjà dit, je ne sais rien à propos de notre père.

Il me sourit avec bonté.

– Oui, je sais. Je l'ai réalisé rapidement. J'ai compris qu'Élisabeth vous utilisait comme une arme pour accomplir une vengeance qui n'était pas la vôtre. Et que moi aussi elle me manipulait pour que je concoure à la réalisation de la prophétie.

Brodick se racla la gorge.

– Tout cela est fort intéressant, mais que fait-on maintenant ? On repart chacun de notre côté et on oublie toute cette malheureuse aventure ?

Il y eut un instant de silence inconfortable.

– En effet, dit Süleyman, nous sommes dans une impasse. Nous ne détenons plus d'indices ou d'informations nous aiguillant dans la bonne direction. À moins que…

– À moins que quoi ? demandai-je, sur mes gardes.

– Élisabeth ne m'est jamais revenue en rêve. Elle me craint trop pour cela. En revanche, vous, Isla, avez peut-être la capacité de communiquer avec elle.

Je le dévisageai, rétive. Je n'aimais pas le tour que prenait la conversation. Brodick plissa les yeux et nous observa à tour de rôle avant de prendre la parole :

– Vous voulez qu'Isla tente d'appeler sa mère ?

– Cela pourrait être efficace, non ?

– Non ! protestai-je. Je n'ai aucun contrôle sur les visions. Et de toute façon, la dernière fois que j'en ai eu une, elle ne m'a pas parlé.

Süleyman insista :

– Ne pouvez-vous pas essayer ? Pour mettre fin à toute cette histoire ?

Je n'aimai pas l'expression de Brodick au moment où mon frère prononça ces paroles. Il était trop songeur et me fixait en se mordant la lèvre inférieure.

– Isla, tu apprends progressivement à contrôler ces voix, à ne pas les laisser te happer. Süleyman a raison. Tu pourrais au moins essayer, pour mettre un terme à tout ceci.

– Comment peux-tu me demander une chose pareille, Brodick ? Toi mieux que quiconque sais à quel point ces expériences sont épuisantes et horrifiantes pour moi !

Il tendit la main et caressa ma joue.

– Je sais. *Aye*, je sais. Toutefois, tu l'as dit toi-même : tu dois aller au bout de cette quête pour en finir avec les voix et vivre ta vie. Vous êtes dans une impasse. Quelle direction vas-tu prendre ?

Je sentis la colère monter en moi. Mon pouls s'accéléra, ma respiration se saccada. Comment pouvait-il rejeter aussi facilement tout le poids de cette affaire sur mes épaules ? Ce n'est pas moi qui voulais retrouver mon père à tout prix, et cette prophétie m'indifférait de plus en plus. Je n'aspirais qu'à vivre en paix !

– Brodick, tu n'as pas choisi de prendre part à ce combat, et je te dis depuis le début que tu peux te retirer en tout temps. Eh bien, moi aussi, je veux sortir de cette bataille. Je me retire. Je ne vais pas plus loin. Je n'ai pas besoin de connaître mon père.

Le regard de Brodick se fit soudain plus dur.

– Tu ne peux pas, Isla. Pas si près du but. Tu n'es pas une lâche, tu es une guerrière, et les guerrières ne désertent pas.

Je vis dans son expression le combattant qui avait lutté pour la cause jacobite, l'homme déterminé et intransigeant. Pourquoi se montrait-il aussi insistant tout à coup ? Ce n'était pas sa guerre ! Comment pouvait-il être à ce point sourd à mes arguments ? J'eus l'impression d'être trahie, abandonnée par la personne à laquelle je faisais le plus confiance en ce monde. Réprimant mon envie de hurler, je me levai stoïquement pour lui faire face.

– Pourquoi me fais-tu cela ? demandai-je en refoulant mes larmes.

– *Is math an sgàthan sùil caraid*[1].

D'une voix dénuée de toute émotion, je répondis :

– Ce n'est pas à toi de décider, Brodick. Je renonce.

Puis, sans un regard en arrière, je quittai l'auberge, me sentant plus seule que jamais.

Guthrie se hissa avec peine dans son lit et s'y effondra de tout son poids, à bout de souffle et souffrant le martyre. Il avait enfin des réponses. Même s'il ne connaissait pas encore tous les tenants et aboutissants de l'affaire, il savait désormais qui étaient les auteurs du massacre de Glenmuick et qui se cachait derrière toute cette tragédie.

Lorsque Alexander Lennox avait pointé son arme sur la tempe de Mac, celui-ci avait cru sa dernière heure venue. Grâce à ses réflexes aiguisés, il avait toutefois évité de se prendre un projectile dans la cervelle en lançant son pied dans l'abdomen de son agresseur. Il devait agir vite, car l'autre frère, Andrew, avait déjà armé son pistolet. Profitant du fait qu'Alexander était plié en deux sous l'impact, il l'avait violemment projeté contre le mur de pierre, l'assommant du même coup, et avait attrapé son arme au vol.

Mac avait essuyé le sang dans ses yeux avec sa manche avant de faire face à Andrew. Celui-ci était le plus jeune et le plus naïf de la bande. Il ferait certainement feu s'il se sentait menacé, car il était très nerveux. Grand, dégingandé, roux,

2. Proverbe écossais : « L'œil d'un ami est le meilleur miroir qui soit. »

il avait tout du jeune homme impulsif, ce qui le rendait dangereux.

– Lâche ton arme, Andrew, avait-il ordonné avec calme.

Le blanc-bec avait montré de l'agitation. Ses mains tremblaient et son doigt était instable sur la gâchette de son pistolet, qu'il continuait à pointer approximativement à la hauteur de son épaule. Ce garçon était en train de paniquer et cela n'augurait rien de bon. Guthrie avait pointé son arme sur la tête de Lennox d'une main assurée et celui-ci avait agrandi les yeux.

– Tu vas blesser quelqu'un avec ton jouet, Andrew. Dépose-le immédiatement.

Le regard fixe, le jeune homme n'avait pas bronché. Guthrie pouvait très bien comprendre sa fébrilité. Le jeunot en était sans doute à ses premières missions avec ses frères et n'avait pas encore eu à tuer un être humain. Il finirait bien par s'y faire ; après tout, on s'habituait à tout. Même au sang et aux lamentations.

Guthrie avait décidé qu'il était temps d'agir. Levant sa main libre pour tenter d'amadouer le garçon, il avait fait un pas vers lui, et c'est alors que le coup était parti. Mac n'avait pas senti la douleur tout de suite, mais l'impact à bout portant l'avait fait reculer de quelques pas. Il savait qu'il était touché, mais il n'était pas encore mort. Il avait foncé sur Lennox et lui avait assené un coup de crosse sur la tête. Celui-ci était tombé sur les genoux, étourdi, et Guthrie l'avait empoigné par le collet. Il sentait son bras s'engourdir rapidement, il devait faire vite. Il avait pointé le canon de son arme dans l'œil d'Andrew et avait grondé :

– Je suis un officier du Black Watch et j'ai des questions à te poser. Je te suggère fortement d'y répondre si tu tiens à la vie.

Le jeune avait émis un son rauque et acquiescé de la tête tandis qu'une flaque d'urine s'agrandissait sur le pavé d'une ruelle à proximité des quais d'Aberdeen.

J'errai longtemps dans les rues d'Aberfeldy.

C'était un petit village marchand dont les bâtisses de pierres ou de chaux étaient collées les unes aux autres. Une petite église exhibait fièrement son clocher et un pont de pierre construit en 1733 surplombait la rivière Tay. C'est là que je m'arrêtai. Ce pont était colossal, avec cinq arches enjambant le cours d'eau. Des parapets et des obélisques encadraient l'arche centrale. Je descendis sur la rive de la Tay et pris place sur un rocher plat, laissant le bruit de l'eau et le chant des oiseaux me calmer. Le soleil était merveilleusement chaud sur ma peau et une agréable brise vint agiter mes cheveux.

J'avais besoin de solitude et de silence. De prendre le temps de réfléchir à tout ce qui s'était dit depuis hier soir. D'absorber toutes ces données qui étaient entrées à une telle vitesse dans mon esprit que je risquais de manquer une information importante. M'aérer l'esprit sans personne pour me suggérer quoi que ce soit ou me contraindre à agir de telle ou telle manière me faisait un bien immense. Si les voix ne s'en mêlaient pas, j'envisageais de passer un agréable moment au bord de cette rivière. Je retirai mes chaussures et trempai mes orteils dans l'eau.

J'étais étonnée qu'aucun des deux hommes ne m'ait suivie. Que ce soit pour me dicter ma conduite ou pour me protéger, il était rare qu'on me laisse seule, à moins que je sois bien isolée dans ma chambre. J'aurais cru que l'un d'entre eux me rattraperait pour me persuader d'essayer d'invoquer les voix. Sans doute avais-je été assez convaincante et avaient-ils décidé de me laisser me calmer avant de reprendre la discussion.

Je soupirai de contentement. Depuis combien de temps ne m'étais-je pas laissée aller à écouter les mésanges chanter ?

Toute mon âme s'apaisa et je pris enfin le temps de classer mes idées.

Et si Süleyman avait raison? Avais-je, quelque part au fond de moi, le même don que ma mère? Avais-je la capacité d'entrer en contact avec elle? Si oui, pouvait-elle m'aider à résoudre cette intrigue? Je n'étais plus seule dans ma quête. J'avais à présent un frère qui avait le désir de retrouver notre père. Par esprit de vengeance, certes, mais aussi par nécessité. Il avait clairement exprimé le besoin d'avoir des racines pour pouvoir avancer. Et moi, j'étais l'une de ces racines.

Et j'avais peur.

Peur d'assumer mes origines. Peur de m'attacher à lui. Une fois que je l'aurais accepté comme un membre de ma famille, allait-il repartir? Sans doute pas en Turquie, puisque le sultan voudrait sa tête. Mais Süleyman ne semblait pas être le type d'homme à rester en place.

Il y avait aussi Brodick. Le père de mon bébé. Celui qui voulait m'épouser. Parfois, son caractère volontaire m'effrayait. Ou m'effrayais-je moi-même? Pourquoi continuais-je à lutter contre les papillons dans mon ventre et les vertiges lorsqu'il était près de moi? Pour quelles raisons m'empêchais-je de l'aimer librement et d'être heureuse avec lui? La réponse me sauta au visage: parce que j'avais peur d'être abandonnée de nouveau. Comme par le passé. Je ne saurais pas me relever s'il me laissait tomber. Comment m'ouvrir à la passion en ayant peur d'être quittée? Et puis, c'était un homme si complexe! À la fois bienveillant, surprotecteur, mais aussi entêté. Sa seule présence me faisait vibrer.

Pour une fois, les deux hommes de ma vie s'entendaient sur un point. Ils attendaient de moi que j'essaie d'ouvrir cette fenêtre dans mon esprit. Mais cette fois, plutôt que de laisser entrer la bise, je devrais souffler plus fort qu'elle et tenter de contrôler l'ouragan qui risquait d'en résulter. Étais-je réellement incapable d'un tel acte ou étais-je tout simplement terrorisée à l'idée d'essayer? Et si je me donnais une chance, là, tout de suite, alors qu'il n'y avait aucun témoin pour me juger?

J'inspirai longuement par le nez et gonflai mes poumons d'air frais. Je scellai mes paupières et fis le vide dans ma tête. Je me concentrai sur cette partie de moi que j'essayais de fuir, habituellement. Ce minuscule point au centre de mon esprit que je préférais ignorer. Avec hésitation, j'ouvris la fenêtre. À peine. Je fus alors happée par un essaim de pensées, noires et violentes, qui se mirent à tourbillonner à l'intérieur de ma tête en hurlant. Je devais lutter contre elles, et cette fois, je ne pouvais puiser ma force de quelqu'un d'autre. J'étais seule. C'était mon combat et je devais le mener à terme. Faute de pouvoir utiliser l'énergie de Brodick, je tentai d'aller chercher la force des éléments: le courant de l'eau, la vitesse du vent, la chaleur du soleil, la dureté des rochers sous mes cuisses, la fraîcheur de la terre sous mes doigts. Je m'imaginai en train d'aspirer leur puissance dans mon corps et m'appliquai à utiliser cette image pour mieux repousser les envahisseurs.

L'effet fut immédiat: la nuée bourdonnante qui avait infesté mon esprit fut refoulée. J'ouvris la fenêtre un peu plus grand, m'attendant à voir déferler sur moi une nouvelle calamité, mais rien ne se produisit. Prenant de l'assurance, j'ouvris entièrement la lucarne et me projetai dans l'univers sombre de la mer noire.

Ici, le vent était beaucoup moins agréable. J'avais peine à ouvrir les yeux tant il me fouettait le visage. Il était violent, agressif, comme s'il se révoltait contre ma présence. Il semblait me dire que je n'avais pas le droit d'être là, que j'étais entrée sans invitation. L'onyx sous mes pieds nus était glacé et ma robe claquait dans le vent. À l'horizon, il n'y avait ni murmures, ni image.

Dans cet univers, je n'arrivais pas à contrôler mon corps. Je ne parvenais à bouger aucun membre et n'avais aucun moyen de parler. Comment pouvais-je communiquer avec ma mère, alors? Je me concentrai de nouveau sur le point critique dans mon esprit et projetai ma pensée:

– *Mère?*

Ma voix fit écho sur les flots déchaînés. J'espérais qu'elle ne lui arrivait pas aussi déformée que la sienne lorsqu'elle me parlait. Cette seule idée me pétrifiait.

– *Mère!* appelai-je encore. Élisabeth!

Après quelques secondes d'attente, un murmure me parvint. La voix démoniaque et terrifiante était là, quelque part.

– *Tu es venue*, chuchota-t-elle.

J'avalai de travers. La voix était faible et semblait me parvenir de très loin.

– *Mère, il faut m'aider. Que dois-je faire, maintenant?*

Un long silence s'installa, puis elle parla de nouveau:

– *Je suis désolée, ma fille…*

Le silence retomba subitement. Il n'y avait plus dans mes oreilles que le sifflement du vent. Je ne sentais plus la présence froide de ma mère. Elle n'était plus là.

J'appelai de nouveau, en vain. Je dus renoncer. Elle n'allait pas m'aider. Était-ce volontaire de sa part? Était-elle toujours enfermée à Glasgow? Quelque chose l'empêchait-il de communiquer librement? Qu'est-ce qui expliquait son absence des derniers temps?

Je me ressaisis. Je réfléchirais plus tard, à l'abri des bourrasques. Je renvoyai mon esprit à la recherche de la fenêtre et y passai la tête pour revenir dans la dimension qui était mienne et reprendre possession de mon corps. À cet instant, je laissai sans doute glisser mes défenses, car je fus brutalement ramenée sur le rocher d'onyx.

C'est alors que je sentis des bras se saisir de mon corps et emporter cette partie de moi qui était encore au bord de la rivière Tay. Je crus d'abord que c'était Brodick, mais de là où j'étais, je pouvais sentir la brusquerie et la violence réfrénée dans les gestes de l'homme qui me portait dans ses bras. Je devais regagner mon corps dès maintenant!

J'essayai de nouveau, mais troublée par les événements, je ne réussis pas à me concentrer assez pour revenir au présent. Je sentis qu'on me jetait dans une carriole et que mon crâne heurtait violemment le fond de bois. Mon corps fut brusqué, malaxé par des mains étrangères. Des couvertures furent jetées sur moi. On me camouflait. La panique s'empara de moi. La charrette se mit en branle et je sus que mon ravisseur m'emmènerait loin d'ici. Où étaient donc Brodick et Süleyman? J'étouffais sous les épaisseurs de laine. L'histoire se répétait. Mon corps se mit à trembler.

Assise sur mon rocher d'onyx, prostrée, les bras autour des genoux, je me mis à me balancer d'avant en arrière. Je sentis que j'étais restée ici pour une raison: je ne voulais pas avoir pleinement conscience de ce que mon corps risquait de vivre dans les heures à venir.

Je m'enfermai dans mon univers obscur, fermant la porte à double tour à tout ce que la vie me réservait encore d'horreur et de tourment.

Chapitre XVII

In nomine patris

Je ne rêvais presque jamais, mais je savais qu'on pouvait s'éveiller brutalement d'un cauchemar et se retrouver assis dans son lit avant même d'avoir ouvert les yeux.

C'est ce qui m'arriva en cet instant, mais je n'étais pas dans un lit chaud ni dans une chambre confortable. Je me trouvais sur un sol de terre battue, une simple couverture faisant écran entre moi et l'humidité. Mes membres étaient gourds et ma peau, gelée. Une lumière blafarde pénétrait difficilement par une petite fenêtre située très haut, conférant au lieu une teinte verdâtre où les ombres se tapissaient dans tous les coins. Une odeur suffocante de moisissure prenait à la gorge. Des barreaux faisaient office de cloison entre moi et l'escalier qui montait vers la sortie. Mon souffle saccadé s'élevait en vapeur tant il faisait froid dans cet endroit lugubre.

Je devinai que j'étais dans une cave. Comment étais-je arrivée là ? Un son à proximité me fit soudain sursauter et je tournai la tête pour découvrir deux silhouettes affalées dans des coins opposés. L'une d'entre elles s'approcha et je pus distinguer des traits masculins.

– Tout va bien. Ils ne sont pas là, dit l'homme d'une voix amicale en touchant mon bras.

Ses yeux brillaient dans la pénombre, lui donnant un regard fou. Je me dérobai à son contact.

– Ils?

– Les hommes qui vous ont amenée ici. Vous savez qui ils sont?

– Non. Je ne les ai pas vus.

Je secouai la tête comme un chien mouillé pour me sortir de ma torpeur. Je fus sur mes pieds en quelques secondes, ignorant volontairement la douleur sourde qui irradiait dans mon corps. Qui m'avait traînée ici? Mes mains se refermèrent sur les barreaux d'acier et un long frisson me parcourut l'échine.

La dernière chose dont je me souvenais était les mots d'Élisabeth: «Je suis désolée.» De quoi? Je n'avais pas assez de contrôle sur ma «fenêtre» pour essayer de lui parler de nouveau et avoir l'assurance d'être capable de revenir. Si mes bourreaux se présentaient pendant que j'étais là-bas, je risquais de me retrouver sans défense.

Je respirai profondément afin de refouler l'anxiété que je sentais sourdre en moi. Je devais prendre le temps de réfléchir à la situation et déterminer qui pouvait m'avoir enfermée ici. De la liste de toutes les personnes qui me poursuivaient, il y avait encore peu de temps, je pouvais retirer Süleyman. Je savais maintenant qu'il ne me voulait aucun mal et qu'il ne souhaitait que mon aide pour retrouver son père. En fait, sa présence de mon côté était une bonne chose puisqu'il allait tout faire pour me retrouver, et vu sa personnalité, il n'hésiterait pas à se mettre en danger et à tuer pour venir à mon secours.

Brimstone? D'où venaient sa haine et son agressivité à mon égard? Je n'avais pas entendu parler de lui depuis Édimbourg. Avait-il seulement survécu à la blessure que je lui avais infligée? Si oui, comment m'aurait-il retracée jusqu'à Aberfeldy? Je décidai de l'écarter de l'équation.

Ma mère ? Pour quelle raison ? J'ignorais si je devais lui faire confiance. N'avait-elle pas attenté à la vie de Brodick ? Et puis, je devais garder en tête qu'elle m'avait abandonnée, même si Bridget prétendait qu'elle n'avait pas eu le choix.

Le clergé ? Une entité trop vague et trop vaste pour que je puisse mettre un visage dessus. Mais je n'oubliais pas qu'il avait émis un avis de recherche me concernant.

Il restait également l'éventualité que j'aie été capturée par de quelconques malfrats, mais j'en doutais beaucoup.

Et Brodick, dans toute cette affaire ? Il allait me chercher. Je m'en voulais à l'idée qu'il allait peut-être encore devoir risquer sa vie parce que je m'étais de nouveau mise dans le pétrin. Si j'avais regagné la chambre de l'auberge au lieu de vagabonder dans le village, serais-je ici en ce moment ? Si j'avais été pleinement consciente de mon environnement plutôt que dans mon univers sombre, aurais-je perçu le danger ? Aurais-je pu me défendre ? Quelle folie avais-je encore commise ?

– Pourquoi êtes-vous ici ? demandai-je sans me retourner vers l'homme qui était resté en retrait.

– J'ai mis mon nez là où je n'aurais pas dû.

Cette réponse était on ne peut plus vague, et j'en déduisis que l'étranger n'avait pas envie de se vanter de ses exploits. Je n'insistai pas. La douleur dans mon corps se faisait de plus en plus présente et je grimaçai. L'odeur d'humidité et de moisissure qui imprégnait les lieux me donna la nausée, et malgré le froid, ma peau se couvrit de sueur. Je tirai sur le col de ma robe et remontai mes manches, espérant me soulager ainsi de la sensation d'étouffement qui se saisissait de moi. Qu'est-ce qui m'arrivait ?

– Qui nous garde ici ? grondai-je. Que veulent-ils ?

– Je n'en suis pas certain, dit l'homme en venant me rejoindre.

Il se tourna pour s'adosser aux barreaux et m'observa dans le peu de lumière qui filtrait par la fenêtre.

– Avez-vous la moindre idée de la raison de votre présence ici ? demanda-t-il avec nonchalance, comme si le fait d'être enfermé dans cette cellule était d'une banalité absolue.

Je m'essuyai le front, cherchant une réponse évasive. Il interrompit mon mouvement en saisissant mon bras. Incrédule, il scruta longtemps la brûlure.

– Vous êtes la survivante de Glenmuick, n'est-ce pas ? murmura-t-il.

– Comment êtes-vous au courant de cette histoire ? rétorquai-je. Qui êtes-vous ?

L'homme à la crinière auburn releva la tête, et dans son regard, je perçus de l'empathie.

– Mon nom est Mac Guthrie. Je suis capitaine du Black Watch. J'étais chargé de l'enquête sur les événements de Glenmuick jusqu'à ce que je me retrouve ici.

Les yeux agrandis de surprise, je posai les mains sur ses épaules.

– Qu'avez-vous appris ? le pressai-je.

Il se dégagea vivement en grimaçant de douleur.

– Ne me touchez pas, mademoiselle. Je suis blessé. Un projectile d'arme à feu.

La soigneuse en moi se réveilla aussitôt. Avant de poser d'autres questions, je voulais évaluer la gravité de la blessure. Mais qui leurrais-je ? Comment pourrais-je soigner cet homme ici, sans lumière et sans moyens ? Il sembla lire dans mes pensées.

– Vous ne pouvez rien faire pour moi. En revanche, vous semblez faible. Venez vous rasseoir.

Combien de temps avais-je été insensible à ce qui se passait autour de moi ? Depuis quand ne m'étais-je pas nourrie ? J'avais peut-être passé des jours sur mon rocher sans pouvoir revenir. Que m'était-il arrivé entre-temps ?

Je pris place sur ma couverture et demandai :

– Comment êtes-vous arrivé ici ?

– Je vous l'ai dit. J'ai posé trop de questions, pris trop de risques. Après avoir reçu ce plomb dans le bras, j'ai bu un peu trop de scotch pour supporter la douleur. Tout ce dont je me souviens, c'est de m'être réveillé ici. Je suppose que quelqu'un veut m'empêcher de dévoiler l'identité des assassins de Glenmuick.

– Qui sont-ils ? murmurai-je, fébrile.

– Trop de sordides détails pour vos chastes oreilles, mademoiselle, je…

– Dites-moi, articulai-je lentement d'un ton sans appel.

Il m'observa un long moment avant de prendre la parole :

– Très bien. Les auteurs du massacre sont des hommes de la compagnie Tassel. Des traîtres, des magouilleurs et des moins que rien. L'origine de cette organisation remonte à la *Auld alliance*[1] entre la France et l'Écosse. Ils auraient été envoyés à Glenmuick par…

Son hésitation me fit frémir.

– Par qui ?

– Par l'évêque lui-même, ma petite.

Bouche bée, je laissai l'information faire son chemin. Je savais que le clergé voulait m'interroger depuis que ce groupe de mercenaires m'avait étiquetée comme sorcière après le massacre. Mais si c'était lui qui les avait envoyés… cela changeait tout. Pour quelle raison aurait-il voulu s'en prendre à moi et aux miens ?

– Mademoiselle, que s'est-il passé à Glenmuick, ce jour-là ? Il faut que je sache, je…

---

1. Alliance des royaumes de France et d'Écosse contre l'Angleterre. Officialisée par écrit en 1295, elle fut révoquée en 1560 par le traité d'Édimbourg, mais constitua dans les faits la base des relations franco-écossaises jusqu'au début du XXe siècle.

– Même si je voulais vous le dire, ce qui n'est pas le cas, je ne le pourrais pas, car je n'en ai aucun souvenir.

À ce moment précis, la deuxième silhouette émit une plainte sourde, et mes yeux se posèrent sur elle.

– Qui est-ce ? fis-je en désignant la forme inerte qui me tournait le dos.

– Je l'ignore. Elle ne m'a pas parlé. Je pense qu'elle va mourir ; elle ne devrait pas être ici. Je crois les avoir entendus l'appeler Élisabeth.

Mon cœur fit trois tours. Non ! Je me précipitai vers le corps de ma mère et m'agenouillai à ses côtés. Sa respiration était superficielle et sa peau, froide.

– Mère ! Mère !

Je la retournai dans mes bras. Son visage était couvert d'ecchymoses et ses deux yeux étaient enflés. La pommette gauche avait éclaté sous les coups. La peau de ses mains était à vif et des brûlures marquaient ses bras… dont une identique à la mienne. Le pentagramme.

– C'est votre mère ?

J'entendis à peine les paroles de l'homme. Toute mon attention était fixée sur la femme frêle et mourante que je tenais dans mes bras.

– Mère ! C'est moi ! Qui vous a fait cela ?

Élisabeth ouvrit la bouche et remua un peu. Je penchai la tête vers ses lèvres pour capter le souffle qui en émergea doucement.

– L'histoire se répète.

Bien sûr. Elle-même s'était retrouvée en cellule avec sa mère. Elle était alors enceinte de moi. Pouvait-elle savoir, pour l'enfant ?

– Qui nous garde ici, mère ?

– C'est ma faute, fit-elle en attrapant mon bras. J'ai cédé sous la torture. C'est moi qui t'ai trahie. Pardonne-moi…

Elle ne pouvait pas me voir, ses yeux étaient clos par les boursouflures. Je ne savais pas comment agir face à elle. D'un côté, j'avais tant de griefs à lui adresser. Mais de l'autre, pouvais-je lui en vouloir de m'avoir trahie après les traitements qu'elle avait dû endurer ?

– Mère ?

Ses doigts crispés sur ma robe se détendirent doucement, et ma mère tout juste retrouvée s'éteignit dans mes bras. Je tentai de mémoriser ses traits, mais rien dans ce visage ridé et tuméfié ne me rappelait la jeune femme de mes souvenirs. J'avais tant de questions à lui poser, tant de choses à tirer au clair qui resteraient à jamais inexpliquées... Je sentis une longue plainte monter dans ma gorge, et c'est un cri d'impuissance qui franchit mes lèvres.

– Non !

Une rage profonde me saisit aux tripes. Je me sentais bafouée, frustrée. Qui avait fait cela ? Qui avait osé m'enlever mon droit à la vérité ? Qui m'avait enlevé ma mère ? Des larmes roulèrent sur mes joues sans que j'aie conscience de les verser. Je déposai doucement la dépouille d'Élisabeth et me précipitai sur les barreaux en les secouant avec hargne. Je me mis à hurler :

– Montrez-vous, espèce de lâches ! Quel genre d'individus êtes-vous pour battre une vieille femme à mort ? Montrez-vous !

Après un moment, Mac Guthrie s'approcha de moi et posa avec hésitation sa main sur mon épaule.

– Mademoiselle... vous saignez.

Je me retournai, me demandant de quoi il parlait. Ma tête se mit à tourner. Du sang coulait le long de mes jambes et souillait la terre battue à mes pieds.

– Mon bébé, murmurai-je, horrifiée.

Guthrie se précipita à son tour sur les barreaux et se mit à les secouer en hurlant :

– Gardes !

Je croisai les bras sur mon ventre, tentant de retenir ce précieux fardeau qui voulait partir avec ma mère. Mon petit ange ! Il était tout ce que j'avais et j'étais en train de le perdre. Jamais je n'avais eu si mal à l'âme de toute ma vie. Tandis que mon compagnon de cellule continuait à s'agiter, je m'appuyai lentement contre les barreaux, trop pétrifiée pour réagir.

Pour la première fois, j'espérai que la mort m'emporterait aussi.

Je m'éveillai dans un lit immaculé. Un soleil radieux entrait par la fenêtre et aucun son ne me parvenait, hormis celui de ma respiration un peu trop rapide.

Les événements défilèrent dans ma tête et un gémissement m'échappa. Les gardes s'étaient présentés en réponse aux hurlements de Guthrie. Dès qu'ils avaient ouvert la grille de la cellule, l'homme s'était précipité sur eux pour tenter de s'échapper. Une pluie de coups et des grognements s'en étaient suivis avant que Mac Guthrie ne reçoive un projectile dans le ventre. De la matière chaude et gluante m'avait aspergée, couvrant mes vêtements et mon visage. J'étais restée là, impassible, à regarder son corps s'effondrer tout près de moi. Nos yeux s'étaient croisés, mais les siens étaient déjà vitreux.

Les gardes avaient conféré dans un coin. Ils avaient murmuré en constatant le décès d'Élisabeth et hoché la tête devant le corps de Mac. Je n'arrivais pas à percevoir nettement leurs traits, des taches noires commençaient à altérer ma vision. Je semblais avoir une certaine importance à leurs yeux et l'un des hommes avait tenté de me prendre dans ses bras pour m'emmener ailleurs, mais je m'étais rebiffée, arguant que je pouvais marcher toute seule. Pliée en deux par la douleur, laissant un filet de sang derrière moi, j'avais moi-même franchi le seuil de ma prison. Je ne voulais pas de leur aide. Je ne voulais pas de leur attention. Une fois dans l'escalier, me cramponnant à la rampe, j'avais senti l'hémorragie s'amplifier.

À partir de là, tout était flou. J'avais un vague souvenir de manipulations, de douleur physique, d'avoir hurlé à pleins poumons. À présent, je ne savais pas où j'étais, mais je me sentais vide et démunie. J'avais l'impression d'être amputée, souillée par un chagrin sans borne.

Tout en ayant pleinement conscience que j'aurais plutôt dû me lever et tenter de fuir, je me tournai dans le lit et essayai de me rendormir pour oublier le désespoir qui me déchirait les entrailles. L'odeur du sang flottait dans la petite pièce. Mon sang. Cela me rappela de façon troublante le jour où je m'étais éveillée au milieu d'un village fantôme avec Brodick penché au-dessus de moi. Des bribes de souvenirs de cette journée fatidique commencèrent à affluer à mon esprit et je fis un immense effort de concentration pour tenter de les rattacher les unes aux autres. Pourtant, je ne semblais pas y arriver. Je soupirai de frustration et me tournai sur le dos, les bras au-dessus de la tête, en fixant le plafond.

C'est alors que tous les morceaux du puzzle se mirent soudainement en place.

Fébrile, je m'assis dans le lit en triturant nerveusement une mèche de cheveux. Je me souvenais !

Une vingtaine d'hommes à cheval avaient surgi dans le village, ce jour-là. Ils étaient tous vêtus de noir et masqués. Ils avaient entouré un groupe d'hommes et les avaient malmenés à la pointe de leur épée. Attirée par le tumulte, j'étais sortie de ma maison, comme tous les villageois. Les femmes avaient rapatrié leurs enfants à l'intérieur. J'avais entendu l'un des cavaliers demander où était la sorcière. Les hommes avaient été courageux et francs. Ils lui avaient répondu qu'il n'y avait pas de sorcière dans leur village et qu'ils n'avaient rien à faire à Glenmuick. C'est alors que le drame avait commencé.

Les cavaliers avaient d'abord rassemblé tous les villageois, moi y compris. Certains titubaient, d'autres riaient trop fort. Malgré leurs masques, il était facile de constater qu'ils étaient passablement éméchés. Tandis que quelques-uns montaient la garde, les autres avaient dressé une potence improvisée. Puis ils avaient préparé les cordes. Avec horreur, nous avions alors compris ce qui allait nous arriver. Les enfants s'étaient mis à pleurer, les femmes, à trembler. Chaque fois que l'un d'entre nous tentait d'intervenir, il se faisait molester par les cavaliers. Un des villageois avait même perdu une oreille en tentant de s'échapper.

Un premier homme avait été pendu. Pas de façon nette, comme lorsque le cou se brise et que la victime meurt sur l'instant. Non, lentement, par suffocation, sous les injures des criminels déchaînés. Son corps avait été agité de convulsions et ses entrailles s'étaient vidées lentement. Les villageois s'étaient mis à paniquer un peu plus. Et moi de même. Pourtant, les gens continuaient à me défendre, disant qu'il n'y avait pas de sorcière dans ce village. Et ils disaient la vérité ! Personne ici ne me considérait comme telle ! Mais chaque argument semblait enrager un peu plus les assaillants.

Je n'avais pu en supporter davantage ! Mes nerfs étaient déjà à vif, et la culpabilité de voir d'innocentes personnes mourir à cause de moi, sans que je comprenne bien pourquoi, était plus que je ne pouvais endurer. J'avais donc fini par avancer dignement, la tête haute, les épaules droites. J'avais annoncé que j'étais la guérisseuse de ce village, mais que je n'étais pas une sorcière.

On s'était aussitôt saisi de moi. Des hommes m'avaient entraînée à l'écart. D'autres avaient entrepris d'élever un bûcher, un peu plus loin. Et les pendaisons avaient continué. Je m'étais mise à hurler. Ils étaient injustes ! Si c'était moi qu'ils voulaient, ils m'avaient, il était inutile de s'en prendre aux villageois. Celui qui semblait être le chef des brigands m'avait alors assené son poing sur le côté du visage et je m'étais affalée par terre, sonnée.

Lorsque le bûcher avait été dressé, on m'y avait liée et on m'avait forcée à regarder les gens que j'aimais mourir, un par un. Ma meilleure amie, Sorcha, avait rendu l'âme sous mes yeux en me lançant un regard chargé d'une telle terreur que j'avais eu la nausée. Une immense douleur m'avait broyé le cœur, si grande que j'avais cru devenir folle. Si j'osais fermer les yeux, on me frappait ou l'on menaçait de faire pire encore aux enfants. J'avais donc assisté au spectacle avec impuissance.

Quand tous avaient fini par succomber, j'avais déjà été malade trois fois. Les assassins s'étaient alors mis à enflammer les bâtiments. L'un d'entre eux, celui qui semblait être le chef du groupe, avait plongé une tige de métal dans l'un des brasiers et était venu vers moi d'un pas lourd. Il avait grimpé sur les débris qui formaient la base du bûcher et s'était emparé de mon bras pour y graver la marque du diable. J'avais hurlé ma douleur lorsque le fer avait grésillé sur ma peau et que l'odeur de la chair brûlée s'était mêlée à celle de la mort.

J'avais craché sur mon assaillant, et il m'avait frappée de nouveau, le poing fermé, à la hauteur de la tempe. Ensuite, je ne me souvenais de rien, sauf de la voix de Brodick qui m'appelait, me ramenant lentement à la réalité.

Secouée par les fantômes du passé, je me blottis dans mon lit et refoulai mes sanglots. Pour évacuer ces affreux souvenirs, je fermai les yeux très fort et essayai de penser à autre chose. Je fixai mon attention sur les traits de Brodick, tentant de me remémorer chaque petit détail : les ridules au coin de ses yeux lorsqu'il souriait, le petit creux qui se formait entre ses sourcils quand il réfléchissait, la façon qu'il avait de me soulever de terre pour m'embrasser. Bientôt, une torpeur salutaire commença à me gagner.

J'allais enfin retomber dans ce refuge qu'était le sommeil lorsque la porte de la chambre s'ouvrit et que des pas lourds me firent me retourner. Un homme en soutane se tenait devant moi. Il était grand, avec un ventre légèrement proéminent, des cheveux de neige et des yeux tombants. L'homme de Dieu semblait nerveux et se tordait les mains. Un film de sueur couvrait son front. Seigneur! Je n'avais surtout pas besoin qu'on m'impose une confession en ce moment. Ni qu'on me questionne sur ma réputation de sorcière. Je ne voulais parler à personne. Qu'on me laisse dormir. Que je m'évanouisse, que je disparaisse!

Décidant d'ignorer l'intrus, qui tirait une chaise près de mon lit, je me détournai et fermai les yeux. Je l'entendais souffler dans mon dos. Après un moment, il soupira et se lança dans un monologue:

– Isla. J'ai des choses importantes à te dire aujourd'hui. Je crois que tu cherches les réponses à certaines questions et je peux peut-être t'aider à éclaircir quelques-unes d'entre elles. D'abord, je... je suis désolé pour le bébé. Et pour Élisabeth. Mon nom est James Harriot et je suis l'évêque de l'église épiscopale d'Aberdeen. J'ai commencé mon ministère comme prêtre.

Il déglutit.

– À Dornoch.

À ces mots, je me retournai et le dévisageai.

– Je... J'ai bien connu la vieille Jenny, ta grand-mère, ainsi que sa fille, Élisabeth. Elles fréquentaient assidûment mon église, à l'époque, et je les voyais, tous les dimanches, assises tout au fond de la chapelle. Élisabeth était une vraie beauté, avec ses grands yeux verts et son air timide. Seule sa main déformée la handicapait légèrement. À ma grande honte, je tombai rapidement amoureux d'elle. C'était bien malgré moi.

Je le fixai, confuse. Pourquoi me parlait-il de ma mère ?

– Oui, je l'aimais, mais elle restait froide et distante. Je… Ce que je vais dire n'est pas facile à avouer, mais je la désirais à tel point que… un soir, je ne sus pas me contenir. Elle était là, devant moi, et je… Enfin…

L'homme bafouilla un peu avant de continuer :

– Lorsque sa grossesse devint apparente et que je compris ce que j'avais fait, je pris peur. J'avais un brillant avenir devant moi et il n'était pas question de me défroquer pour élever un bébé et travailler aux champs.

Je fronçai les sourcils. Je n'étais pas certaine de bien comprendre.

– Ce que j'essaie de te dire, Isla, c'est que… je suis ton père.

Choquée, les lèvres crispées et le visage fermé, je m'assis péniblement dans mon lit et le scrutai. Cet homme avait des yeux bleu pâle, un nez camus et des sourcils volumineux. Il n'avait aucune particularité qui me permette de l'identifier comme mon géniteur.

– Et tant qu'à me confesser à toi, ma fille, tu dois aussi savoir que je suis responsable de la mort de ta grand-mère. Élisabeth me menaça un jour de révéler ce que je lui avais fait. Je fus pris de panique à l'idée que le clergé apprenne mon geste déplacé. Je venais d'obtenir un poste de prieur et allais enfin quitter Dornoch. J'avais fait une erreur en imposant mon désir à Élisabeth, mais cela ne se reproduirait pas, j'avais eu ma leçon, et je ne pouvais pas la laisser détruire mon avenir. J'avais jusque-là fermé les yeux sur les rumeurs de sorcellerie concernant Janet et Élisabeth, mais cette fois, je décidai d'écrire une missive anonyme au shérif adjoint pour dénoncer leurs agissements.

J'étais bouche bée. Mon propre père avait provoqué la mort de mon aïeule et presque causé celle de ma mère et de l'enfant qu'elle portait en son sein. Moi.

– La nuit après la condamnation de Janet et d'Élisabeth, je fus saisi de remords. J'aimais encore Élisabeth et je ne pouvais me résoudre à la voir s'éteindre. Je me rendis donc à leur cellule. Mon statut de prêtre me conférait libre passage dans la prison du village. Je savais que je ne pouvais rien pour la vieille, mais je réussis à convaincre ta mère de feindre les douleurs de l'enfantement et, après avoir envoyé le gardien chercher l'accoucheuse, je fis sortir Élisabeth.

Le regard du prélat se perdit dans le vide.

– Je n'ai jamais revu ta mère par la suite. J'appris, des années plus tard, qu'elle avait mis au monde une fille, qu'elle avait abandonnée. J'en fus peiné, et je décidai alors de te retrouver. Même si j'avais renoncé à la paternité, j'aurais pu t'offrir une certaine qualité de vie. J'aurais pu te faire entrer au couvent ou te trouver une bonne famille qui t'élèverait dans la droiture et la religion.

J'eus une grimace de dégoût. Comment un homme qui s'était rendu coupable de viol pouvait-il me parler de droiture et de religion ? La colère que j'éprouvais au fond de moi se mit à frémir, et je dus contrôler ma respiration pour éviter d'éclater.

– Savez-vous, *monseigneur*, que vous avez engendré un autre bâtard ? crachai-je en insistant sur son titre.

L'évêque écarquilla les yeux, puis son regard se fit méfiant.

– Je te demande pardon ?

Je me penchai un peu vers lui.

– Et si vous me parliez de cette pauvre serveuse turque que vous avez prise contre son gré, *père* ?

L'homme pâlit.

– Comment sais-tu cela ?

J'ignorai volontairement sa question.

– Votre fils vous cherche, et je ne crois pas qu'il ait de bonnes dispositions à votre égard.

– J'ai un fils ?

– *Aye*, un mercenaire que vous avez laissé grandir dans les déchets, sans toit ni nourriture.

Harriot déglutit. Après un moment, il hocha la tête.

– Je mérite son courroux. J'ai été faible. La chair des femmes a toujours été irrésistible pour moi… Oui, j'ai été une brute avec cette femme turque. Et avec ta mère. Et avec quelques autres, encore… Mais cela appartient au passé ! Je suis un homme repentant et je tente d'expier mes fautes chaque jour que Dieu me donne. Isla, ma fille… mes jours sont comptés. J'ai besoin de ton pardon afin de pouvoir mourir en paix.

J'eus un rictus de mépris. Il ne cherchait le pardon que pour la paix de son âme.

– Ce n'est pas à moi de vous condamner ou de vous pardonner. Mais sachez que je ne vous considérerai jamais comme mon père. Jamais !

Il eut un sourire triste, puis releva les yeux vers moi.

– J'ai encore des aveux à te faire. Tu pourras me haïr pour de bon, ensuite.

Je ne pensais pas que le pire restait à venir. Et pourtant…

– Écoute, je… Les événements qui sont survenus à Glenmuick, j'en suis le seul et unique responsable.

Je me redressai. Guthrie ne s'était donc pas trompé.

– J'ai appris cette année que le frère d'Élisabeth avait vécu là-bas. J'ai fait faire ma petite enquête et j'ai su que sa nièce, une guérisseuse, y était toujours. J'ai tout de suite eu la certitude que tu étais ma fille.

– Et vous avez commandé l'exécution de villageois innocents ? Pourquoi ? Quel genre d'homme de Dieu êtes-vous pour faire une telle chose ? Il y avait des enfants ! Des bébés, pour l'amour du ciel !

L'évêque secoua la tête, faisant trembler ses joues, et il agita les mains devant lui en signe de défense.

– Ce n'est pas ce qui devait arriver! J'ai envoyé des hommes là-bas pour qu'ils te ramènent à moi.

– Vous leur avez demandé de faire ça? criai-je en montrant ma brûlure. Vous leur avez dit que j'étais la fille d'une sorcière? C'est pour cela qu'ils m'ont attachée au bûcher?

L'homme continua de secouer la tête, les yeux exorbités.

– Je leur ai dit de te ramener à moi, répéta-t-il. Simplement. Je le jure devant Dieu! J'ignore pourquoi ils ont commis de telles atrocités. Et je n'ai pas cherché à reprendre contact avec eux pour leur demander des comptes… J'avais trop peur d'être découvert.

Il baissa les yeux et prit une profonde inspiration.

– Quand j'ai su que le village avait été massacré, j'ai compris que c'était ma faute et je t'ai d'abord crue morte. S'il existe un enfer, ce fut bien de ne pouvoir te pleurer.

Je bondis du lit, ignorant la douleur dans mon ventre. Fallait-il donc qu'il ramène tout à lui? Il se leva au même instant et j'abattis mon poing contre sa poitrine.

– Sortez! Vous me dégoûtez! Disparaissez de ma vue! *Sortez!*

Dans ma rage, je remarquai à peine le brouillard de larmes qui envahit le regard de l'homme. Il recula vers la porte et frappa trois coups avant de sortir. De l'autre côté du panneau de bois, je perçus une autre voix et le bruit d'une clé qui tournait dans la serrure. J'étais de nouveau prisonnière. Seule dans le silence. Je n'avais plus de larmes pour pleurer. J'avais trop mal pour ça.

Jusqu'à quel point mon esprit pouvait-il accepter la douleur sans craquer? J'avais l'impression que mon cœur était fait d'argile et qu'une main invisible s'amusait à le malaxer, à le triturer. Si je sortais de cet enfer, j'ignorais si j'aurais la force de relever la tête. On me forçait à courber l'échine, à baisser la tête, on tentait de m'écraser. Je n'avais plus d'énergie. Plus d'espoir.

J'appuyai mon front contre la fenêtre et fermai les yeux. Pourquoi ma vie avait-elle pris une telle tournure ? Qu'avais-je donc fait pour mériter un destin aussi cruel ? J'avais perdu mes amis, ma mère, mon bébé. Et Brodick et Süleyman, dans tout ça ? Où étaient-ils ? Pourquoi ne se manifestaient-ils pas ? Je me sentais seule au monde, livrée à moi-même. Je ne pouvais plus compter sur quiconque.

Je secouai doucement la tête en soupirant. Il était hors de question que je reste prisonnière dans cet endroit. Ce n'était certainement pas en me gardant de force auprès de lui que mon père allait m'obliger à le reconnaître. J'allais m'échapper d'ici à la première occasion, quitte à finir comme Mac Guthrie.

Lorsque Harriot finit par s'enfermer dans sa chambre, seul, il s'effondra dans son fauteuil en se cachant le visage dans les mains.

Quelle horreur !

Ce n'était pas de cette façon qu'il avait envisagé les retrouvailles avec sa fille. Toutefois, ne lui devait-il pas la vérité après la vie qu'elle avait eue ?

À présent, la jeune femme le détestait. Il ne pouvait pas la blâmer d'être amère. En moins d'une heure, elle s'était retrouvée dans une cellule sombre, sa mère était morte sous ses yeux, elle avait assisté à un meurtre brutal et elle avait perdu son bébé.

Il soupira et se frotta les yeux.

Isla avait le même caractère impétueux et têtu que sa mère. Il avait toujours appréhendé le jour de cette confrontation, mais la réaction de sa fille avait été pire que tout ce qu'il avait pu imaginer.

Et maintenant ? L'évêché était assiégé depuis des jours. Il était lui-même prisonnier de ses propres quartiers et avait dû plaider pour obtenir l'autorisation d'aller rendre visite à Isla. Quant à Élisabeth, il l'avait à peine entrevue avant qu'elle ne soit amenée à l'ancienne cellule désaffectée. Il n'avait pas eu l'occasion de lui dire un mot ni de laisser errer son regard sur ses traits. Il n'avait vu d'elle qu'un visage émacié et les guenilles qui lui servaient de robe. Leurs mondes s'étaient-ils dissociés à ce point ? Lui avait bâti sa carrière et avait monté les échelons, avait vécu dans des conditions agréables, bien nourri et logé, tandis qu'Élisabeth avait apparemment connu la misère et vieilli prématurément.

La mère d'Isla avait été appréhendée à Glasgow à la suite de l'avis de recherche qu'il avait lui-même lancé pour retrouver une jeune femme avec un pentagramme brûlé sur le bras. Des gens du peuple l'avaient livrée aux représentants du clergé, qui avaient vite réalisé qu'il ne s'agissait pas de la bonne personne. Toutefois, la vieille femme avait fini par être identifiée comme étant la condamnée qui avait échappé au bûcher à Dornoch en 1727. Harriot avait fait tout ce qui était en son pouvoir pour la rapatrier à Aberdeen et tenter de réduire la peine qui allait lui être imposée, mais lorsque Élisabeth était arrivée, l'évêché avait déjà été pris d'assaut. Il n'avait rien pu faire lorsqu'elle avait été interrogée durant des heures et battue à mort. L'ordure à la tête de ces hommes voulait savoir où était Isla. C'est elle qu'il voulait. Et Élisabeth avait fini par parler.

C'est avec désarroi qu'il avait appris le matin même que Mac Guthrie était mort lui aussi. Celui-ci s'était présenté à l'évêché, blessé et dans un état d'ivresse avancé, sans se douter de la situation. Il s'était jeté dans la gueule du loup. Il était entré dans le bureau d'Harriot en prétendant savoir qui était responsable du massacre de Glenmuick. Il n'avait pas perçu la silhouette sombre, près de la fenêtre, qui écoutait ses propos avec intérêt. Guthrie avait fourré son nez dans des affaires qui le dépassaient. Il n'avait pas eu le temps de terminer son compte rendu qu'on s'était saisi de lui et qu'on l'avait jeté au cachot.

Harriot secoua la tête.

Il avait aidé Élisabeth à s'enfuir une fois, pouvait-il faire la même chose pour Isla ? Il avait peur pour elle. Il se mit à réfléchir en espérant réussir à concocter un plan ingénieux et efficace qui lui permettrait de sauver la vie de sa fille, au péril de la sienne.

Deux jours s'écoulèrent.

Matin et soir, un vieil homme à la chevelure hirsute m'apportait un repas substantiel, évitant de m'adresser la parole, mais n'omettant jamais de me lancer un regard de sympathie. La plupart du temps, je ne mangeais rien. À ma grande déception, je reprenais tout de même des forces. La mort ne voulait pas encore de moi. Il n'y avait absolument rien à faire dans cette prison qui était la mienne. Un lit et une chaise servaient d'unique ameublement. Un crucifix ornait le mur. Les minutes s'étiraient inexorablement, implacables, me laissant trop de temps pour réfléchir.

La question qui revenait sans cesse était : pourquoi mon père me gardait-il enfermée ici ? J'avais beau réfléchir à la situation, je ne comprenais pas ce que je faisais là. Ce que je savais, c'est que ma mère avait raison : j'étais une aberration, un croisement entre une sorcière et un religieux. Était-ce pour cela que j'étais si étrange et dotée de dons particuliers ? Si ma mère avait eu besoin de la magie noire pour communiquer avec moi, comme me l'avait expliqué Süleyman, je n'avais pour ma part besoin d'aucune bougie, d'aucun encens. Que cette fenêtre dans mon esprit.

Je ne pouvais également m'empêcher de repasser la prophétie dans ma tête: «Je vois. Je sais. Vingt ans vont passer. La chair de ma chair sera damnée. Des vies elle va décimer. Dans la gueule de la pierre qui pleure, elle devra chercher. Elle y sera foudroyée. Son cœur lui sera arraché. De tous, elle devra se méfier. Un des grands elle pourra faire tomber!»

Je pourrais faire tomber l'un des grands? Parlait-on ici de mon père? Si les gens du clergé venaient à apprendre les agissements de cet homme, il perdrait sans doute sa position. Avais-je envie d'en arriver là? Il était au crépuscule de sa vie. Je ne voulais rien de lui et n'avais pas le cœur aux représailles. Je ne voulais que ma liberté.

Dire que cette prophétie avait eu tant d'importance à mes yeux. Il y avait quelques semaines à peine, c'était tout ce qui comptait. Mais au cours de toutes ces aventures, j'avais trouvé des choses beaucoup plus essentielles: des racines, la loyauté d'un ami, un grand amour. Entre autres.

Depuis que j'étais dans cette chambre, j'avais passé des heures à me tenir sur le rocher d'onyx pour essayer de communiquer avec Brodick. Mais je n'étais pas encore assez forte ni maîtresse de mes capacités pour réussir à pénétrer son esprit et à lui parler. J'avais eu beau l'appeler, l'implorer, l'invoquer, il n'était jamais là. À un certain moment, j'avais cru percevoir une brèche dans la muraille qu'était son esprit et j'avais projeté vers lui ce que je voyais de ma fenêtre: un parc. La brèche s'était aussitôt colmatée et je n'avais plus réussi à l'approcher.

Je n'en pouvais plus de m'entendre penser encore et encore, si bien que je fus presque soulagée de voir la porte de ma chambre s'ouvrir sur un homme à la mine revêche. Il me fit signe de le suivre d'un air qui ne laissait place à aucune discussion. L'homme me fit descendre le grand escalier de ce qui se révélait être un manoir huppé. Sans doute le lieu de résidence de mon père. Celui-ci avait-il décidé de me recevoir dans son bureau dans l'intention de m'impressionner par la richesse de sa demeure ou la splendeur de son mode de vie ? Bien sûr, je me sentais comme une souillon dans ma robe sale et tachée de sang. Mais je n'allais pas me laisser intimider.

Le garde me conduisit effectivement dans une bibliothèque où trônait un large bureau. Les lieux respiraient l'opulence et inspiraient le respect. Mais alors que je m'attendais à être reçue par mon père, c'est un tout autre homme qui m'accueillit lorsque la porte se referma derrière moi.

– Vous !

Mon cœur se mit à battre la chamade. Que faisait-il ici ?

– Chère Isla. Je vous ai déjà vue avec un meilleur teint.

– Qu'est-ce que tout cela signifie ?

Il fit quelques pas autour de moi en affichant un sourire démoniaque.

– Isla, Isla, Isla… Vous ne me semblez pas en position de poser des questions.

– Où est mon père ? insistai-je.

– Dans ses appartements. Il ne les quittera pas sans mon consentement, d'ailleurs. C'est moi le nouveau maître des lieux. Temporairement, bien sûr. Monseigneur Harriot n'est pas assez méfiant lorsqu'il invite chez lui des étrangers.

Il avait pris le contrôle de l'évêché ? Impossible ! Il y avait trop d'employés ici, de membres du clergé. Il ne pouvait pas !

– Que voulez-vous, *Brimstone* ?

Je crachai son nom avec tout le mépris que j'éprouvais pour lui. Il appuya ses fesses sur le coin du bureau et me toisa en croisant les bras.

– Rédemption. Expiation. Châtiment.

– Cessez de parler comme un prêtre ! Expliquez-moi plutôt pourquoi vous me détestez autant.

Son sourire se transforma en rictus.

– Je sais qui vous êtes, gronda-t-il. La fille d'Élisabeth Horne. La dernière sorcière d'Écosse.

– Quand bien même je le serais, en quoi cela vous regarde-t-il ? Que vous ai-je fait ?

Il me fixa un instant en silence.

– Vous n'avez aucune idée de mon identité, n'est-ce pas ?

Je secouai la tête. Si ce n'est qu'il était l'associé de Brodick dans une affaire de trafic d'armes et qu'ils livraient ensemble des missives, je ne savais rien d'autre de Brimstone que ce qu'il m'avait laissé entrevoir : un homme froid, vicieux, sans remords.

– Mon nom est Brimstone Ross.

Je lui lançai un regard agacé.

– Suis-je censée vous connaître ?

– Je suis le fils de David Ross.

Le nom me rappelait vaguement quelque chose, sans plus.

– Et alors ?

Il me regarda comme si j'étais une demeurée.

– David Ross était le shérif adjoint de Dornoch. C'est lui qui a condamné votre mère et votre grand-mère au bûcher.

– Oh…

Il fit trois pas vers moi.

– Mon père a passé sa vie à pourchasser votre mère. Il m'a abandonné pour poursuivre une damnée sorcière à travers les Highlands. Il en est mort. Je n'ai jamais eu d'importance pour lui. Tout ce qui comptait, c'était sa carrière et sa réputation.

– En quoi est-ce ma faute ? m'insurgeai-je.

– Taisez-vous, cria-t-il. Vous m'avez prouvé à Édimbourg que vous étiez aussi dérangée que votre mère. Je lui ai réglé son compte. C'est maintenant votre tour. Et en plus, vous allez mourir à petit feu pour m'avoir infligé cette blessure, ajouta-t-il en désignant son épaule.

Je lus la folie dans ses yeux froids et j'eus peur. Subtilement, je tentai d'évaluer les alentours pour voir s'il n'y aurait pas une arme à ma portée. Je ne remarquai aucun coupe-papier sur le bureau. En revanche, il y avait un buste de marbre sur le manteau de la cheminée, de même qu'un tisonnier. Mais la cheminée était derrière lui, sur le mur du fond. Comment faire pour le distraire ?

– Moi aussi, j'ai été abandonnée par ma mère. Est-ce que je vous blâme pour cela ? Sans votre père, j'aurais grandi avec elle ! Mais il faut savoir pardonner et passer à autre chose.

– Je n'oublie pas facilement, fit-il pour seule réponse.

J'eus un sourire résigné.

– Vous allez vraiment m'exécuter, n'est-ce pas ? Il n'y a aucune place dans votre cœur pour le pardon ?

Il éclata de rire et me frôla en passant près de moi. Je frémis de dégoût. Au moment où il allait répondre, la porte s'ouvrit à toute volée. L'homme aux cheveux cotonneux qui m'apportait à manger tous les jours se tenait dans l'encadrement, à bout de souffle.

– Venez vite ! Monseigneur Harriot a eu un malaise !

J'eus le réflexe de me précipiter au chevet du malade, mais Brim me saisit par le bras et me retint avec rudesse.

– Et après ? lança-t-il.

– Il va mourir ! s'écria le majordome.

Brimstone ricana.

– Qu'il crève, ce vieil imbécile !

Choquée, je me tournai vers lui.

– S'il meurt, c'est tout le clergé et le peuple écossais qui sera sur vos talons, Brimstone. Ils ne vous pardonneront pas un tel sacrilège !

Son expression s'assombrit légèrement. Je persistai :

– Je peux peut-être l'aider ! Laissez-moi le voir !

La gifle m'atteignit de plein fouet et une douleur cuisante embrasa ma joue.

– C'est moi qui donne les ordres ici, sorcière !

Il me dévisagea un long moment, le souffle court, prêt à bondir sur moi comme un loup sur un agneau. Je me sentis frémir. Je ne me souvenais que trop bien de la fois où il m'avait regardée comme cela…

– Monsieur, intervint le majordome. Elle a raison. On peut finir pendu pour s'en être pris à un prêtre. Dans le cas présent, il s'agit d'un évêque ! S'il lui arrive quoi que ce soit, même Dieu ne pourra rien pour vous.

Brim fixa le petit homme d'un regard meurtrier durant un instant où le temps sembla se suspendre. Puis il se tourna vers moi.

– Notre discussion n'est pas terminée, décréta-t-il.

Sur ces paroles, il se détourna sans me porter plus d'attention. Je suivis le majordome à l'étage, avec sur les talons l'un des gorilles à la solde de Brimstone.

– *Is mise Adhamh*[2]. Je travaille pour monseigneur Harriot depuis dix ans.

– Que s'est-il passé ? lui demandai-je.

– Je l'ai trouvé sur le sol. Il était faible, mais conscient. J'ai placé un oreiller sous sa tête et une couverture sur lui.

Adhamh m'introduisit dans une suite digne de celle d'un duc. Le garde se posta devant la porte, que le majordome ferma derrière lui. Mon père gisait là, le visage couvert de sueur et les pupilles largement dilatées. Je m'agenouillai près de lui sans trop savoir si je devais avoir pitié de lui ou lui offrir ma plus froide attitude. Alors que je constatais que son pouls était trop lent, Adhamh me murmura à l'oreille :

– Écoutez-moi, jeune fille, il va bien. Lors de sa dernière visite, le médecin lui a remis de la belladone pour traiter ses migraines. Il en a pris un peu plus que d'habitude, tout à l'heure.

2. « Mon nom est Adam » en gaélique.

– Quoi ? Mais… pourquoi ?

L'évêque prit une grande goulée d'air.

– Va-t'en, ma fille, tandis qu'il est temps !

Je restai là, étonnée, ne sachant comment réagir. Mon instinct de guérisseuse m'interdisait de laisser cet homme souffrir, alors que tout mon être voulait saisir la chance qu'on lui donnait de fuir. Mais où ? Comment ?

Adhamh se dirigea vers la porte de la suite et, le plus discrètement possible, il en actionna le verrou intérieur avant de me tendre une besace.

– Il y a là-dedans assez d'argent et de nourriture pour vous rendre très loin d'ici. Mais il faudra faire vite, Ross sera furieux. Il ne reculera devant rien pour vous rattraper.

– Que va-t-il vous arriver ?

Mon cœur battait la chamade. Je ne pouvais pas partir ainsi ! Il n'était pas dans ma nature d'abandonner les gens à leur sort.

– Écoutez-moi, jeune fille. Vous avez le cœur à la bonne place. Mais vous n'avez pas de temps à perdre. Brimstone Ross ne tardera pas à monter voir ce que vous faites.

La seule pensée de la cruauté dans les yeux de Brimstone me donna froid dans le dos.

– Faites vos adieux à votre père.

J'inspirai profondément. Ce n'était pas lui qui m'avait retenue prisonnière. Nos yeux se croisèrent. Je ne savais que dire. Je me contentai de murmurer :

– J'ai encore des questions. Nous nous reverrons.

Il cligna des paupières en signe d'assentiment. Adhamh me tira par le bras et m'amena près de la grande fenêtre qui donnait sur le jardin arrière.

– La fenêtre ne s'ouvre plus depuis des années, elle est coincée. Je vais devoir la fracasser. Il faudra alors sortir sans hésitation, car les hommes de Ross seront rapidement ici. Écoutez bien : vous allez sortir et longer cette petite corniche.

Au bout, il y a une échelle qui descend jusqu'au balcon des cuisines. De là, vous devrez tout de suite sauter le muret et disparaître dans la haie. Courez et ne vous retournez pas. Il y a probablement des malfrats tout autour de la bâtisse.

Sur ces paroles, il glissa dans ma main un couteau de cuisine et me fit signe de reculer. Se saisissant d'un impressionnant tisonnier, il prit de l'élan et fracassa le verre.

– Maintenant ! cria-t-il.

Sans un regard en arrière, je me faufilai à travers l'ouverture, m'entaillant la main au passage. J'entendais déjà les exclamations furieuses derrière la porte, mais hésitai une seconde à bouger en constatant la hauteur à laquelle je me trouvais. Je me ressaisis et longeai au plus vite la corniche. Arrivée à l'échelle, j'en saisis l'extrémité, soulagée d'avoir quelque chose à quoi me cramponner.

Sans presque toucher les barreaux, je sautai prestement au niveau du balcon et escaladai le muret avant de me fondre dans les bras squelettiques des cèdres. Je débouchai dans un autre jardin, puis un autre. Je courus à en perdre haleine, consciente des cris qui résonnaient derrière moi. Je serrai le couteau dans ma main. Ils allaient devoir livrer un combat féroce s'ils voulaient m'avoir.

Empêtrée dans mes jupes, je perdais du terrain. J'entendais des branchages craquer non loin derrière moi. La douleur de la fausse couche était encore présente et j'avais perdu tant de sang ce jour-là que je me sentis bientôt faible. Je ne tiendrais pas longtemps.

À bout de souffle, je tentai de garder une longueur d'avance. J'étais dehors ! Presque libre ! Je débouchai dans une rue étroite et partis à gauche vers ce qui semblait être le parc, avec ses grands arbres et ses bancs. Le soleil jouait dans les feuilles et leur donnait une couleur particulière, la couleur de l'Écosse, ce vert que j'aimais tant. Comme il était étrange de penser à des sujets aussi futiles alors que ma vie était en jeu !

Je devais traverser une artère pour atteindre le parc et faillis me faire heurter par des carrioles à deux reprises. On me cria des insultes, mais je passai rapidement mon chemin.

Je pénétrai dans le parc avec l'impression que mes poumons allaient éclater. Je devais m'arrêter et faire face à la musique. Prête à ralentir et à brandir mon couteau, je vis soudain une silhouette sortir de derrière un grand chêne. Sans réfléchir, mon corps s'élança de lui-même vers cette panthère familière.

Encore un effort, un petit effort, et ses bras se refermeraient sur moi.

Lorsque je fus à quelques pas de lui, un coup de feu éclata derrière moi, et l'impact dans mon dos me précipita en avant, contre Brodick.

Je vis ses yeux s'agrandir d'horreur.

Je sentis ses bras se resserrer autour de moi. Tout près, une ombre se déplaça et le tonnerre gronda. Süleyman venait d'abattre les deux hommes qui me poursuivaient. Mes doigts se relâchèrent sur le manche du couteau. J'entendis le son cristallin de la lame qui heurtait une pierre sur le sol.

Les gens s'agitaient autour de nous. Les pigeons volaient dans tous les sens.

Pourquoi n'arrivais-je pas à reprendre mon souffle?

Brodick me souleva dans ses bras et je vis briller de l'eau dans son regard. Était-ce un reflet de la lumière sur ses prunelles? La poudre du pistolet qui lui avait irrité les yeux?

– Brimstone, articulai-je faiblement. L'évêché…

Il se retourna vers mon frère et gronda:

– Allez abattre ce fils du diable!

Süleyman m'adressa un regard désolé et pivota sur ses talons en hurlant des ordres à ses hommes. Il disparut derrière la foule qui s'attroupait autour des corps. Brodick jeta un coup d'œil sur sa main et déglutit. Elle était couverte de sang.

Mon sang.

– Un médecin ! J'ai besoin d'un médecin ! hurla-t-il.

Dans un brouillard, je crus entendre la voix d'une femme lui répondre. Je sentis qu'il bougeait. La course m'avait fatiguée. J'avais envie de dormir. J'enfouis mon visage dans son cou et humai son odeur.

Qu'il était doux d'être dans ses bras.

– Je ne te laisserai pas mourir, Isla.

Sa voix était ferme. Son pas, décidé. Le vent soufflait doucement sur ma peau. Pour la première fois depuis des semaines, j'étais en paix.

Plus de quête.

Plus de voix.

Plus de questions ni de tourments.

Qu'un immense amour qui remplissait soudain le vide qu'il y avait eu trop longtemps dans mon cœur. Le néant qui y nichait depuis mon plus jeune âge avait fait place au printemps. Excepté…

– J'ai perdu le bébé, Brodick.

Il y eut un instant de silence durant lequel je crus qu'il ne m'avait pas entendue. Puis il posa un baiser sur mon front.

– Je t'en ferai un autre.

Je toussai et sentis le goût du sang dans ma bouche et sur mes lèvres. Il me posa aussitôt par terre et se pencha sur moi. Il héla des passants, mais je ne perçus pas le sens de ses paroles. Sans doute cherchait-il encore un médecin.

– Comment m'as-tu trouvée ?

Il pinça les lèvres et me berça dans ses bras.

– Je t'ai cherchée durant des jours. Jusqu'à ce que je trouve tes chaussures au bord de la rivière. J'ai alors commencé à traquer. À chasser. Süleyman a mis ses hommes à contribution. Puis tu m'as parlé en rêve. Tu m'as montré ce parc… Tu t'es bien débrouillée, *banshee.*

Je reposai ma tête contre son épaule.

– Brodick ?

– *Aye?* fit-il en regardant nerveusement autour de lui.

– Merci d'avoir cru en moi. Depuis le début. Tu as fait de moi quelqu'un de meilleur. Quelqu'un que je ne croyais jamais pouvoir devenir.

Il sourit doucement.

– Tu as fait cela toute seule, *mo chridhe.*

– Non. J'avais besoin de toi et je ne le savais pas. Tu as eu maintes occasions de laisser derrière toi la femme étrange que j'étais. Tu ne l'as pas fait. Tu voyais celle que je pouvais devenir.

– *Tha gaol agam ort, banshee. Tha gaol agam ort.*

Je trouvai la force de lui sourire. C'était la première fois qu'il le disait. Émue, je tentai de reprendre mon souffle pour lui répondre, mais je n'en eus pas le temps. Des gens arrivèrent en courant et un inconnu se pencha sur moi, me cachant Brodick. Il donna une succession d'ordres rapides et je fus de nouveau soulevée et emportée.

Vers un lit? Une table d'opération? Vers la mort ou la rémission?

Peu importe.

En l'espace de quelques mois, j'étais passé de jeune fille à femme, de guérisseuse à sorcière. Bien que ce fût ardu, j'avais appris à délaisser la route qui m'était tracée et à m'aventurer hors des sentiers battus, à travers les épines et les orties. J'avais aussi appris à faire confiance. À aimer.

Sans doute le plus grand accomplissement de ma vie.

Suivi de ses hommes, Süleyman courut jusqu'à l'évêché. Sans perdre de temps, il enfonça la porte avec son pied et, l'arme au poing, les Turcs firent irruption dans la résidence de l'évêque Harriot. Sur les ordres de leur chef, les mercenaires se dispersèrent pour fouiller les lieux.

Süleyman ouvrit lentement la porte de ce qui semblait être le lieu de travail du maître de céans. Son pistolet bien en main, il fit le tour de la pièce, mais celle-ci était vide. Il jura. Il était furieux et fou d'inquiétude pour sa sœur. Il venait à peine de la rencontrer, elle l'avait accepté mieux qu'il ne l'aurait cru, et il allait peut-être déjà la perdre à cause du jeune imbécile qui l'avait agressée à Édimbourg.

Il sentit son esprit de mercenaire se réanimer comme s'il enfilait une cape d'indifférence. Son cerveau mit de côté tout autre concept que la vengeance. Sa respiration se ralentit, ses yeux se plissèrent et tous ses sens s'éveillèrent, à l'affût. Il quitta le bureau pour se diriger vers la prochaine porte lorsque le cri d'un de ses hommes retentit :

– *Orada*[3] !

Le Turc accourut pour voir par la fenêtre une silhouette filer à travers la pelouse. Il reconnut aussitôt les courts cheveux en bataille de l'agresseur d'Édimbourg. Il ouvrit rapidement la croisée et sauta, se lançant à la poursuite de Ross. Deux de ses hommes lui emboîtèrent le pas.

Il courait vite, le scélérat ! Mais la seule pensée de sa sœur s'écroulant dans les bras de MacIntosh permit à Süleyman de réduire peu à peu l'espace qui les séparait. Il aurait été si simple de l'abattre par-derrière, mais le Turc voulait le regarder dans les yeux avant qu'il ne meure.

De longues minutes passèrent durant lesquelles ils enjambèrent des murets, sautèrent des obstacles et foulèrent gazon, gravier et autres pavements. Les seuls bruits parvenant aux oreilles de Süleyman étaient ses propres pas, sa respiration rapide et le souffle du vent sifflant dans ses oreilles. Bientôt, ses longues jambes lui permirent d'être assez près du lâche pour ramasser une pierre de la grosseur de sa main et prendre la chance de la lancer vers Brim.

3. « Là-bas ! » en turc.

La pierre le frappa juste au-dessus de la nuque et fit perdre l'équilibre au fuyard, qui s'affala de tout son long, son visage râpant durement la terre. Avec ses réflexes aiguisés, il se releva immédiatement, mais Süleyman n'était plus qu'à quelques pas et il se jeta sur lui, le renversant de nouveau dans un grognement masculin.

Les deux hommes de Süleyman les rejoignirent pour voir deux corps rouler, se frapper et s'écorcher. Du sang tachait le sol, sans qu'aucun des deux mercenaires puisse dire à qui il appartenait. Durant un instant, le fugitif sembla prendre le dessus sur leur chef, et ils envisagèrent d'intervenir, mais bientôt, Süleyman repoussa Brim d'un solide coup de pied avant de l'immobiliser, visage contre terre.

À bout de souffle, le Turc ordonna à ses hommes :

– Ramenez-le-moi à l'évêché, et ne le perdez surtout pas de vue.

Après s'être assuré que Brim était solidement maintenu, il prit les devants pour regagner l'évêché où il rejoignit le reste de ses hommes. Ceux-ci conféraient dans un coin du hall d'entrée et se redressèrent lorsqu'ils le virent. L'un d'entre eux osa un commentaire sur les ecchymoses sur son visage, et Süleyman le fit taire d'un regard assassin.

– Ce type était-il seul ? aboya-t-il, de fort mauvaise humeur.

– Nous croyons que les autres ont fui, monsieur.

Leur chef jura entre ses dents avant de demander :

– L'évêque ?

– Dans ses appartements. Il paraît un peu souffrant, mais rien de grave. Celui qui semble être son majordome a été tué, cependant.

Süleyman fronça les sourcils lorsque l'homme ouvrit la bouche pour parler de nouveau.

– Ce n'est pas tout. Dans le caveau, nous avons trouvé une cellule. À l'intérieur, il y a un homme gravement blessé que nous avons tout d'abord cru mort et… le cadavre de cette vieille sorcière de Culross.

Süleyman eut presque envie de rire. Il exécrait cette femme. Toutefois, il savait que ce serait là une grande perte pour sa sœur, qui avait tant besoin de réponses.

– Qui est le blessé ?

– Il n'avait rien sur lui permettant de l'identifier.

– Où est-il ? questionna sèchement le chef des Turcs.

– Toujours en bas, monsieur, balbutia le mercenaire.

– Allez le chercher pendant que je m'occupe de celui-là, dit-il en pointant du menton Brimstone qui arrivait avec ses deux gardes.

À grands pas, le Turc suivit ses hommes dans le bureau de l'évêque, et dès que ceux-ci lâchèrent Brimstone, il le saisit à la gorge et le coinça contre le mur. Son visage à quelques centimètres de celui de l'Écossais, il murmura avec un rictus :

– Vous mériteriez que je vous arrache les yeux et la langue avant de vous tuer !

L'air défiant, Brimstone lui cracha au visage, puis rétorqua :

– Vous n'en auriez pas le courage.

En guise de réponse, Süleyman éclata de rire. Tant et si bien que l'autre perdit un peu de sa prestance.

– Savez-vous seulement qui je suis ? Avant de venir dans votre pays, j'étais à la tête du plus grand rassemblement de mercenaires que l'Empire ottoman ait connu. Torturer, faire parler, abattre… c'est mon quotidien. Alors, je vous conseille de répondre à mes questions sans tarder.

Brimstone Ross était coriace.

Une heure plus tard, avec le visage tuméfié, quatre doigts cassés et une rotule éclatée, il finit par parler. Il nia toute responsabilité dans le massacre de Glenmuick, mais reconnut son rôle dans les mésaventures qui avaient suivi.

– Quand j'ai vu cette sorcière liée au bûcher, ce jour-là, j'ai tout de suite fait le rapprochement avec cette damnée Élisabeth Horne. Dès lors, je n'eus plus qu'une idée en tête : la mettre hors d'état de nuire.

– Pour quelle raison ? Que vous a-t-elle fait ? demanda Süleyman en le scrutant avec hargne.

Brimstone mit quelques secondes avant de répondre, le regard malveillant. Il reprit les mêmes explications qu'il avait servies à Isla un peu plus tôt, puis il poursuivit :

– J'ai proposé à MacIntosh de la livrer aux autorités, mais au lieu de ça, il l'a prise sous son aile comme un idiot. À peine avait-il posé les yeux sur cette jeune garce aux yeux de biche qu'elle lui avait jeté un sortilège…

Brim fut interrompu par le poing qui lui fit éclater la pommette droite.

– C'est vous l'idiot si vous croyez de telles sornettes !

Étourdi par la force du coup, l'Écossais secoua la tête comme un chien mouillé et montra les dents à Süleyman. Celui-ci se contenta de se promener de long en large dans la pièce. Seul le tic-tac de l'horloge se faisait entendre. L'autre finit par se sentir mal à l'aise et combla le silence.

– Après les avoir laissés à l'auberge, elle et Brodick, je suis venu directement ici trouver l'évêque dans l'espoir qu'on lancerait une chasse aux sorcières. Dès le début de l'enquête sur le massacre de Glenmuick, je me suis porté volontaire. Ma mission était de soustraire la garce à la garde de MacIntosh et de la ramener ici pour que le Black Watch et le clergé puissent l'interroger.

– Mais vous avez préféré l'agresser…

Brimstone ignora la remarque et continua :

– Quand cette furie m'a poignardé à Édimbourg et que j'ai dû sauter dans le Nor'loch, je l'ai haïe de toute mon âme.

Je me suis alors juré de la faire payer coûte que coûte, mais aussi de me venger sur MacIntosh. Ils méritent tous les deux de crever !

– Vraiment ? railla le Turc.

– J'étais mal en point quand je suis finalement rentré à Aberdeen. Là, la rumeur publique voulait qu'une sorcière ait été capturée à Glasgow. S'il s'agissait de la putain, les choses s'avèreraient plus simples que prévu, car on disait aussi dans les rues qu'elle serait rapatriée ici puisque c'est Harriot lui-même qui avait lancé l'avis de recherche.

Süleyman saisit la main valide de Brim et, d'un mouvement sec, lui brisa le majeur. L'Écossais grogna de douleur tandis que son bourreau grondait à son oreille :

– Vous cesserez dès maintenant d'affubler ma sœur de ces qualificatifs irrespectueux.

– Votre sœur ? Que diable…

– C'est moi qui pose les questions ici ! le coupa Süleyman.

Brimstone ricana. Il avait dit la même chose à Isla quelques heures auparavant. Avant que la sorcière ne s'évade. Avant que tout ne bascule. Avant que sa vie ne pende plus qu'à un fil. Le Turc poursuivit :

– Donc, vous êtes venu ici sur la supposition qu'on y amènerait Isla ?

– *Aye*. Ces idiots du clergé tergiversaient tant et tellement que je décidai de prendre les choses en main et élaborai un plan. Ma blessure s'étant infectée dans le Nor'loch, je n'eus pas à jouer la comédie. Je me présentai ici, souffrant et fiévreux, pour apprendre à Harriot que j'avais perdu la trace de la fille. Le vieux tomba dans le piège et m'offrit l'asile. Durant la nuit, quand tout fut enfin paisible, je fis entrer en silence une bande de brutes sans scrupules dont j'avais payé les services. Armés jusqu'aux dents, nous prîmes possession de l'évêché. Les employés se plièrent vite à mes ordres lorsque je les menaçai de torturer l'évêque à la moindre frasque. Dès lors, il dut rester enfermé dans ses appartements… la plupart du temps. Il avait la permission de gagner son bureau tous les matins pour régler les affaires courantes ou urgentes de l'évêché, afin d'éviter d'alerter des personnes qui, tôt ou tard, risquaient de se douter que quelque chose clochait.

Perdu dans ses souvenirs, Brim se tut jusqu'à ce que la gifle sonore que lui asséna Süleyman le rappelle à l'ordre.

– Lors de l'une de ces séances matinales sous ma supervision, un visiteur inattendu se pointa dans le bureau de l'évêque. Il s'agissait de Mac Guthrie, l'homme du Black Watch qui avait été chargé de faire la lumière sur les événements de Glenmuick. Il était dans un état d'ébriété avancé. Ne percevant pas ma présence au fond de la pièce, il se lança dans un monologue et prétendit connaître les responsables du massacre. Craignant qu'il ne fasse tout échouer, je le fis jeter en cellule avec l'autre.

– L'autre ?

– *Aye*. La veille, quatre membres du clergé avaient escorté une vieille jusqu'ici. Ces quatre indésirables furent rapidement mis hors d'état de nuire. Quelle méprise ! Ils n'avaient pas capturé la bonne personne ! J'étais fou de rage. Mais en y regardant de plus près, je vis la ressemblance entre cette femme et la… et Isla. Je mis très vite le doigt sur le lien qui les unissait. Si elle était sa mère, elle savait certainement où trouver la fille.

Élisabeth… Süleyman avait vu son corps un peu plus tôt lorsque ses hommes l'avaient remontée du caveau. Elle avait dû souffrir mille morts avant de succomber. Mais Brimstone avait atteint son but : la vieille lui avait révélé tous ses secrets et l'endroit où trouver Isla.

– Quelques jours plus tard, deux de mes hommes revinrent d'Aberfeldy avec *elle*. Elle était prostrée. Elle ne bougeait pas, ne réagissait à rien. Ne pouvant rien en tirer, je la fis jeter au cachot avec sa mère. Bientôt, je la vis remonter avec les gardes. Elle laissait une traînée de sang derrière elle. Je ne pouvais pas la laisser mourir d'une fausse couche, au bout de son sang. J'avais des comptes à régler avec elle.

Süleyman gronda, menaçant, mais l'Écossais ne se laissa pas démonter.

– J'avais été abasourdi d'apprendre par Élisabeth la paternité de l'évêque, et cela me donnait une arme de plus pour organiser ma vengeance. Je me fis une joie de lui annoncer la présence d'Isla en ces murs. Il me demanda – non, me supplia – de pouvoir lui rendre visite pour faire amende honorable. Pouvez-vous imaginer les flammèches que la rencontre a provoquées ? Le moins qu'on puisse dire, c'est que l'évêque a bien failli faire tuer sa fille. Faire appel aux brutes sanguinaires de la compagnie Tassel pour qu'ils la lui ramènent ! Quel imbécile !

Le rire dément de Brim résonna dans la pièce, mais Süleyman ne prêtait plus attention au discours un peu décousu du jeune malfrat. Il venait d'apprendre l'identité de ce père si longtemps recherché de la bouche d'un étranger. Si l'évêque était le père d'Isla, alors… Impossible ! Son désir de vengeance semblait soudain vaciller. S'en prendre à un représentant de Dieu ? Le pourrait-il ? Sa raison lui suggérait de tourner le dos à cet homme et de s'en aller très, très loin. Mais ses émotions lui insufflaient une fureur inouïe. À la seule pensée de cet homme d'Église – son père – qui avait violé des femmes, ses poings se fermèrent.

Sur sa lancée, Brim continua à bavarder, mentionnant ce qu'il avait prévu de faire subir à Isla avant que leur rencontre ne soit interrompue par le majordome de l'évêque. Il n'eut pas l'occasion de terminer son récit. Écœuré, Süleyman s'approcha et lui trancha la gorge d'un mouvement vif. Le sang gicla et les yeux de glace de ce traître s'éteignirent en quelques secondes. Le Turc regarda le corps de l'Écossais s'effondrer sans manifester la moindre émotion, puis il appela ses hommes.

– Débarrassez-moi de ça, ordonna-t-il en désignant le cadavre à ses pieds.

Alors que les mercenaires quittaient la pièce en emportant le corps sans vie de Brimstone Ross, Süleyman retint l'un d'entre eux.

– L'homme que vous avez trouvé en bas semble appartenir au Black Watch. Va-t-il survivre ?

L'interpellé fronça les sourcils.

– Probablement. Mais rien n'est moins sûr.

Fatigué, Süleyman se passa une main sur le visage en soupirant. Que faire à présent ? L'homme qu'il abhorrait le plus au monde, celui qu'il maudissait de tout son être depuis sa tendre enfance et qu'il avait cherché à travers toute l'Écosse pour l'anéantir se trouvait en ce moment même quelque part au-dessus de sa tête. Contre toute attente, le destin l'avait amené jusqu'à lui.

Comment agir ? Se présenter devant lui et demander des comptes ? Non ! Il n'avait pas envie d'écouter les justifications d'un vieil homme aigri. Son cœur criait au châtiment ! En même temps, cette folle d'Élisabeth avait peut-être raison. Elle ne voulait pas que cet individu meure, mais qu'il souffre, que ces crimes soient exposés aux yeux de tous. Fallait-il qu'il laisse sa sœur accomplir la prophétie ? À l'heure qu'il était, Isla était sans doute décédée. Devait-il partir sans confrontation ? Cela ne lui ressemblait tellement pas.

Il n'eut pas le temps de réfléchir plus longtemps. Des cris résonnèrent dans le hall d'entrée et Süleyman sortit voir ce qui se passait.

Le Black Watch. Il ne manquait plus que cela !

Süleyman dut expliquer la situation de long en large. Sa présence en ces lieux, l'état précaire de l'évêque et de leur collègue, Guthrie, les cadavres mutilés d'une vieille femme et d'un jeune messager.

Après des heures d'interrogatoire, William Russell, le représentant de l'autorité, s'adressa à lui, l'air sombre :

– Suivez-moi avec vos hommes, Süleyman. Vous êtes tous en état d'arrestation.

ÉPILOGUE

Tempus fugit

Glenmuick, Aberdeenshire
Juillet 1753

La lumière changeait, lentement.

Au loin, le soleil se couchait sur le Lochnagar, teintant le ciel d'orangé et les nuages de nuances de bleu et de mauve. Les eaux de la rivière Muick reflétaient les mêmes couleurs majestueuses, tandis que les buissons et la silhouette des nouvelles habitations contrastaient, noirs sur fond pastel. À proximité, un léger brouillard entourait le tronc des arbres de doigts fantomatiques.

Un homme se tenait à côté du maréchal-ferrant et examinait en hochant la tête ce qu'il lui montrait. Près de lui, une fillette d'environs trois ans dansait en faisant tournoyer sa jolie robe bleue. Ses joues rondes se creusèrent d'une fossette lorsqu'elle éclata de rire.

La petite s'éloigna peu à peu, gambadant et pourchassant les insectes. Amusée, elle poursuivit un papillon qui virevoltait ici et là. Pourrait-elle l'attraper ? Lorsque le papillon disparut au coin de la maison de la vieille Iona Higgins, l'enfant s'arrêta, jetant un regard anxieux vers la silhouette de son père, à quelque distance de là. Elle décida de ne pas continuer sa chasse au papillon, mais tendit l'oreille en entendant parler la vieille Higgins.

– Soyez la bienvenue parmi nous, mademoiselle Ramsay, vous vous plairez ici. Glenmuick renaît de ses cendres, comme un phœnix.

– Je vous remercie, madame Higgins. Je vous avoue que j'étais un peu craintive à l'idée de venir ici. Toutes ces histoires de revenants à la suite du massacre de 1748 m'ont rendue hésitante.

– *Aye*, bien sûr. Mais croyez-moi sur parole, je n'en ai pas encore rencontré un seul !

Les deux femmes éclatèrent de rire et la vieille Iona poursuivit :

– Avez-vous rencontré Brodick MacIntosh ? Lui et son épouse ont été les premiers à revenir ici. Ils ont, en quelque sorte, fondé le nouveau Glenmuick. Savez-vous que Mme MacIntosh fut la seule survivante du massacre ? ajouta-t-elle sur le ton de la conspiration.

– Vraiment ? questionna la nouvelle habitante du village.

– Pauvre femme. Quelque temps après la tragédie, elle a encore failli mourir après avoir reçu un projectile dans le dos. Elle a mis des mois à s'en remettre, paraît-il.

– Quelle horreur ! s'exclama Mlle Ramsay.

– Certains la disent sorcière. Je dois dire qu'elle est une guérisseuse hors pair. Elle et son mari forment un couple très amoureux. Il paraît que MacIntosh est pratiquement devenu fou lorsque sa belle était entre la vie et la mort !

– N'est-ce pas elle qui a fait tomber l'évêque d'Aberdeen ? Cela a fait jaser tout le pays !

– Pas étonnant ! Ce fut l'un des plus gros procès qu'Aberdeen ait connus. L'évêque violait des femmes, rendez-vous compte ! Il a engendré au moins deux rejetons, dont Mme MacIntosh ainsi qu'un Arabe ou un Turc, je ne sais plus. L'Église a tenté d'étouffer l'affaire, en vain.

– Mon Dieu, quelle histoire ! Et pour le massacre ?

– Oh ! Vous ne savez pas ? Au départ, c'est le frère de Mme Isla qui fut accusé. Après tout, lui et ses hommes auraient très bien pu être les assassins de Glenmuick ! Ils ont moisi en prison quelque temps avant que la vérité ne soit révélée au grand jour. Bien sûr, il a toujours clamé son innocence, et sa version était corroborée par celle de sa sœur. Mais allait-on croire une prétendue sorcière illégitime et un étranger immigré tout aussi illégitime ?

La vieille femme inspira bruyamment avant de poursuivre :

– C'est le témoignage d'un certain Guthrie, un homme du Black Watch qui avait enquêté sur l'affaire et qui a bien failli périr lui aussi, qui a véritablement pesé dans la balance. Durant ses investigations sur la tuerie, il avait réussi à remonter jusqu'à la compagnie Tassel et, tenez-vous bien, jusqu'à l'évêque lui-même ! Interrogé par le supérieur de Guthrie, le prélat passa aux aveux. Il souhaitait retrouver sa fille et avait embauché des particuliers pour qu'ils la lui ramènent, ne pouvant justifier une telle requête auprès du clergé. Mais il ignorait qu'il avait affaire à des fous furieux ! Plus tard, quand les assassins furent arrêtés, on a pu établir le scénario exact du massacre. Stuart Lennox, le chef des mercenaires, avait intercepté une conversation entre l'évêque et son majordome. Il comprit que Mme Isla était la descendante de la sorcière de Dornoch. À partir de là, les choses ont dégénéré. Complètement ivres, lui et ses hommes se sont rendus à Glenmuick avec l'intention d'exécuter la pauvre fille. Une fois sur place, ils ont perdu la tête en voyant que les villageois refusaient de leur livrer la sorcière. Ils se sont mis dans la cervelle que, pour la protéger ainsi, tous les gens du village devaient également se livrer à des rites démoniaques et vouer un culte à Satan. La suite, on ne la connaît que trop bien. Mme Isla n'a réchappé à la tragédie que de justesse, les mercenaires n'ayant pas eu le temps de finir leur sale besogne.

– Ces hommes sont des monstres! s'exclama Mlle Ramsey. J'espère qu'ils ont été châtiés comme il se doit!

– *Och, aye!* Les assassins furent tous condamnés et envoyés au *tolbooth*. Stuart Lennox fut pendu et la compagnie Tassel fut démantelée. Quant à l'évêque, il dut renoncer à ses fonctions ecclésiastiques et se retirer, pauvre, malade et sans titre, dans un monastère en France.

Un long silence s'installa durant lequel la petite fille n'entendit que le craquement d'une chaise à bascule en bois, puis la vieille Iona conclut:

– Après toute cette folie, Mme Isla et son époux voulurent fuir la ville pour oublier. D'ailleurs, Brodick étant un jacobite ayant combattu à Culloden, les Anglais lui portèrent un intérêt certain pendant un moment. Mais avant qu'une décision ne soit rendue dans son cas, lui et sa jeune épouse avaient déjà quitté Aberdeen. Ils se cachèrent quelque temps avant de venir s'isoler ici pour construire le début d'une vie à deux.

– Et le frère de Mme Isla? Qu'est-il devenu? s'enquit Mlle Ramsey.

– Ne l'avez-vous point aperçu? fit Higgins d'un ton étonné.

– N… non.

– Vous ne tarderez pas à le voir dans les environs, alors. C'est un membre à part entière de la communauté, à présent. Les gens l'ont accueilli avec méfiance, au début, car personne ne sait rien de son passé et de ses antécédents, mais il s'avère être un homme vaillant et agréable.

– Oh… Et cet homme… Guthrie?

– On dit qu'il est parti pour les colonies dans la semaine suivant la fin du procès.

– Eh bien! Moi qui craignais de m'ennuyer à Glenmuick…

Les deux femmes pouffèrent de rire, ce qui mit un point final à la discussion. L'enfant, qui n'avait pas saisi grand-chose mais qui prenait plaisir à espionner les conversations d'adultes, voulut alors partir à la poursuite de la grenouille qu'elle venait d'apercevoir sur le sol. Elle fit trois pas en riant lorsque, soudain, elle fut paralysée par un vent froid qui lui noua le ventre. Incapable de bouger, elle écarquilla ses yeux d'une étrange couleur aigue-marine sous l'effet de la terreur. Des chuchotements se firent entendre et une larme d'impuissance roula sur la joue de la petite.

– Rose ?

La voix paternelle lui parvint de très loin. Aussi vite que la sensation était venue, la réalité reprit son juste droit et la petite se précipita dans les bras de son père, oubliant tout de la grenouille qui la fascinait un instant auparavant. L'enfant se sentit immédiatement en sécurité. Il était si grand et fort. Elle se blottit contre lui, le visage caché dans son cou, et réclama :

– Maman !

Brodick serra sa fille contre lui.

– Maman est allée aider une voisine à accoucher, *mo nighean*[1]. Rentrons à la maison pour l'attendre, tu veux bien ?

Pour toute réponse, l'enfant hocha la tête dans son cou. Brodick sourit. La petite Rose était un attendrissant portrait de sa mère.

Si seulement il avait pu se douter à quel point elle lui ressemblait…

1. « Ma fille » en gaélique.

Mot de l'auteure

Situé à l'ombre du Lochnagar, le village de Glenmuick existe vraiment et est réputé pour son église. Toutefois, ce petit bourg n'a jamais été le théâtre du massacre décrit dans ce livre. Cet épisode n'a eu lieu que dans l'imagination de l'auteure pour mieux mettre en scène le reste de l'histoire d'Isla et de Brodick.

Le long du Royal Mile d'Édimbourg se trouvent de nombreuses ruelles très étroites entourées de maisons à étages. Si vous vous rendez dans la capitale écossaise, il est possible de visiter Mary King's Close, devant la cathédrale Saint-Gilles. Dorénavant enfouie sous la mairie, cette ruelle est fascinante !

De tous les *closes*, Mary King's est celui qui se rendait jusqu'aux rives du Nor'loch, à l'époque. On peut très bien s'imaginer à quel point le paysage devait être féérique lorsque le château s'y reflétait en été. Mais avec les années, il devint un marécage d'eau stagnante où l'on jetait déchets humains (certains plus humains que d'autres !) et carcasses d'animaux. Par ce fait même, les eaux du Nor'loch se mirent à produire des émanations de méthane qui remontaient le long des *closes* et donnaient des hallucinations aux habitants. Le méthane étant plus léger que l'air, il flottait à la surface de l'eau. Concentré, il pouvait aussi être légèrement lumineux et émettre des flammèches bleues, comme décrit dans la vision d'Isla. Le Nor'loch fut drainé en 1759 pour faire place à ce qui est aujourd'hui Princes Street Gardens ainsi qu'à la gare ferroviaire d'Édimbourg, Waverley Station. Lors de l'installation des rails, on retrouva des ossements humains.

La légende des tunnels de Culross existe réellement, ce qui m'a grandement inspirée pour créer l'épisode dans les souterrains de l'abbaye. Si vous visitez la région du Fife, prenez le temps de vous arrêter dans ce magnifique village côtier. De même, les hommes de sel sont fascinants, toutefois il est invraisemblable que ce phénomène ait été connu en 1748. Cette partie de l'histoire est romancée.

Riche de deux voyages en Écosse, je continue d'être à l'affût de faits historiques qui pourraient vous fasciner dans de futures histoires ! J'espère vous avoir fait visiter ce beau pays à travers mes yeux, et merci de m'avoir accompagnée dans ce récit.

Cet ouvrage composé en Adobe Garamond corps 13 a été achevé d'imprimer au Québec
sur les presses de Marquis Imprimeur le sept janvier deux mille quatorze
pour le compte de VLB ÉDITEUR.